Juan Antonio Cebrián
Jesús Callejo
Carlos Canales
Bruno Cardeñosa

Enigma

De las pirámides de Egipto
al asesinato de Kennedy

T0018341

mr · ediciones

Obra editada en colaboración con Editorial Planeta – España

© 2005, Juan Antonio Cebrián
© 2005, Jesús Callejo
© 2005, Carlos Canales
© 2005, Bruno Cardeñosa

© 2005, Editorial Planeta, S. A.– Barcelona, España
Adaptación de la cubierta: Booket / Área Editorial Grupo Planeta

Derechos reservados

© 2023, Ediciones Culturales Paidós, S.A. de C.V.
Bajo el sello editorial PAIDÓS M.R.
Avenida Presidente Masarik núm. 111,
Piso 2, Polanco V Sección, Miguel Hidalgo
C.P. 11560, Ciudad de México
www.planetadelibros.com.mx
www.paidos.com.mx

Primera edición impresa en Booket en España: marzo de 2023
ISBN: 978-84-270-5101-0

Primera edición impresa en México en Booket: agosto de 2023
ISBN: 978-607-569-509-9

Impreso en los talleres de Impresora Tauro, S.A. de C.V.
Av. Año de Juárez 343, Col. Granjas San Antonio,
Iztapalapa, C.P. 09070, Ciudad de México
Impreso y hecho en México / Printed in Mexico

Juan Antonio Cebrián (Albacete, 1965 – Madrid, 2007) fue un periodista y escritor de gran prestigio. Realizó, entre otros, los programas de radio *La red*, *Azul y verde* y el mítico *Turno de noche*, y dirigió con gran éxito *La rosa de los vientos*, en Onda Cero. Asimismo, fue fundador y director de la revista *LRV* y colaboró con el magacín dominical del diario *El Mundo* y con la revista *Enigmas*. Entre su extensa bibliografía, se encuentran *El mariscal de las tinieblas*, *Los Borgia* y *Pasajes de la historia*, publicados por Martínez Roca.

Jesús Callejo (Valderas, 1959) fue colaborador del programa de radio *La rosa de los vientos* de Onda Cero. Es asesor editorial de la revista *Historia de Iberia Vieja* y autor de más de veinte libros especializados en temas folclóricos y mitológicos. Desde marzo de 2013 dirige el programa radiofónico *La escóbula de la brújula*, un espacio de divulgación histórica, viajes y misterio.

Carlos Canales (Madrid, 1963) es abogado y escritor. Como investigador de la historia de España, ha sido director de las revistas de historia *Ristre* y *Ristre Napoleónico*, y es un gran divulgador de los temas históricos del pasado y del presente. Fue miembro del programa *La rosa de los vientos*, de Onda Cero, y actualmente colabora en el espacio radiofónico *La escóbula de la brújula*. Además, ha publicado, en colaboración con Miguel del Rey, numerosos libros que tratan aspectos desconocidos de la historia del mundo.

Bruno Cardeñosa (Orense, 1972) comenzó a trabajar hace más de veinte años en prensa, televisión y radio. Es director y presentador del programa *La rosa de los vientos* de Onda Cero y director de la revista *Historia de Iberia Vieja*, la única publicación especializada en historia de España. Además, es autor de libros como *Expedientes del misterio*, *100 enigmas del mundo*, *Triple A. ¿Quién mueve los hilos?*, *Autopista del misterio* o *Un mundo (in)feliz*, publicados por Cúpula.

Índice

Este libro está dedicado a nuestras musas inspiradoras, Silvia, Begoña, Julia y Beatriz. Gracias a su complicidad, comprensión y cariño hemos conseguido, seguramente, llegar hasta aquí. Por tanto, a los Dioses debemos que nos concedieran semejantes compañeras, que, a modo de hadas benefactoras, han esclarecido nuestros caminos en este planeta cuajado de peligros.

Prólogo

Las 4C entran en acción literaria. Buenas noches, mi nombre es Alfredo y escribo desde Barcelona. Mi pregunta es: ¿llegó realmente el hombre a la Luna? Me llamo Blanca y mi duda consiste en saber si los nazis consiguieron fabricar armas milagrosas. Queridas 4C, os escribo desde Valencia, mi nombre es José Luis y la pregunta es: ¿es auténtica la Sábana Santa? Y así durante años hasta completar un inmenso archivo preñado de cuestiones formuladas a los contertulios reunidos en torno al misterio generado por la antena de Onda Cero Radio en sus madrugadas. Jesús Callejo, Carlos Canales, Bruno Cardeñosa y yo mismo llevamos varios años acompañando las inquietudes de miles de oyentes ávidos de saber cada noche un poco más. La verdad es que me siento muy seguro al lado de mis compañeros; ellos, cual mentes renacentistas de nuestro tiempo, siempre han sabido estar a la altura de nuestra exigente audiencia. Y sé que se puede confiar en estos ilustrados viajeros de lo ignoto porque a lo largo del tiempo en el que me honran con su amistad, nunca han desatendido ninguna obligación por difícil que ésta fuera. Cientos de monográficos, tertulias, programas especiales, debates..., en todo momento estuvieron al máximo nivel y no es de extrañar que sus apariciones radiofónicas se esperen con cariño, complicidad y pasión. Cuentan con una legión de seguidores que serían el orgullo de cualquier comunicador en este maremágnum de informaciones equívocas, desestabilizadoras y banales.

Ahora iniciamos juntos el trasiego por el complicado mundo literario. Es, de alguna manera, la consecuencia lógica de tantos años de buen trabajo. Recuerdo con emoción nostálgica la primera vez que me situé ante un micrófono dispuesto a divulgar los mayores misterios de nuestra humanidad. Fue el 16 de septiembre de 1991 cuando inaugurábamos las emisiones de madrugada en Onda Cero con mi programa *Turno de Noche*. Ese día un jovencísimo Cebrián daba paso a una suerte de contenidos tan distintos como originales para las noches radiofónicas. Entre la oferta se encontraba una sección a la que titulé «La Zona Cero», cuyo principal colaborador era un excelso profesor de filosofía llamado Germán de Argumosa y conocido popularmente por sus investigaciones durante los años setenta sobre el fenómeno parapsicobiofísico. Junto al mítico profesor aprendí lo que se debía saber en torno al raciocinio y su difícil relación con la heterodoxia de lo enigmático. Fueron tres temporadas absolutamente brillantes en las que investigamos, analizamos y difundimos casos paranormales del más amplio espectro. Más tarde, llegarían capítulos renovadores en los que los mejores estudiosos y difusores del misterio se pasearon por el programa sorprendiendo a propios y ajenos. En ese sentido cabe destacar a Fernando Jiménez del Oso, Juan José Benítez y Javier Sierra... ellos y otros muchos nos entregaron la virtud de su sabiduría y en el terreno personal, el orgullo de una amistad que se ha mantenido hasta nuestros días. Aunque también hubo terribles pérdidas como la del anteriormente citado Jiménez del Oso, un druida de lo insólito, el cual más que un colaborador fue un amigo entrañable que me ayudó a comprender las inquietudes fundamentales de nuestra humanidad.

En 1997 *La Rosa de los Vientos* tomó el relevo de *Turno de Noche* y, mientras las secciones cambiaban de título, escenarios y colaboradores, «La Zona Cero» permaneció inmutable dado el seguimiento entusiasta de sus ya innumerables leales. El 5 de julio de ese año celebramos la Alerta Ovni más multitudinaria de la historia gracias al emergente poder de internet y, al poco, concreté el sueño de ver reunidos a mis especialistas favoritos, de cuya amistad gozaba desde varios años atrás. Por fin, con Jesús, Carlos y Bruno pude hacer realidad el viejo proyecto de crear una tertulia dedicada en exclusiva a divulgar la temática que tanto nos apasionaba a los miembros de las 4C. Desde entonces han transcurrido siete años y por la mesa de trabajo de nuestro estudio de locución han pasado cientos de cuestiones a las que hemos podido responder con mayor o menor acierto. Pero, en todo caso, nuestra ilusión y ganas de hacer bien las cosas, creo, sinceramente, que han trascendido más allá de los micrófonos impregnando los corazones, así como estimulando las mentes de personas tan curiosas como nosotros.

En este libro el lector encontrará la esencia de «La Zona Cero», sus enigmas y misterios más frecuentes, las cuestiones más sugerentes por las que nos hemos interesado en los últimos tiempos: desde las fundamentales y perdidas civilizaciones antiguas hasta las conspiraciones más sonoras. En estas páginas viajaremos a la Atlántida, soñaremos con Egipto, nos llenaremos de emoción ante la figura de Jesucristo, nos preguntaremos por el verdadero carisma de los templarios, emularemos al rey Arturo, sabremos qué hay de cierto en el hermetismo de algunas sociedades secretas, resucitaremos a herejes de la historia, buscaremos las tumbas más importantes de la crónica humana, temblaremos ante los planes nazis e intentaremos resolver mediante el ADN algunos capítulos ocultos de nuestro acontecer humano. En definitiva, cien preguntas que han aparecido con insistencia ante nosotros formuladas por oyentes que no se conforman con la supuesta realidad ofrecida tradicionalmente, y que son, sin duda, portavoces de otros miles que ansían conocer todas las hipótesis disponibles sobre los mayores enigmas de nuestra civilización. Les invito a dejarse llevar por las sensaciones emanadas desde esta obra. Pero ahora discúlpenme, pues debo atender nuevas preguntas formuladas por los amigos de *La Rosa de los Vientos*. Queridas 4C, os sigo desde hace años y mi pregunta es: ¿murió asesinado Tutankamon? Hola, mi nombre es Manuel y quisiera saber si hubo una conspiración del gobierno en el asesinato de Kennedy. Mi nombre es Isabel y me gustaría conocer todo lo que pudierais contarme sobre las moder-' nas técnicas de investigación de ADN y su importancia en la resolución de enigmas históricos. Hola, soy Francisco y tengo dieciocho años; sólo quería saber cuándo nació exactamente Jesús de Nazaret y, por supuesto, muchas felicidades por vuestro programa que sigo a escondidas de mis padres desde hace cinco años...

JUAN ANTONIO CEBRIÁN
Las Rozas, abril de 2005

Capítulo I

Culturas y civilizaciones del pasado

¿Existió la Atlántida?

La eterna evocación de un pasado mejor sigue moviendo a las diferentes generaciones de humanos en su lento transitar por el planeta Tierra. Esa búsqueda incesante de una magnífica edad de oro en la que todo era bienestar y progreso ha suscitado pasiones encontradas, anhelos y que muchos investigadores dedicaran sus vidas a la confirmación más o menos rigurosa de ese tiempo feliz. Sobre la Atlántida se han escrito hasta la fecha más de dos mil obras literarias e incontables reportajes periodísticos. Sin embargo, tanta elucubración apenas se sostiene en una única fuente documental: los celebrados *Diálogos* de Platón. Y, así es, por asombroso que parezca, uno de los mitos legendarios de nuestra civilización partió de un pequeño texto elaborado por el filósofo griego a mediados del siglo IV a. C. En el documento, el discípulo aventajado del inmenso Sócrates nos revela una conversación en la que se narra la existencia de un remoto paraje en el que floreció una cultura descendiente directa del dios Poseidón. Son en realidad los diálogos *Timeo* y *Critias* por los cuales sabemos que en 590 a. C., el sabio Solón visitó Egipto, donde un anciano sacerdote le narró la fascinante historia de la Atlántida. De vuelta a Atenas, Solón le transmitió la historia a Critias y éste, a su vez, a su hijo de idéntico nombre. Platón se enteró del relato y nos legó el supuesto conocimiento de este reino ejemplar. En el texto se nos expone que antiguamente existió frente a las columnas de Hércules una gigantesca isla mayor que Turquía y el norte de África en su conjunto. Tras ella se podía atisbar un continente, supuestamente el americano, aunque los griegos, en la época de Platón, desconocían su existencia. Siguiendo con el relato platónico, el origen de la Atlántida cabe atribuírselo a Poseidón, dios del mar, quien levantó semejante tierra para albergar a su amada Cleito y a las cinco parejas de gemelos fruto de su relación. Estos vástagos fueron fundadores de diversas dinastías —siempre bajo la supervisión del primogénito Atlas— con las que se pobló este auténtico paraíso virginal. Poseidón dotó a la Atlántida de una climatología propicia para que pudieran florecer todo tipo de cultivos y bosques. Los atlantes disfrutaron de majestuosos paisajes en los que moraban animales salvajes y domésticos. Asimismo, trazaron ciudades de urbanización impecable con una capital esplendorosa en la que destacaban sólidas murallas reforzadas con oricalco, bronce y estaño. En la plaza principal de dicha ciudad se levantaba una majestuosa fuente por cuyos caños manaba agua templada y fría. Como vemos, la situación de la Atlántida era muy semejante al ideal de una civilización perfecta, incluso sus leyes políticas y judiciales impedían cualquier conflicto entre los pueblos atlantes. Por desgracia, los habitantes de la isla se dejaron cegar por el materialismo y, poco a poco, se fueron desvinculando de sus dioses protectores. La fortaleza del imperio hizo pensar a sus dirigentes en la posibilidad de conquistar el mundo conocido. Y, tras reunir a los ejércitos, emprendieron diferentes guerras que les condujeron a las puertas de la mismísima Atenas, donde fueron rechazados. No obstante, tanta osadía hizo recapitular a Poseidón, quien, en castigo por la rebeldía de sus descendientes, destruyó, en un solo día, la obra de tantos siglos. Hasta ahí, la versión platónica sobre este asunto. Pero lo que no dejaba de ser una simple narración de la Grecia clásica, de la que Aristóteles —discípulo de Platón— llegó a decir que no era más que una invención fabulada de su maestro, se convirtió en un suceso de alta magnitud y, a lo largo de los siglos, fueron cientos los investigadores que trataron de ubicar, exactamente, la Atlántida. Como es lógico, surgieron tantas versiones como exegetas, apareciendo Atlántidas en todas las latitudes del globo terráqueo: Escandinavia, donde los vikingos en sus sagas habían hablado de un tal Atland; Reino Unido; Estrecho de Bering; Caúcaso; océanos Índico y Pacífico, en los que surgieron los supuestos continentes de Lemuria y Mu, equiparables a la Atlántida... En definitiva, nos encontramos ante una de las historias más sugerentes de nuestro acerbo mitológico. Nunca sabremos si la Atlántida existió realmente, si se hundió por un cataclismo natural o por el impacto de un meteorito destructor, si fue anegada por las aguas provenientes del deshielo polar o si fue desintegrada por causa de una explosión atómica. Sea como fuere, su presunta datación histórica abarcaría una horquilla desde el 8000 a. C. hasta el 550 a. C. Y el lugar más fiable por el que se inclinan la mayoría de los investigadores estaría en el centro del océano Atlántico, con algunas muestras supervivientes tales como las islas Canarias, Azores, Madeira, Bermudas o Cabo Verde. Una hipótesis relativamente reciente sitúa la Atlántida frente a las costas de Cádiz y considera a Tartessos el último vestigio atlante. En cambio, otras líneas de trabajo nos indican que los últimos atlantes podrían ser egipcios, beréberes, mayas o algunas poblaciones africanas de Bering. Que cada uno se apunte a la teoría que le parezca más atractiva. Yo me abono a que todos somos descendientes de la Atlántida y que nuestros corazones pertenecen a ella, y de ahí nuestros latidos evocadores de un mundo que sin duda fue mejor.

¿Quiénes construyeron Teotihuacán?

«El lugar de los que siguen el camino de los dioses.» Esto es lo que significa el nombre de Teotihuacán, la más grande, deslumbrante y mágica ciudad precolombina de Mesoamérica. Y aunque su construcción se atribuye a los sangrientos aztecas, lo cierto es que, cuando estos hombres deambulaban por esta gigantesca urbe hecha «a medida de los dioses», sus enormes pirámides llevaban muchos siglos en pie. Ellos la encontraron allí y la ocuparon, pero de sus constructores no sabían nada más que lo que sus leyendas les decían. Y esas tradiciones les obligaban a mirar a las estrellas para encontrar a los arquitectos de una ciudad que, en su momento de esplendor, llegó a estar ocupada por más de 250.000 habitantes. Esto quiere decir que, en el siglo IV, en la época de la Roma de Constantino, Teotihuacán era la más populosa de las ciudades que existían en la faz de la Tierra.

Cuando los aztecas llegaron a Teotihuacán, la encontraron cubierta por una espesa vegetación que casi hacía imposible distinguir nada bajo ella. Pero en cuanto se empezó a despejar de verde toda la planicie —ubicada a cincuenta kilómetros al norte de México D. F.— quedó al descubierto una impresionante ciudadela construida a partir de una avenida central a la que posteriormente se ha llamado Calle de los Muertos, al final de la cual se encontraba la pirámide de la Luna, mientras que a mitad de recorrido se edificó la pirámide del Sol, de 228 metros de lado y 64 de altura, un gigantesco monumento compuesto por dos millones y medio de ladrillos cocidos al sol. Para levantarla, al igual que se descubrió en la gran pirámide de Keops, sus constructores emplearon entre sus medidas el número pi, a pesar de que, oficialmente, dicha constante matemática no fue utilizada en América hasta tiempos relativamente recientes.

Las investigaciones nos obligan a aceptar que los constructores de esta urbe disponían de conocimientos astronómicos muy avanzados, cuando se analizó la orientación de la Calle de los Muertos. Por lógica, y como suele ocurrir en todas las construcciones del pasado, dicha orientación debía ser sur-norte o norte-sur, es decir, que debía seguir las pautas de los puntos cardinales. Sin embargo, los investigadores se encontraron con algo sorprendente. El primero en descubrirlo fue Stansbury Hagar, del Departamen-

La pirámide del Sol es probable que fuera construida para señalar el centro del universo.

to de Etnología del Instituto Brooklyn. Averiguó que existían en torno al eje central de Teotihuacán una serie de alineaciones astronómicas que posteriormente fueron confirmadas por otros estudiosos. Dedujo que, entre otras cosas, los monumentos de esta ciudad reflejaban posiciones orbitales de planetas del sistema solar como Júpiter, Urano, Neptuno o Plutón. El problema es que, cuando esa ciudad fue construida, nadie en el mundo sabía de la existencia de esos planetas, cuyo hallazgo por parte de los astrónomos se produjo mucho después.

Nadie ha podido datar la construcción de la ciudad. Eso sí, partiendo de los datos estelares reflejados en la singular distribución de sus principales monumentos, algunos estudiosos han supuesto que puede tener entre tres mil quinientos y seis mil años de antigüedad.

Pero entonces, según la cronología oficial, la civilización apenas se había desarrollado en América. Sin embargo, las alineaciones astronómicas obligan a mirar en esa dirección por mucho que no encontremos referencias exactas de la existencia de un pueblo capaz de semejantes prodigios arquitectónicos.

Podría sospecharse que los constructores fueron los olmecas, que habían sido los primeros en dejar un legado arqueológico de consideración y cuya antigüedad podría ser superior a los tres mil años. Aun así, el misterio no se aclara, puesto que el mismo origen de los olmecas es otro enigma. De ellos conocemos unos bustos que dejaron clavados en las tierras de México y que representan su rostro, en cuyos rasgos negroides se identifican hombres llegados desde lejanos continentes que en absoluto presentan rasgos indígenas. Quizá la existencia —no reconocida oficialmente— de conexiones entre antiguas civilizaciones puede explicar mejor el origen de los pueblos que levantaron esta imponente ciudad. ¿Acaso esta suerte de intercambio cultural es la explicación para las sorprendentes coincidencias matemáticas entre la pirámide del Sol y la gran pirámide de Keops? Como hipótesis parece totalmente válida…

Aun con todo, los enigmas que rodean a esta ciudad siguen siendo irresolubles. Sirva citar un último dato: la mica que recubría dicha pirámide en el corazón de México procedía de una cantera ubicada en el Amazonas, a más de tres mil quinientos kilómetros de distancia. Según el guión oficial de la historia, nadie puede justificar cómo estos hombres pudieron desplazar la mica desde tan lejanos enclaves sin disponer —en apariencia— del desarrollo adecuado para hacerlo.

Todo esto quiere decir que, sin lugar a dudas, quienes levantaron la «ciudad de los dioses» eran hombres de saberes fluviales, arquitectónicos y astronómicos superiores a los propios de la época. Es como si en el libro de nuestra historia pasada se hubiera perdido algún eslabón que quizá pueda esconder el secreto de las antiguas civilizaciones…

¿A qué fines sirvió Stonehenge?

Es el principal monumento prehistórico del Reino Unido y uno de los grandes enigmas de nuestra civilización. Sito a unos cien kilómetros de Londres en las llanuras de Salisbury, hoy en día sigue provocando debate entre historiadores y curiosos, los cuales no se ponen de acuerdo sobre las verdaderas causas por las que fue construido este impresionante conjunto megalítico.

Mucho se ha elucubrado sobre los albores de Stonehenge, y en ello por supuesto que la leyenda también ha jugado una baza importante. Durante siglos, en los que la arqueología no era precisamente una disciplina esencial, hubo autores que a la ligera se aventuraron a formular sus particulares hipótesis. Folclore, tradición y costumbres ofrecieron una miscelánea amplísima sobre los orígenes de Stonehenge.

En la actualidad, gracias a rigurosos estudios científicos podemos afirmar que hace unos cinco mil años existió una cultura en tierras británicas que buscó en el Sol y en la Luna las fuentes de inspiración espiritual necesarias para crecer como sociedad. Curiosamente, esta búsqueda de referencias religiosas fue común en todas las poblaciones humanas de la época. Era el momento de levantar grandes construcciones que miraran directamente al cielo en el anhelo. de conectar decididamente con los dioses o astros protectores. De esa forma, mientras en el 2800 a. C. se erigía el gran santuario de Stonehenge, en otras partes del planeta se alzaban edificaciones megalíticas que parecían pertenecer a una misma idea. Lo curioso es que, según la ciencia ortodoxa, en ese periodo prácticamente era imposible pensar en una comunicación fluida entre los pueblos moradores del planeta Tierra. ¿Cómo puede ser entonces que se parezcan tanto los círculos de piedra localizados en África, América y Europa? La pregunta es sumamente difícil de resolver. No obstante, algo debió de ocurrir que por el momento es complicado explicar, al menos para la más acérrima ortodoxia. Pero, mientras tanto, centrémonos en la historia de este maravilloso enclave astronómico de la Antigüedad.

Stonehenge fue concebido, como ya hemos dicho, hacia el año 2800 a. C., y el sitio no fue seguramente elegido al azar, lo que demuestra el inmenso esfuerzo de unas gentes que en aquella época tuvieron que trasladar unos enormes bloques de piedra de hasta treinta y cinco toneladas desde las montañas de Marlborough Downs, situadas a unos treinta kilómetros del lugar. El primer Stonehenge quedó configurado con un terraplén y un foso circular. Se colocaron las piedras y los montículos conocidos como «las cuatro estaciones», así como la «piedra talón», en el camino de acceso. Además se hicieron cincuenta y seis orificios llamados círculos de Aubrey en homenaje a su descubridor; quedaba clara la intencionalidad de la obra primigenia, un lugar sacro donde se adorara a la Luna y al Sol, un sitio que sirviera como receptáculo de los rayos indicadores de los solsticios, un cronómetro exacto que estrechara lazos entre hombres y deidades.

Hace cinco mil años la civilización pobladora de Gran Bretaña prosperó comercialmente, muestra de ello son las decenas de túmulos funerarios que rodean Stonehenge. En esas tumbas los arqueólogos han ido encontrando pruebas sobre una floreciente cultura que gustaba de adornarse con ricos ornamentos y exquisitos ajuares, dato este que nos sirve para adentrarnos en la segunda fase de Stonehenge. Llegamos al 2100 a. C., cuando los pobladores, presumiblemente una tribu o etnia llamada vickers, fueron capaces de transportar desde las místicas montañas galesas de Preseli sitas a unos 385 km de Stonehenge ochenta enormes rocas que servirán para dar un nuevo aspecto al santuario. Eran piedras de enorme poder y de tremendo influjo. Si bien a simple vista no parecían otra cosa que vulgares piedras, sin embargo cuando eran bañadas por la luz lunar, su color se transformaba en azulado; de ahí su legendario nombre: *bluestones*. El transporte de las piedras azules debió de ser complejo, dado que cada una de ellas superaba con creces las dos toneladas. Se presume que fueron llevadas en balsas por la costa galesa para luego remontar el río Avon hasta una zona donde, gracias a la colaboración de fuertes rodillos, eran empujadas hasta su destino final en Stonehenge. Una vez allí, conformaron un círculo y un semicírculo en herradura que protegieron el enclave original.

Hacia el 1500 a. C. se acometió la tercera y definitiva fase de remodelación, desplazando hacia el interior las piedras azules y alzándose la hoy llamada «piedra de altar». Esta piedra fue también transportada desde el sur de Gales. Así pues, Stonehenge no fue flor de un día, sino una empresa que se prolongó a lo largo de varios siglos con diversas fases y revisiones, pero siempre con un mismo propósito: el de rendir culto religioso a las manifestaciones más esplendorosas del firmamento.

Los cálculos, las medidas y la exactitud con las que se colocaron aquellas piedras siguen asombrando a los más rigurosos, que, aún hoy, se siguen preguntando cómo fue posible gestar una maravilla de precisión como ésa en aquellos brumosos momentos de la historia. Misteriosamente, en el año 1100 a. C., Stonehenge parece haber sido abandonado a su suerte, sólo los druidas celtas, auténticos herederos de aquellos arcanos conocimientos, mantuvieron los viejos oficios en el afán de permanecer en contacto con las entidades benefactoras. Ellos son sus últimos custodios hasta que alguien consiga descifrar este gran enigma.

¿Dónde estaba Tartessos?

Uno de los mayores misterios para la arqueología europea es, sin duda, ubicar exactamente la presunta localización de la mítica ciudad de Tartessos. Hoy en día, la escasez de pruebas concretas nos impide certificar que existiera semejante urbe, más bien lo que podemos deducir es que Tartessos fue una entidad territorial conformada por diversas poblaciones bajo el mando de una autoridad única. Según los textos del historiador griego Herodoto, hacia el siglo V a. C. una nave con tripulantes focenses, provenientes por tanto de la región jónica, fue desviada, por causas climatológicas, unos kilómetros más allá de las famosas columnas de Hércules. La supuesta desgracia se tornó en alegría cuando los marineros griegos contactaron con una cultura que parecía navegar en la más abrumadora abundancia. Sorprendidos por el hallazgo, trabaron amistad con el rey de aquel pueblo. Su nombre era Argantonio, quien, nacido en el 670 a. C., había llegado al trono de Tartessos cuarenta años después y perdurado en él otros ochenta años. Según algunas indagaciones efectuadas por diferentes estudiosos, los tartesios tendrían origen griego y habrían llegado a la zona con evidente interés colonizador, dados los inmejorables recursos naturales que ofrecía aquella tierra. Argantonio conservaba el arraigo de su país ancestral y, por eso, no es de extrañar que recibiera con generosidad y cariño la llegada de los focios y les entregara, según la narración de Herodoto, oro suficiente para permitirles la construcción de una muralla en su ciudad de origen, a fin de protegerles de los reiterados ataques persas. Esta hipótesis puede ser tan válida como las que sostienen el origen indoeuropeo de los tartesios.

Lo cierto es que, durante siglos, las tradiciones griegas y romanas mantuvieron firme el relato sobre Tartessos. En dichas historias siempre se hablaba de aquel reino como tierra de promisión y riquezas inagotables. Pero un territorio de tanta grandiosidad no puede desaparecer como por ensalmo. Entonces, ¿dónde está la capital que lo represente? Es difícil conjeturar sobre este extremo. Hoy en día lo único tangible de lo que disponemos son algunas muestras cerámicas, sepulcros llenos de rico ajuar en las necrópolis, tesoros como el de Ébora o el del Carambolo y poco más. Sí sabemos, en cambio, que la cultura tartesia existió y que se desarrolló probablemente entre el 1200 y el 550 a. C. La arqueología nos impide por el momento certificar la existencia de una capital o ciudad epicentro de un reino, pero sí podemos presumir que esta cultura se extendió territorialmente desde Huelva hasta Cartagena ocupando casi todo el sur de la península Ibérica. Los tartesios pudieron florecer económicamente gracias a sus enormes recursos minerales. Eso nos invita a pensar que las minas onubenses estuvieron muy cerca del lugar en el que se asentó la monarquía. Y, si tenemos en cuenta relatos históricos e investigaciones posteriores a cargo de expertos como Adolf Schulten, Blanco Freijeiro o José María Blázquez, podemos aventurar que, de existir una ciudad, ésta debería estar entre Cádiz y Huelva, acaso cerca de las marismas del río Guadalquivir, en ese magnífico Coto de Doñana que el siempre vehemente Schulten intentó levantar por entero en los años 23-25 del siglo XX, sin que tuviera fortuna alguna. Tartessos sigue constituyendo un grave problema para los historiadores de ese tiempo tan difícil de catalogar. Pensar en una sociedad minera y artesana que creció en torno a simples edificaciones borradas por el paso de los siglos se nos pone muy cuesta arriba, máxime a sabiendas de que dispusieron de un gran potencial económico, lo que les permitió comerciar con otros pueblos mediterráneos. En los restos encontrados no faltan testimonios de ello con una suerte de piezas evocadoras de otras latitudes tales como la egipcia o la fenicia. Precisamente, algunos piensan que los pobladores del actual Líbano fundaron Cádiz con el propósito de negociar con los tartesios.

Existen numerosas hipótesis sobre el final de este semilegendario reino. Unos piensan que fueron los cartagineses quienes destruyeron Tartessos hasta los cimientos a fin de apropiarse de sus recursos mineros y territoriales. Otros aseguran que lo más fiable nos diría que aquellos primigenios pobladores andaluces evolucionaron y que fueron los turdetanos sus grandes herederos, ya que en época romana estos íberos se confirmaron como los más cultos de su entorno, pues poseían una gramática más compleja que el resto y conservaban viejas tradiciones que ellos mismos databan en seis mil años de antigüedad. Sea como fuere, tras los grandes descubrimientos arqueológicos del siglo XIX como los palacios talasocráticos de Creta a cargo de Evans o la Troya homérica de Schliemann, el hallazgo de Tartessos se alza como uno de los últimos grandes retos para la arqueología del siglo XXI.

¿Llegaron los vikingos a América antes que Colón?

Aunque pueda parecer una broma, Colón fue el último en llegar a América. Efectivamente, su descubrimiento marcó un antes y un después en la Historia. De hecho, supuso el comienzo de la conquista comercial y política de aquellas tierras. Sin embargo, conviene no olvidar que, en los relatos de los primeros visitantes, se hace referencia a indígenas altos y rubios, «de tez más blanca que los propios españoles». Sin lugar a dudas, aquellos personajes no parecían compartir los mismos genes que el resto de habitantes del Nuevo Continente.

A menudo se ha sugerido que pudieran ser descendientes de vikingos. Incluso algunos restos arqueológicos así lo han hecho suponer a los historiadores, que muestran su sorpresa ante edificios como la torre que está localizada en la playa de Newport en Terranova, que ya se encontraba allí antes de la llegada oficial de los europeos. Dicha torre presenta características normandas indiscutibles. Además, existen relatos que notifican ya la existencia de vínculos entre América y las culturas del norte de Europa. Por ejemplo, los textos del alemán Adam von Bremen revelan que los vikingos establecieron rutas comerciales entre sus dominios, Groenlandia y una tierra que se encontraba aún más allá y a la que llamaban «vinlandia». Cuando escribió aquello corría el año 1070 d. C., es decir, que faltaban más de cuatrocientos años para que Colón iniciara su aventura en busca de nuevas tierras.

La historia nos dice que, hacia el final del primer milenio, el vikingo Erik el Rojo fue desterrado a la gélida Groenlandia, adonde llegó tras abandonar Islandia junto a su familia. A tenor de lo inerte de aquella tierra y de que la sangre que corría por sus venas era la de un explorador impenitente, armó sus barcos en busca de nuevos mundos que le ofrecieran perspectivas de futuro. Y aunque él no pudo hacerlo, sí fue capaz de conseguirlo su hijo Leik Erikson, quien llegó a algún punto de América del Norte al que denominó «tierra de

Los veloces drakkars vikingos llegaron a las costas de Norteamérica sobre el año 1000 d. C.

la vid», es decir, «vinlandia». Por las descripciones y por los relatos que nos han llegado, aquellos parajes sólo podían encontrarse en algún punto de las costas orientales de América del Norte.

Recientemente, una exposición del respetado Instituto Smithsonian de Washington mostraba las rutas de los primeros viajes de los vikingos a América y diferentes objetos que éstos pudieron haber dejado allí. Sin embargo, no hay pocos estudiosos que apuntan incluso más lejos al suponer que los vikingos se quedaron y ocuparon gran parte del continente, alcanzando incluso el Cono Sur. Ya no sólo se trata de la presencia de hombres blancos y rubios entre los indígenas, sino de infinidad de enclaves de América del Sur en donde se han descubierto símbolos de origen rúnico muy anteriores a Colón.

Un estudioso llamado Jacques de Mahieu publicó en 1979 un libro titulado *El rey vikingo del Paraguay*, en el cual se analiza al pueblo

31

indígena de los guayaki, unos indios blancos cuya escritura utilizaba las runas, que han sido identificadas en 157 puntos diferentes de esta región latinoamericana. Posteriores expediciones a las tierras que fueron de su dominio han dado con más conexiones. Vicente Pistilli, profesor de la Universidad Nacional de Uruguay, efectuó varios viajes al lugar, en donde encontró numerosos indicios de la presencia vikinga en esas tierras. Sin ir más lejos, topó con herramientas de guerra diferentes a las utilizadas por la mayor parte de los indígenas del entorno amazónico, pero inquietantemente similares a las empleadas por los vikingos en sus legendarias batallas.

Además, en el Museo Antropológico de Asunción, Paraguay, se encuentra la talla de un indio guayaki de aspecto europeo. Esos hombres blancos se hacían llamar a sí mismos *ashé*, expresión que nada tiene que ver con las propias de aquellos indígenas, sino con el término vikingo *asch*, que significa 'fresno', algo que recuerda mucho a los *aschomani*, es decir, a los *hombres del fresno*, que es como se conocía a los vikingos en las tierras mediterráneas.

Salvo algún nacionalista irracional, nadie admite ya que Colón fue el primero en llegar a América. A fin de cuentas, el aventurero Thor Heyerdahl ya fue capaz de navegar por las aguas del Pacífico a lo largo de siete mil kilómetros empleando una balsa. Con ello vino a demostrar, contrariamente a lo que se creía, que pueblos del pasado pudieron establecer contactos marítimos entre diferentes continentes. Y los vikingos —y otros pueblos como los fenicios, estupendos navegantes de quienes también se sospecha que pudieron llegar a América— contaron con algo más que con simples balsas de madera...

¿Cómo fueron los viajes de Rata y Maui?

A comienzos del siglo XVII la navegación oceánica de altura era ya un hecho. Los grandes navegantes portugueses y españoles habían circunnavegado el globo, descubierto continentes y surcado todos los mares de la Tierra. Sin embargo, seguía existiendo un gran problema: aunque era relativamente sencillo calcular la latitud, no se podía decir lo mismo de la longitud, problema que no pudo ser solventado hasta muy avanzado el siglo XVIII, pero para asombro de arqueólogos, geógrafos, cartógrafos y marinos, una curiosa investigación iniciada hace tan sólo unas décadas está a punto de demostrar algo increíble, la posibilidad de que los navegantes de la Antigüedad Clásica contasen con instrumentos capaces de medir la longitud.

En torno al año 232 a. C. el capitán Rata y el navegante Maui fueron enviados por el rey Ptolomeo III de Egipto hacia el este con la misión de comprobar la veracidad de lo que aseguraba el más grande de todos los sabios de su tiempo, el jefe de los bibliotecarios de la biblioteca de Alejandría, Eratóstenes de Cirene, quien no sólo afirmaba con rotundidad que la Tierra era redonda, algo en lo que estaban de acuerdo la mayoría de los sabios, sino que además tenía un diámetro de cuarenta mil kilómetros —lo que es cierto—. Para realizar el viaje se eligió la ruta oriental por dos razones, la primera porque hacía unos años, en el 280 a. C., un comerciante llamado Hyparco había descubierto una forma de navegar hacia la India desde el mar Rojo aprovechando los vientos monzónicos —aunque no sabía la causa—, lo que permitía un desplazamiento rápido y seguro entre la costa de Egipto y los puestos comerciales griegos en la India. La segunda razón era evitar la peligrosa y poco conocida ruta occidental, en manos de los cartagineses, acérrimos enemigos de los griegos y dueños de las puertas de entrada al Atlántico.

Para iniciar la travesía por mares y tierras ignotas, la expedición fue dotada del material técnico más avanzado que se conocía, que incluía las mejores y más rápidas naves de vela y remo —probablemente trirremes— y algunos instrumentos de navegación entre los que destacaba el *tanawa*, llamado por los portugueses en el siglo XV *torquetum*. Pero la duda persiste: ¿qué era el *tanawa* y para qué servía en realidad? ¿Hasta dónde llegó la expedición greco-egipcia?

La respuesta a estas dos cuestiones ha suscitado un intenso debate intelectual en los diez últimos años. Tras años de investigaciones varios estudiosos del legendario viaje del siglo III a. C. que intentó la circunnavegación de la Tierra han ido uniendo las pistas que se han ido encontrando desde hace más de cien años y que parecen sugerir que la expedición de Maui alcanzó, al menos, la costa occidental de América del Sur, en concreto Chile y, muy probablemente, la isla de Pascua. Investigadores como Marjorie Mazel, Sentiel Rommel, Lindon H. La Rouche o Richard Sanders se han ocupado de reunir todos los pedazos dispersos de información que existían acerca del viaje de Maui, coincidiendo la mayoría en trazar una ruta que tras recorrer la costa de Asia desembocó en el Pacífico desde el norte de Nueva Guinea, gracias a la interpretación realizada en 1970 por el gran epigrafista Barry Fell, que logró traducir una inscripción encontrada en la roca en Sosorra, en la costa de Irian Jaya (Nueva Guinea oriental).

La inscripción traducida por Fell decía:

> La Tierra está inclinada. Por lo tanto los signos de la mitad de la eclíptica atienden al sur, la otra mitad crece en el horizonte. Ésta es la calculadora de Maui.

Sin embargo, la inscripción no estaba sola. Hacía referencia a un extraño dibujo que aparecía junto a ella y que Fell publicó en 1976 en la obra *America B. C.*, editada por Simon & Shuster, Nueva York.

Durante los años noventa creció la polémica acerca de qué era en realidad el extraño objeto dibujado en las rocas de Nueva Guinea. La idea más aceptada es que se trataba de un *tanawa*, el extraño instrumento de navegación empleado por Maui para intentar demostrar la teoría de Eratóstenes. Casi todos los investigadores habían convenido en que la expedición llevaba casi con toda seguridad tablas elaboradas por los especialistas de la biblioteca de Alejandría con las que podrían saber si la circunferencia de la esfera era idéntica en todas las direcciones, ya que aparentemente Maui estaba realizando un experimento cuando realizó la inscripción. Pero la solución definitiva al enigma la aportó Sanders cuando decidió construir la máquina representada en la roca e intentar solucionar el enigma de su funcionamiento. Las pruebas realizadas con un modelo de *torquetum* realizado en madera demostraron que con la máquina era posible medir el cambio angular en la distancia entre la Luna y la estrella Altair en la constelación del Águila. Este éxito probó que usando este sistema era factible, con las tablas de las que disponía Maui, obtener una razonable estimación de la longitud. El valor del *torquetum* debe de haber sido inmenso porque, una vez que un planeta o la Luna no están sobre el meridiano, todas «las líneas rectas» se hacen curvas, lo que complica los cálculos incluso con una moderna calculadora. Sin embargo, los 23,5 grados de inclinación del *torquetum* permitían leer directamente la longitud y la latitud de un planeta o de la Luna, en relación con el plano de la eclíptica, sin ningún cálculo necesario nuevo.

El trabajo experimental liderado por Sanders abrió el camino a muchos investigadores que trabajaban en el enigma del viaje de Rata y Maui y que han esbozado fascinantes teorías sobre hasta dónde pudieron haber llegado. Ciertamente, alcanzaran o no las costas de América, la expedición demuestra que la navegación oceánica en la Antigüedad no sólo era posible, sino que los antiguos navegantes contaban con instrumentos enormemente sofisticados y que tal vez conocían la Tierra mucho mejor de lo que hoy en día sospechamos. Tal vez pronto un trabajo similar al realizado con la *piedra de Maui* nos permita resolver enigmas parecidos, como el de la máquina de Antikitera.

¿Dónde están las diez tribus perdidas de Israel?

En 1524 un judío llamado David Reubéni se presentó ante el papa Clemente VII y el rey de Portugal para tratar de convencerles de que su hermano era el monarca de una de las tribus perdidas de Israel que se hallaba en Asia. Él era un simple emisario para buscar una alianza con los reinos cristianos y así poder luchar contra los musulmanes. El desdichado pagó cara su iniciativa: fue quemado en la hoguera por la Inquisición.

Fue uno de los muchos que han asegurado tener la verdad de lo que ocurrió con las diez tribus de Israel, de las que no se tiene constancia desde los tiempos bíblicos.

Sabemos que Jacob, nieto del patriarca Abraham, tuvo doce hijos con cuatro mujeres diferentes y que con el tiempo se convirtieron en los líderes de otras tantas tribus que se repartieron por Israel. Diez tribus en el norte (Rubén, Simeón, Leví, Isacar, Zabulón, Dan, Neftalí, Gad, Aser y José) y dos tribus en el sur del territorio (Judá y Benjamín) que formaba el reino de Judá, con Jerusalén como capital. La expansión de este pueblo dio credibilidad a la profecía que Yahvé hizo en su día a Abraham (Génesis 15): que su extirpe sería tan numerosa como las estrellas del firmamento. Pero ni Abraham ni Jacob podían imaginar entonces que, de aquellas doce tribus, diez desaparecerían sin dejar rastro tras la deportación del general asirio Salmanasar V en el año 740 a. C. Salmanasar invadió Israel y se apoderó de la capital samaria (durante el reinado de Oseas), que cayó después de tres años de asedio. Durante el mandato de su sucesor, Sargon II, el antiguo reino septentrional se convirtió en provincia asiria, y según los anales, este monarca deportó a la región del norte del Éufrates a veintisiete mil miembros de la clase alta de Israel.

El historiador Flavio Josefo, siglo I, relata en su libro *Antigüedades judías* (tomo IX) que en el 722 antes de nuestra era, diez tribus del norte de Israel fueron llevadas más allá del Gran Río (el Éufrates).

¿Adónde fueron a parar realmente? Éste es uno de los enigmas bíblicos e históricos más persistentes y siempre ha habido quien ha creído tener la respuesta a este secreto. Unos pocos datos se encuentran en el II Libro de los Reyes, donde se refiere que las diez tribus fueron llevadas a Asiria, en concreto a Jalah, cerca del río Gozan y a las ciudades de los pueblos medos, en los márgenes del río Tigris. Vemos como estas tribus se olvidan de los estatutos y mandamientos que Yahvé les dio, y se dedican a las adivinaciones y agüeros. Es un exilio que dura muchos años, tantos que los cronistas de la Biblia se olvidan de ellas y se concentran en la historia del reino de Judá.

El polémico libro escrito por Andreas Faber-Kaiser, *Jesús vivió y murió en Cachemira* (1976), recoge numerosas leyendas que dicen que Jesús sobrevive a la crucifixión, sale de Jerusalén y se dirige con su madre, María, y Tomás a la India buscando las diez tribus perdidas de Israel, que se creían diseminadas por las comarcas de Afganistán y Cachemira.

Hay que recurrir a un libro apócrifo (*Apocalipsis de Ezra* o *Esdras II*) escrito en griego hacia el año 100 d. C. para saber algo más de su terrible destino. Un ángel revela al cronista que las diez tribus, tras haber sido trasladadas al otro lado del Éufrates, decidieron emigrar hacia una región «más apartada donde nunca habitó el género humano y que, al cabo de año y medio de camino, llegaron a Arsareth, donde fijaron residencia».

Así permanecen las cosas, con tímidos intentos por localizar geográficamente estas tribus perdidas, hasta que en el siglo X d. C. un tal Eldad Ben Mahli apareció en Kairuan (Túnez) anunciando que procedía de un reino judío de Etiopía y que allí se encontraban cuatro de esas tribus. La comunidad judía albergó esperanzas de que no hubieran muerto todos ellos en el cautiverio. Pero en esta época medieval era difícil comprobar esta clase de asertos. Pocos medios había para viajar lejos de las fronteras de cada país y el peligro acechaba en cada recodo del camino. Siempre quedó la leyenda consoladora de ese «reino oriental» donde se habían logrado salvar todas o algunas de las tribus perdidas durante la diáspora. De vez en cuando estos rumores eran avivados por viajeros y aventureros de todas las latitudes que iban suministrando más datos sobre su paradero. Un viajero judío de origen español, llamado Benjamín de Tudela, presentó en

Alemania un informe sobre las comunidades judías existentes en el Oriente más próximo, en Persia y en tierras limítrofes.

A raíz de unas cartas que manda un rey cristiano que se hace llamar Preste Juan en el siglo XIII y que habla de un territorio situado en Oriente capaz de albergar todas las maravillas, muchos pensaron que en aquel misterioso lugar tenían que estar esas tribus perdidas en el tiempo y en el espacio.

Todas las esperanzas estaban depositadas en Asia, incluso en los territorios míticos de Shambala y Agharta. Luego en la desconocida África y, más tarde, con el descubrimiento de América, se puso los ojos en este continente como lugar probable adonde pudieron haber ido esas tribus y como respuesta a que no se hubiera tenido noticias de ellas durante tanto tiempo. El primero que comentó esta posibilidad fue el obispo Diego de Landa, que en su *Relación de las cosas del Yucatán* dice: «Este país fue ocupado por una raza humana procedente del Este, que Dios liberara abriendo diez caminos sobre la mar», deduciéndose que los indígenas americanos eran los auténticos descendientes de los hebreos perdidos.

El judío portugués Antonio de Montesinos relató a un sabio de Ámsterdam que se había encontrado en Perú con algunas personas que decían ser descendientes de la tribu perdida de Rubén. El fraile Diego Durán tampoco tuvo dudas acerca del origen hebreo de los nativos de la Nueva España (hoy México). El asunto era de lo más atractivo para los teólogos e incluso para los lingüistas, pues más de uno vio en algunos de los idiomas de América una deformación corrompida del hebreo. El lingüista francés Henry Onnfroy de Thouron llegó a la conclusión de que el quechua de los pueblos andinos y el tupi de los nativos brasileños eran de origen hebreo-fenicio. Un ejemplo: el río Solimoes sería una adulteración del nombre de Salomón. Para colmo, el explorador alemán Waldek comenta algo que le dicen los indios juarros del Yucatán y es que los toltecas podrían ser los descendientes de las tribus israelitas que se establecieron en las «Siete Cuevas» o «Chihicomostoc», donde fundaron la famosa ciudad de Tula.

Ahora bien, fueron los mormones, con Joseph Smith a la cabeza y su revelado *Libro de Mormon*, los que dieron más popularidad a esta creencia con sus variantes. En este libro se considera a los indios americanos como descendientes de los judíos emigrados de Jerusalén en la época de Zequedías, aunque éstos no pertenecieron a las diez tribus de Israel.

Hasta aquí tiene su lógica que se buscaran lugares apartados y exóticos para ubicar a esas diez tribus. Lo más extraño es que alguien quisiera encontrarlas en el interior de la Tierra Hueca (como el capitán J. C. Symmes a principios del siglo XIX) y otros en Europa. En 1649 el británico John Saddler dice que los habitantes de las islas Británicas eran los legítimos descendientes de esas diez tribus perdidas, que ganó popularidad cuando Richard Brothers, una especie de profeta divino, reconstruyó el itinerario de esas tribus tras la deportación de Salmanasar. Según él, se convirtieron en los escitas, cruzaron el Cáucaso, costearon el mar Negro y recalaron en Alemania. Allí se transformaron en los sajones y adoptaron una nueva lengua. Más tarde se marcharían hacia las islas Británicas para repoblarlas y asunto resuelto.

Otra teoría planteaba si el pueblo cíngaro no sería una de las tribus perdidas, ya que pretendían ser los herederos de Abraham y de Sara. Para algunos investigadores, la semejanza del éxodo de los dos pueblos (el judío y el gitano) les hace pensar que estos últimos pueden ser una de esas tribus, desterradas por los asirios hacia el extremo oriental de su imperio. De vez en cuando aparecen teorías absurdas que hablan de que los actuales judíos etíopes pertenecerían a la tribu de Dan o que en Japón aparecieron miembros de la tribu de Zebulón.

Seamos sensatos. El destino final de esas tribus se ha ido diluyendo con el devenir de los tiempos y con las gentes de los países que han ido recorriendo. Tal como dice la Biblia, los dispersaron por el norte de Asiria, mezclándolos con otros pueblos cautivos, mientras servían como esclavos. Dejar que siguieran existiendo como tribus hubiera sido un error estratégico y lo más lógico es que se mezclaran con la población local hasta desaparecer como pueblo, debido a una asimilación biológica y cultural con los pueblos persas y asirios, más plausible que aquellos que sostienen que fueron masacrados.

Hoy en día, las diez tribus perdidas de Israel existen, pero en el imaginario colectivo. La última novela de Herman Hess, *El juego de los abalorios*, trata de una cofradía de intelectuales que juegan con abalorios mientras el mundo se les viene encima. Pues bien, el mito de las diez tribus perdidas sirvió durante mucho tiempo como juego de abalorios para los judíos.

Las legiones perdidas de Roma

Desde hace siglos el destino de algunas legiones romanas, de las que no se sabe bien cuál fue su final, ha intrigado a historiadores de toda Europa. No nos referimos a aquellas que se perdieron en terribles batallas contra los enemigos bárbaros, como las tres legiones de Varo aniquiladas el año 9 de nuestra era en los bosques de Teutoburgo en una terrible derrota ante los germanos, ni a la *legio XXII deiotariana*, destruida en su lucha contra los rebeldes judíos de Simón Bar Kocheba, entre los años 132 y 135, sino a historias mucho más enigmáticas.

En el año 122 de nuestra era, el emperador Adriano envió una legión, la *VI victrix*, a la remota frontera norte del imperio, hasta Britania. Durante dos años de difíciles luchas, entre el 115 y el 117, las tropas romanas y sus auxiliares habían librado una dura campaña en las tierras de los indómitos caledonios y pictos, tribus salvajes de guerreros brutales tatuados de azul con glasto. Pero finalmente la disciplina, el valor y el orden de los legionarios se había impuesto, de forma que se consolidó una línea defensiva, sobre la que se levantaría la enorme muralla que llevaría el nombre del emperador. El objetivo de la *legio VI victrix* era reemplazar el vacío dejado por la vieja *legio IX hispana*, una unidad experimentada que llevaba ya generaciones luchando en la frontera de Caledonia, en las tierras más desoladas y salvajes que la mentalidad civilizada de los romanos pudiera concebir y a la que, literalmente, se la había tragado la niebla...

Tras haber servido a las órdenes de César, la *legio IX hispana* fue trasladada en el año 13 a. C. a los Balcanes, hasta que en el año 43 d. C., fue una de las unidades seleccionadas para tomar parte en la invasión de Britania por el emperador Claudio. Tras combatir brillantemente, quedó estacionada en las proximidades de Lincoln combatiendo en la terrible insurrección de los icenios de la reina Boudica. En torno al año 70 fue enviada a Eboracum —York, la capital de la Britania romana— y luchó en Caledonia —Escocia— a las órdenes del gobernador Julio Agrícola, tomando parte en la victoriosa batalla de *Mons Graupius* el año 83. Luego regresó a York, donde dejó testimonio de su presencia en la puerta de la fortaleza del río Ouse —justo donde hoy se alza la catedral—. Sin embargo, tras la revuelta salvaje de las tribus del norte en el año 115, fue enviada a la frontera. Allí, los legionarios se vieron envueltos en terribles combates contra hordas sanguinarias, que no pedían ni daban cuartel. Tras adentrarse en las montañas, en algún momento antes del año 117, pura y simplemente desapareció.

El misterio de la desaparición de la IX legión se popularizó gracias a la novela *The Eagle of the Ninth*, de Rosemary Sutcliff (1954), que se basaba en el descubrimiento en Silchester —en Hampshire— de un águila de bronce que la autora identificó como perteneciente a la legión perdida, pero que en realidad no coincide con el águila de una unidad militar, sino más bien con las estatuas de culto al emperador o a Júpiter. Durante los últimos años se ha hecho un gran esfuerzo para identificar cualquier resto epigráfico que permitiese seguir la pista de la legión por Europa, pero lo cierto es que el enigma sigue sin resolverse.

La segunda de las grandes leyendas acerca de legiones romanas tragadas por la tierra es mucho mejor conocida y ha sido objeto de profundas investigaciones, ya que es mencionada por el gran geógrafo Estrabón. Hace unos dos mil quinientos años floreció un reino maravilloso en el sur de Arabia, en el actual Yemen. Este país legendario, cuna de la reina de Saba, era bien conocido en la Antigüedad Clásica, pues estaba integrado en las redes comerciales del viejo *Oikúmene* griego —el mundo civilizado—. La razón de su prosperidad derivaba de la existencia de una gran presa, la de Marib, que permitía cultivar en las lindes del desierto una tierra feraz, de vieja cultura y soberbias ciudades que despertó las ambiciones de los romanos.

En el año 24 de nuestra era, Aelio Gallus, gobernador romano de Egipto, recibió la orden expresa del emperador Augusto de dirigir un poderoso ejército hasta la orilla oriental de la costa norte del Golfo Arábigo —nombre con el que los romanos conocían a esa parte del mar Rojo—. Su destino inicial era el puesto comercial tolemaico de Leuke Kome, a unos ochocientos kilómetros al sur de Akaba; y el final, el reino de los sabaenos, en la *Arabia Felix*, junto al estrecho de Bab el Mandeb. Para lograr su objetivo, Gallus disponía de un formidable ejército de diez mil hombres de infantería —la mayoría auxiliares—, apoyados por caballería, dromedarios, artillería —catapultas y escorpiones— y máquinas de asedio, así como con provisiones para una marcha de meses. Durante semanas y semanas los soldados romanos se adentraron cada vez más profundamente en el desierto de Arabia, llevando una marcha al sur y hacia el interior que les alejaba cada vez más de sus bases en la costa.

Dicen varios historiadores que Sylaeto, el guía árabe y líder de los aliados de los romanos, les traicionó, llevando a las legiones hacia la profundidad del desierto, donde decenas y decenas de hombres murieron de agotamiento, sed y hambre. Aunque los historiadores del imperio hablan de las ciudades conquistadas por Gallus, lo más probable fue que no tomaran más que miserables aldeas de pastores y villorrios de adobe. Finalmente alcanzaron el reino de los sabaenos, pero, incapaces de conquistar sus ciudades, tuvieron que retirarse penosamente hasta su punto de partida, al que llegaron tras dos meses y diez días de marcha. Dicen que sólo siete hombres cayeron en combate, el resto, miles de ellos, murieron víctimas de una espantosa epidemia, de penalidades de todo tipo y de hambre y sed.

Un año después, el prefecto Petronio partió de Syene, en el alto Nilo, en una campaña de venganza contra los etíopes, al sur de las grandes cataratas. Avanzó con decisión hacia Meroe, en el Sudán, pero al llegar a Napata no pudo seguir y retrocedió. Syene sería durante más de cuatrocientos años el límite sur del Imperio de Roma. Nadie, sin embargo, devolvió a Augusto sus legiones perdidas en Arabia y, como las de Varo, sus cadáveres fueron devorados por las alimañas y las aves carroñeras y sólo sus huesos permanecieron como mudos testigos de su estéril aventura.

¿Cómo era el país de Punt?

Para los antiguos egipcios, Punt era la tierra donde había nacido la raza humana.

Un reino mítico y a la vez conocido, una zona lejana pero accesible, un lugar misterioso pero lleno de riquezas sin límite, hasta tal punto que diversos faraones organizaron viajes en dirección al país de Punt para aprovisionarse de toda clase de objetos exóticos y de animales. Este nombre, Punt, nos sitúa en una zona geográfica imprecisa, muy probablemente en la costa oriental de África, cerca del extremo sur del mar Rojo.

El primer testimonio de las actividades de exploración egipcia se encuentra en la famosa *Piedra de Palermo* —documento perteneciente a la V dinastía—, que es también el primer registro de la expedición al país de Punt. En los anales del Imperio Antiguo (en la sección del reinado del faraón Sahure) se le denominaba «las terrazas del incienso» (*khetiu anti*), y también «el país del dios» (*Ta-neter*). Durante la XI dinastía, el explorador egipcio Henenu, mayordomo jefe del faraón Mentuhotep III, dirigió una expedición de tres mil hombres que abriría la ruta, utilizada posteriormente durante el Imperio Medio y el Nuevo, siendo una de las más conocidas la organizada por el faraón Sesostris III (XII dinastía), que planea un viaje desde la ciudad de Coptos para traer incienso. Estos dos países parecen haberse llevado bien desde siempre.

Mucho se ha especulado sobre la ubicación de este país y de sus habitantes, los famosos «hijos de Punt». Ha habido teorías fantásticas, propias de los autores que las han esgrimido, como Robert Charroux, que afirmó que el dios mexica Quetzalcoatl era el jefe de Punt. Otros han querido identificar este país con la tierra de Ofir, aunque hoy la mayoría de los egiptólogos están de acuerdo en considerar que estas expediciones egipcias iban hacia la actual costa de Somalia, cerca de Eritrea.

Fue la reina Hatshepsut (que reina durante veintidós años, de 1490 a 1468 a. C.), también llamada Ma'atkara, hija del faraón Tutmosis I y de la reina Ahmose, quien organizó la expedición más famosa y fastuosa hacia el país de Punt y, según las crónicas, la que mayor éxito tuvo. Lo sabemos, principalmente, por los relieves que aparecen en su templo funerario de Deir el Bahari: «Contemplarlo —afirmaban los egipcios— es lo más grande del mundo». Hatshepsut se hará representar como hombre en las imágenes oficiales.

Se encuentran referencias a Punt en los cuentos y poemas amorosos de Egipto y siempre como un lugar lejano y exótico. Los egipcios exportaban a los puntitas cerveza, vino, carne y fruta a cambio de marfil, pieles de leopardo, babuinos y mirra. En algunos de estos relatos se hace referencia a este reino como el «país del incienso».

Hatshepsut construyó uno de los templos más espectaculares y originales, ubicado en un acantilado de la montaña tebana de Deir el Bahari, con tres plantas a las que se accede por dos rampas. Presenta una particularidad única en la arquitectura egipcia: una calzada que sube una suave pendiente hacia el templo, compuesta de terrazas superpuestas. Gracias a los relieves de Deir el Bahari, situados en la terraza intermedia del templo, sabemos los episodios esenciales de este viaje que la reina consideraba como uno de los grandes momentos de su pacífico reinado y que marca el apogeo de su política exterior.

En los prolegómenos de la expedición a Punt está el origen de la construcción de un templo dedicado al dios Amón. Los textos afirman que habría sido este mismo dios quien encargó a la reina el viaje, ya que la pretensión de Hatshepsut fue construirlo a modo de «Jardín de las Delicias del dios Amón». Según la leyenda, el propio dios fue el que manifestó su deseo de «establecer para él el Punt en su (propia) casa», para lo cual necesitaba que las terrazas del templo estuvieran cubiertas con mirra e incienso traídos del remoto país de Punt.

Hatshepsut ordenó una expedición a esta misteriosa tierra para que trajeran cosas que no había en Egipto: árboles de mirra, marfil, ébano, maderas olorosas, canela, panteras, babuinos, plata, oro y, sobre todo, incienso, mucho incienso. Aprovisionarse de esta olorosa especia era el fin último para honrar debidamente al todopoderoso dios Amón, el Oculto.

En el llamado «pórtico de Punt» podemos «ver» como la flota egipcia constaba de cinco grandes barcos de treinta remeros cada uno. Hay que señalar que los barcos estaban protegidos por ritos y símbolos mágicos, con la proa y la popa adornadas con el *ankh* o «llave de la vida» y el Ojo de Horus, respectivamente.

La ruta que debieron de seguir los barcos egipcios fue la de descender el río Nilo hasta el delta y allí tomar el canal de Wadi Tumilat y alcanzar así el mar Rojo. Tras varios meses de navegación, llegaron a la tierra de Punt, donde fueron recibidos por el rey de este país, llamado Perehu (se le describe como un hombre bajito con la pierna derecha cubierta de aros de bronce), junto a su deforme esposa y sus tres hijos.

Siguiendo la secuencia de hechos que aparecen en los relieves, los egiptólogos han reconstruido las peripecias del viaje y sus resultados comerciales. Tras la travesía, los marinos del faraón deben remontar un río donde crecían toda clase de árboles. Al llegar, desembalan muchos regalos mientras el jefe de la expedición, protegido por una escolta militar, saluda al rey y a la reina de Punt. Nos ha llegado un curioso retrato de esta reina, de pequeña estatura, obesa y de anatomía deforme, gracias al cual los expertos han diagnosticado, basándose en la hinchazón de brazos y piernas, que padecía una elefantiasis aguda, una enfermedad caracterizada por una hipertrofia, un crecimiento desmesurado de ciertas partes del cuerpo, como consecuencia de la obstrucción de los canales linfáticos.

En la reunión que mantienen los dos pueblos se distribuyen perlas, collares y armas. Las personalidades de Punt se inclinan y rinden homenaje a Amón-Ra. Los indígenas viven en medio de palmeras, en chamizos y chozas redondas a las que se accede mediante escaleras. Llevan los mismos vestidos que en la época de Keops, dando la impresión de que en este lejano reino la moda no varía mucho: llevan trenzas en el pelo y la barba cortada en punta.

Tras los regateos y discusiones de rigor, los egipcios se llevarán madera de ébano, oro, colmillos de elefante, monos, pieles de leopardo y fieras vivas. Tratan con mucha delicadeza los árboles de incienso, cuyas raíces envuelven en esteras, y todo es cargado en los barcos exclusivamente por los marinos egipcios, sin permitir subir a bordo a los pequeños hombres de Punt.

El fin de los negocios comerciales se celebra con un banquete donde abunda el pan, la fruta, la carne, el vino y la cerveza, productos proporcionados por los egipcios. Los textos oficiales no hablan de trueques ni de compraventas, sino de un tributo pagado por Punt a la reina Hatshepsut. Por otra parte, la expedición no es solamente comercial, sino religiosa. Tiene también como objetivo hacer una ofrenda a la diosa Hathor, soberana del país de Punt. A las orillas de este país, la reina manda construir una estatua que la representa en compañía del dios Amón.

En los grabados de Deir el Bahari se incluyen también las escenas del regreso, donde unos monos suben por las cuerdas de uno de los barcos. El hecho de que estén en libertad se debe a que estaban destinados a ser los animales domésticos de los nobles. La llegada a Tebas es triunfal. Los marinos están de pie en las cubiertas con los mástiles bajados, las velas cargadas y los remos levantados, alzando las manos aclamando al faraón. Todo ha sido un éxito. La reina preside la ceremonia de recibimiento de la expedición en los jardines del templo de Deir el Bahari, donde se han plantado los árboles de incienso.

Las jarras y vasijas vienen repletas con las maravillas de Punt y en uno de los textos que nos han llegado, se asegura que traían:

> ... maderas aromáticas de la tierra del dios, montones de resina de los frescos árboles de la mirra, con ébano y marfil puro, con el oro verde de Emu, con árboles de cinamio, con incienso, cosméticos para los ojos, babuinos, monos, perros, con pieles de panteras del sur, con nativos y sus hijos. Nunca ningún rey anterior desde el comienzo (de la historia de Egipto) había traído bienes tan espléndidos.

Se pesa el oro y los demás metales bajo la atenta mirada y control de la propia Hatshepsut. Cuando el dios Amón en persona llega al templo, se alegra de que el incienso que se le ofrenda sea fresco y puro porque, al fin y al cabo, ésta era la principal razón de que Hatshepsut ordenara una expedición al reino de Punt.

Así terminan estos relieves casi cinematográficos, como si de un cuento se tratara, si no supiéramos que, en realidad, con la salvedad del dios, están haciendo referencia a un viaje histórico.

Cuando murió Hatshepsut, el vengativo Tutmosis III, nada más subir al trono, proscribió su memoria, haciendo raspar y borrar los cartuchos con su nombre en las antiguas listas reales. Se trata de la *damnatio memoriae* de los egipcios, expresión de origen latino que viene a significar 'condena de la memoria' o sea, la supresión del recuerdo público de un personaje concreto al resultar éste persona *non gra-*

ta (igual suerte correría unos años después el faraón hereje Amenofis IV, Akhenaton). Se intentó destruir totalmente su templo, pero por suerte el recuerdo de esta reina-faraón de la dinastía XVIII aún permanece. Aunque no fue la única mujer que gobernó este poderoso imperio, sí fue la más insigne y sobresaliente de todas (más que Cleopatra), la que más empeño puso en ir y representar al país de Punt, cuya flora y fauna parecen más propias de Eritrea que de Somalia.

Pero tan sólo es una opinión.

Capítulo II

Egipto

¿Cómo se construyó la gran pirámide de Keops?

Ni siquiera los egiptólogos más ortodoxos saben explicar cómo se las ingeniaron los egipcios para levantar la gran pirámide. Evidentemente, nadie medianamente informado recurre a la intervención extraterrestre para justificar cómo edificaron la única de las maravillas del mundo que sigue en pie. Sin embargo, el misterio no deja de ser gigantesco...

El pasado mes de marzo de 2005, José Miguel Parra, uno de los egiptólogos españoles más activos y que trabaja en excavaciones que se llevan a cabo en Tebas, confesaba ante los micrófonos de *La Rosa de los Vientos* que todavía «no sabemos cómo se hizo». Frente a ello, el investigador apostaba por el uso de algún medio mecánico que aún no habría sido identificado. También él se encoge de hombros ante la gran pregunta, y eso que Parra no es de los que imaginen secretos inconfesables en los agujeros negros que presenta la civilización más importante y fascinante del pasado. Sin ser de los más radicales, podríamos definirlo como un egiptólogo ortodoxo.

Ya es cosa de otro tiempo la teoría que defendía que los egipcios emplearon rampas para construir semejante monumento. Las dimensiones que presenta son sencillamente acongojantes como para sostener esa tesis: doscientos treinta metros de lado en la base y ciento cuarenta y cinco metros de altura; a paso firme, rodearla a pie es una empresa que nos llevaría unos diez minutos de paseo. Son, en total, ciento veinticinco mil bloques de piedra, cada uno de los cuales pesa la friolera de dos toneladas. A sabiendas de que Keops fue faraón durante veintitrés años, si empleó todo su tiempo en ordenar a los esclavos que levantaran su monumento funerario, resulta que todos los días deberían haber incorporado a la pirámide más de mil bloques, lo que quiere decir que, aun aprovechando todas las horas de sol, aquellos hombres colocaron en su lugar apropiado uno cada minuto. Teniendo en cuenta que cada bloque debería haber sido arrastrado por decenas de hombres, se antoja que este mecanismo no era viable por razones tanto técnicas como humanas.

Pese a ello, la teoría del prestigioso egiptólogo Mark Lehner, según la cual una sola rampa circundaba toda la pirámide, sigue siendo la justificación de los más ortodoxos entre los ortodoxos. Aun así, existen otras versiones de la misma teoría, como la propuesta por Jean Phillippe Lauer, para quien los esclavos subían todos los bloques a través de una sola rampa que partía desde el centro de la pirámide. Sin embargo, en este caso, las matemáticas nos devuelven a la realidad: para poder llevar a cabo la obra, la rampa en cuestión mediría más de dos kilómetros de longitud... Es decir: sería incluso más grande que la propia meseta sobre la que se levanta la séptima maravilla.

Cuando uno conversa con los egiptólogos, éstos no acaban de desechar la probabilidad del uso de un mecanismo de palancas que elevara las piedras automáticamente de una altura a otra. Pero, en este caso, el problema sería el traslado de bloques, que tendría que haberse efectuado mediante rodillos que transportaran los enormes «ladrillos» a través del valle del Nilo. Para eso habrían sido necesarios decenas de miles de troncos de madera, y no olvidemos que estamos hablando del desierto y de Egipto, en donde los árboles no son especialmente numerosos.

Visto lo visto, Herodoto quizá no iba muy desencaminado cuando sugirió que los egipcios desarrollaron una suerte de tecnología

La meseta de Gizeh sigue planteando muchos más enigmas que certezas.

avanzada para edificar la «monstruosidad» de la meseta de Gizeh. Por supuesto, no habla de naves espaciales, pero sugiere algo que no debe descartarse en ningún momento: los egipcios alcanzaron un nivel de avance técnico mayor del que presuponemos.

Podríamos citar muchas pruebas del inquietante desarrollo tecnológico de los habitantes del Nilo. Podríamos recordar, por ejemplo, que las supuestas cámaras funerarias de la pirámide de Keops (y decimos supuestas porque hasta el momento nadie ha descubierto a la momia del faraón dentro del edificio) están en el interior del monumento y no por debajo del mismo, lo que nos evoca la necesidad de avances ingenieros imposibles para nuestros ancestros de hace cuatro mil quinientos años. Por no hablar del revestimiento exterior de la pirámide, que a día de hoy se ha perdido, pero del que se han

conservado algunas muestras. Y ese revestimiento convirtió a este pro-
digio de la Antigüedad en una especie de espejo gracias a que las
piedras eran tan lisas y pulidas como las lentes de un moderno
telescopio. Cuesta creer que lo lograran sin haber desarrollado una
técnica más avanzada de lo que creemos...

Permítannos finalizar añadiendo un último apunte que nos aden-
tra por un sendero casi mágico. El responsable del siguiente hallazgo no es un don nadie. Se trata de Joseph Davidovits, profesor de la
Universidad de Toronto y director del Instituto de Ciencias Arqueológicas de la Universidad de Florida. Tuvo la ocurrencia de analizar
químicamente y gracias al microscopio algunos de los dos millones
de bloques de la gran pirámide. Aquello le llevó a descubrir en el interior de algunas de esas piedras elementos extraños como pelos, fibras
y burbujas de aire, algo totalmente imposible. ¿Cómo se habían incrus-
tado en la piedra? Tal incoherencia sólo tiene una explicación: que,
de algún modo, aquellos hombres fueran capaces de haber trabajado
la piedra como si fuera barro antes de que se solidificara. ¿Acaso
desarrollaron una técnica para ablandar la roca? Algunas leyendas
aseguran que tal cosa era posible...

¿La Esfinge tiene 8.000 años?

Junto a las tres grandes pirámides de Gizeh, en El Cairo se encuentra
un monumento que ha hecho correr ríos de tinta. Se trata de la Esfinge, un león con rasgos humanos que según la arqueología oficial tiene
cuatro mil seiscientos años de antigüedad. Mide setenta y tres metros
de longitud y veinte de altura. Sus enormes piedras —de hasta ochenta toneladas de peso— son mucho más voluminosas que las empleadas para levantar las pirámides, pero aquello no fue óbice para que los
egipcios las trabajaran con tanta destreza como si fueran de arcilla.

Atribuyen su construcción al faraón Kefren, de la IV dinastía, e
incluso aseguran algunas fuentes que el rostro de este león de piedra

se asemeja al del mítico personaje. Sin embargo, existe la posibilidad de que sea mucho más antigua, más incluso que el propio nacimiento de las primeras civilizaciones. Así que, de confirmarse esa tesis, los historiadores quizá deban empezar a reescribir sus caducas cronologías...

A este respecto, el geólogo Robert Schoch, de la Universidad de Boston, identificó en la parte exterior de la Esfinge rasgos erosivos en la piedra que le hicieron pensar que hubo una época en la cual parte del monumento estuvo cubierto por el agua. Tal grado de erosión no se encuentra en las cercanas grandes pirámides, que en un principio son de casi la misma época. Esto haría pensar en que en algún momento del pasado remoto la llanura estuvo inundada, algo que sucedió hace al menos ocho mil años. De acuerdo con esta teoría, la Esfinge sería mucho más antigua que las propias pirámides. La posibilidad de que los egipcios se encontraran allí este monumento cuando «conquistaron» el entorno del Nilo es una tesis que tiene cada vez más adeptos y que obligaría a pensar en la existencia de alguna civilización anterior a las conocidas y que fuera una suerte de «cultura madre» para el resto de pueblos que posteriormente emergieron en aquella región del planeta.

La apuesta del geólogo también se sostiene sobre otro singular hallazgo que el investigador Robert Bauval dio a conocer en 1994. Según este estudioso, las tres grandes pirámides serían una representación sobre la arena de la constelación de Orión, un cúmulo estelar que, no por casualidad, tuvo una enorme relevancia en la cosmología egipcia. Dicen las tradiciones que el dios Osiris, al morir, se convirtió en una de las tres estrellas del cinturón de Orión...

Pero la teoría de Bauval y Grahan Hancock, que publicó la tesis en un libro fundamental de la investigación heterodoxa, *Las huellas de los dioses*, presenta un detalle que resulta más relevante aún: los monumentos de la meseta de Gizeh representan a Orión tal y como esta constelación estaba dispuesta en el cielo allá por el año 10500 a. C. A nadie escapa que los edificadores de aquellas moles pétreas quisieron señalar esa fecha por alguna razón que todavía se nos escapa. Para redondear más la visión arqueastronómica (disciplina científica que estudia los monumentos de las antiguas civilizaciones en función de la astronomía) de este asunto es importante destacar algo que ocurre con la llegada del equinoccio de primavera. Ese día, la Esfinge apunta con sus ojos a determinadas estrellas. Para Giorgio de Santillana, profesor de Historia de la Ciencia en el Instituto Tecnológico de Massachusetts, este hecho demostraría que los antiguos egipcios ya conocieron un fenómeno llamado la «precesión de los equinoccios», un ciclo de 21.600 años de duración que se manifiesta cada año con el anticipo de la llegada de la primavera. Este efecto del movimiento de la Tierra se creía que era un descubrimiento de los modernos astrónomos y, sin embargo, aquellos sabios del Nilo ya lo conocían hace muchos miles de años. Para rematar la incógnita, no parece casual que, en el equinoccio de primavera del año 10500 a. C., la Esfinge mirara directamente a su orto helíaco, es decir, hacia donde se encontraba la estrella Sirio, mágica para los egipcios porque representa a la diosa Isis y que completa en el cielo a la constelación de Orión.

Nos queda esperar nuevas investigaciones para poder conocer la verdad sobre el origen de la Esfinge. De momento, se han localizado en el interior del monumento cámaras secretas a las que aún no han accedido los arqueólogos. Quién sabe si en su interior puede encontrarse la respuesta...

¿Cómo murió Tutankamon?

Este célebre faraón de la XVIII dinastía ha pasado a la historia más por el hallazgo de su tumba que por su vida en sí, carente de grandes epopeyas, o al menos eso es lo que oficialmente creemos.

En noviembre de 1922, el arqueólogo aficionado Howard Carter, quien trabajaba en el Valle de los Reyes bajo el patrocinio de un excéntrico conde llamado lord Carnarvon, se topó con el más deslumbrante descubrimiento del Egipto faraónico. Por desgracia, hasta esa fecha casi todos los sepulcros correspondientes a mandatarios egipcios habían sido víctimas de la rapiña bandidesca o el expolio interesado. En cambio, la última morada de Tutankamon quedó intacta hasta que las excavaciones del inglés dieron con ella. Mucho se ha especulado sobre la supuesta maldición del faraón niño, el cual tuvo muy poco tiempo para disfrutar de su poder, ya que sólo pudo vivir diecinueve años, entre 1342 a. C y 1323 a. C., si bien sus fechas de nacimiento y muerte quedan sujetas a diversos debates entre los egiptólogos más ortodoxos.

Desde que Carter le devolviera a este valle de lágrimas, los incidentes, desastres y muertes no han parado de acontecer para mayor ensalzamiento de la misteriosa momia. Lo cierto es que la simple casualidad acudió en beneficio de la duda, primero con la fatal neumonía que se cebó en Carnarvon originándole la muerte. Luego el desgobierno que sufrió Egipto y las enigmáticas muertes de algunos personajes relacionados con el descubrimiento. Finalmente, lo que comenzó siendo un gozoso capítulo para la arqueología moderna terminó convirtiéndose en casi una película de la maravillosa productora cinematográfica Hammer. Para mayor emoción, algunos autores del momento como la novelista gótica Marie Corelli, quien afirmó poseer un documento árabe en el que se relataban toda suerte de penurias y dramas para aquellos que osaran perturbar el sueño eterno del faraón, o el mismísimo sir Arthur Conan Doyle, que inopinadamente dio crédito a la fábula, abonaron las hipótesis más terroríficas vertidas sobre el enigma. En ellas se daba pábulo, sin precaución alguna, a un relato en el que un faraón enojado vuelve del otro mundo para cobrarse venganza entre los mortales que han profanado el santuario de su descanso final. Sea como fuere, y maldiciones al margen, lo que nos interesa es conocer cómo murió realmente este joven faraón que devolvió al pueblo egipcio el culto al dios Amón, estableciendo la capital en Tebas. Aunque, según parece, pudo abrazar en sus últimos años a una deidad única, contraviniendo así los intereses de la casta sacerdotal egipcia, lo que provocaría un fatal desenlace con su propia muerte por asesinato.

En 1968 se realizó una radiografía a la momia y en ella se advirtió lo que bien pudiera ser una fractura en el cráneo. Desde entonces se incrementó la versión sobre el homicidio, atribuyéndose al gran sacerdote Ay, sucesor, por cierto, de Tutankamon, la autoría del magnicidio. En 1997 se publicó en la prensa británica una investigación forense efectuada por el eminente neurorradiólogo Ian Isherwood, trabajo que fue complementado por el inspector de Scotland Yard, Graham Melvin. Según sus averiguaciones no había lugar para la especulación, confirmándose la muerte cruenta del faraón. El médico valoró a conciencia las radiografías obtenidas de la momia y dio crédito a la hipótesis criminal. Por su parte, el policía elaboró una lista de posibles sospechosos cuyo primer lugar ocupaba el sumo sacerdote antes mencionado e, inmediatamente después, Horembeb, general de los ejércitos egipcios, sucesor de Ay e iniciador de la XIX dinastía faraónica. Como vemos, esta extendida teoría sobre la muerte trágica de Tutankamon fue la más favorecida a lo largo de los años y, a estas alturas, eran muy pocos los que discutían su verosimilitud histórica. Sin embargo, el 5 de enero de 2005, un grupo de investigadores compuesto por nueve egipcios, dos italianos y un suizo examinó minuciosamente con escáner los restos momificados del faraón y descartó, tras haber analizado con pulcritud todas las radiografías, la hipótesis del asesinato. Los expertos concluyeron que no existía fractura craneal provocada, ya que el huesecillo encontrado en el interior de la cabeza podría tener origen en un movimiento brusco del cuerpo cuando fue extraído por Carter, o bien en la propia actuación de los embalsamadores mientras manipulaban el cadáver del faraón durante el proceso de momificación. Estos mismos analistas observaron los rastros de una fractura en el fémur de la pierna izquierda, lo que confirmaría la evidente cojera que padecía el adolescente tal y como se refleja en los dibujos y relieves de la época.

Además, no se debería descartar una más que posible infección generalizada por causa de esta herida crónica, que, al ser imposible su total curación, habría marcado los últimos meses de existencia de este legendario faraón. No obstante, lo más seguro es que nunca faltarán comentarios, análisis exhaustivos o rigurosos estudios que avalen las dos teorías sobre el fallecimiento del considerado por todos como el último hijo del Sol. Lo que impedirá, a buen seguro, el propósito para el que vivieron tantos faraones, esto es, arribar a la orilla de la vida eterna cargados de riquezas y buenas obras.

¿Cuál fue la religión de Akhenaton?

¿Qué le pasó al faraón Amenofis IV (o Amenhotep IV) para que rompiera de golpe con las tradiciones politeístas de su país e instaurara un culto a un dios único?

Un misterio histórico del que, por suerte, tenemos algunos retazos para entender esa postura. Todo empezó con una visión mística. O mejor dicho, con una aparición de un objeto luminoso que le revela cuál debe ser la nueva religión para Egipto. Según cuenta la leyenda, durante una cacería del león el faraón Amenofis IV (1364-1347 a. C., según la cronología de Christian Jacq y de Josep Padró) tuvo un encuentro con un «disco solar resplandeciente», posado sobre una roca. Éste latía como el corazón del faraón y su brillo era como oro y púrpura, según reza un papiro atribuido al mismo Amenofis, en su Canto IV al dios Atón. El faraón se postró de rodillas ante el disco, quedó traspuesto y empezó una nueva era...

Para muchos investigadores heterodoxos, el faraón habría sido testigo de un encuentro cercano con un ovni que él identifica como un «disco solar» prodigioso.

Amenofis era por entonces un joven monarca de la dinastía XVIII que no contaba con los triunfos y las conquistas de sus antepasados. Su carácter era más pacífico y contemplativo. Sin embargo, va a pasar a la historia por hacer algo que ningún otro faraón anterior se atrevió a hacer, ni siquiera a imaginar: derrocar a los viejos dioses y poner en su lugar al «bendito y gozoso Atón», un nombre que no era nuevo en el panteón egipcio. De hecho, en una inscripción de la dinastía XII se puede leer: «Él subió al cielo y se fundió con Atón, el cuerpo del dios que lo había creado».

Se avecinaba una revolución religiosa en toda regla como jamás se había visto en Egipto, a la que se conoce históricamente como la «herejía de Amarna». Casi nadie le comprendió, pocos sacerdotes apoyaron esta postura, pero todos la acataron por la cuenta que les tenía. Encontró refugio en su esposa Nefertiti («la bella ha venido», que parece indicar un origen extranjero) con la que se casa en el segundo año de su reinado.

En el quinto año de su reinado es cuando tiene esa revelación y se produce el cisma religioso. Lo primero que hace es abandonar Tebas y fundar lejos de allí otra ciudad en la que se sienta más libre y pueda dar rienda suelta a todos los proyectos que quiere emprender. En el noveno año de su reinado crea la ciudad de Akhetaton, a unos doscientos ochenta kilómetros al norte de Tebas, que llegó a contar con veinte mil habitantes. La «ciudad del horizonte de Atón» se construye en la margen derecha del Nilo, y él se hace llamar Akhenaton, «el servidor de Atón». Sobre Akhetaton se levantó la población de Tell el-Amarna, que acabó por dar nombre a la época de Nefertiti y su esposo.

Desde ese momento, quedó proscrito el culto al dios poderoso Amón, que tenía sus principales templos en Tebas y al que se había adorado hasta que Akhenaton tuvo su extraña «visión». El siguiente paso fue prohibir el culto a Osiris, la divinidad de ultratumba que era tan querida e importante para su pueblo. Akhenaton prácticamente lo cambia todo: su nombre, la capital, el lenguaje, el arte y la teología. Ahora es el sumo sacerdote del nuevo y único dios, de la primera religión monoteísta, mil trescientos años antes de que naciera Jesucristo.

Amenofis IV cambia su nombre, la capital del reino, el lenguaje, la corte y la teología, todo en honor del dios Atón.

Tell el-Amarna fue elegido como el enclave mágico para la nueva capital, la «ciudad del Sol», porque nunca antes en ese lugar se había adorado a otra divinidad. Según Cyril Aldred, uno de los mejores egiptólogos del siglo XX, profundo estudioso de la época amarniana, la construcción de Akhetaton, la nueva capital, se debió a la necesidad de construir un hogar para el dios, al igual que sucedía con otras divinidades egipcias: Amón tenía su sede en Tebas, Ptah en Menfis, Khnum en Elefantina y Ra en Heliópolis. Ahora le tocaba el turno a Atón...

Tardó tres años en verse construida. Estaba totalmente diseñada y pensada para rendir culto al dios Atón. Como nos recuerda Nacho Ares en su obra *Egipto insólito*: «El propio nombre de la ciudad en jeroglífico, Akhetaton, puede resultar esclarecedor. Aunque literalmente signifique 'el horizonte del disco solar', Akhenaton pudo utilizar este término ya que le recordaba muy de cerca su extraña visión. El ideograma que viene a significar 'horizonte' en egipcio se escribe con el dibujo de un disco sobre unas montañas».

El descontento del pueblo, del clero y del ejército cada vez era más notorio. Pocos entendían este cambio tan radical y aparentemente tan absurdo en sus costumbres. Le empezaron a llamar el «faraón hereje», el faraón iluminado.

Uno de los símbolos del nuevo culto fue el Gran Himno a Atón, posiblemente compuesto por el propio monarca, de un alto valor poético y religioso, con estrofas tan simbólicas como la siguiente:

Hermoso es tu centelleo en el confín del universo
¡Oh, Atón viviente, que has existido desde toda la eternidad!
Cuando te alzas por el borde oriental del cielo
Colmas con tu belleza todos los países
Pues tu brillo y tu hermosura son inmensos.

El país iba perdiendo prestigio. Akhenaton no quería emprender ninguna campaña militar contra sus enemigos, era un pacifista convencido y no le interesaba cuidar las relaciones con sus antiguos aliados, como era el rey de Babilonia. Se había aislado de lo que sucedía dentro y fuera de su imperio. Se perdió Nubia y con ella la mayor fuente de oro. El pueblo, sin embargo, le quería, y Akhenaton no era consciente de las conspiraciones que se estaban preparando a sus espaldas.

El inicio de su declive fueron las desavenencias que tuvo con su esposa, la reina Nefertiti. Ella no le había dado descendientes varones, sino seis hijas y en el año 12 de su reinado Akhenaton decide repudiarla y ella tiene que refugiarse en el palacio del Norte, un lugar exclusivo donde acabó sus días. Dos bandos enfrentados surgen entonces: los que siguen adictos a la bella Nefertiti y los fieles a Akhenaton, que sigue adelante con sus iluminados proyectos. Los días de vino y rosas se van terminando para la pareja real y muy pronto para la nueva capital y, sobre todo, para el culto al dios Atón. El egiptólogo Philipp Vandenberg insinuó que la propia reina, retirada en su palacio, habría preparado un golpe de Estado restaurador.

Lo cierto es que el faraón, llevado por la desesperación y la furia, mandó destruir todos los cartuchos e inscripciones en que aparecía el nombre de Nefertiti. El clero de Amón, siempre al acecho, junto con generales como Horemheb, se conjuran para derrocarlo, como así sucede. Akhenaton, el faraón solar, murió, joven aún, en el 1347 a. C.

Con la desaparición del faraón hereje, del «buen rey que amaba su pueblo», desaparece todo un periodo singular en la historia de Egipto.

Nada quedó tras su muerte, nada de su obra, nada salvo el recuerdo de un faraón que creyó poder cambiar el destino de su país. Se borró su nombre de la lista de los gloriosos soberanos del valle del Nilo. Amón, «el dios carnero», volvió a ocupar el puesto de dios supremo. A Akhenaton le sucede su yerno Smenker, al que reemplazó en el trono Tutankamon, el «faraón niño»...

¿Y si la historia no fuera como nos la han contado? Aquí surgen los que dan una reinterpretación a este periodo histórico basándose en la revolución monoteísta y en la cronología. Unos dicen que en realidad Akhenaton fue el patriarca Abraham. Ésa es la tesis de dos hermanos investigadores franceses, Roger y Messod Sabbat, expuesta a finales del año 2000 en su libro *Los secretos del Éxodo*. Para ellos, el famoso éxodo bíblico fue la expulsión de Egipto de los habitantes monoteístas de Akhetaton, ya saben, la ciudad de Akhenaton. Cuando el faraón Ay sucede a Tutankamon, que reinó del 1331 al 1326 a. C. como un furibundo politeísta, decide dar la orden de expulsar del país a los seguidores de Akhenaton (Abraham) hacia Canaán, provincia situada a diez días de marcha desde el valle del Nilo. No se llamaban hebreos, sino yahuds (adoradores del faraón) y, años después, fundaron el reino de Yahuda (Judea). No es todo. El protagonista del éxodo, según los hermanos Sabbat, fue el general egipcio Mose (Ramesu), que después se convertiría en Ramsés I, quien inicia la dinastía XIX, una nueva identidad para el camaleónico Moisés.

Si les parece fantástica esta hipótesis, la que mantiene el investigador egipcio Ahmed Osman les dejará patidifusos. Célebre por haber identificado al abuelo de Akhenaton, Yuya, con la figura del José del Génesis, ataca de nuevo y expone en otro de sus libros, *Moisés, faraón de Egipto* (1991), que para él Akhenaton fue el Moisés del Antiguo Testamento. Como lo leen. Y dando un salto en el vacío, casi de vértigo, en su siguiente obra, *La casa del Mesías* (1992), asegura que Tutankamon fue nada menos que Jesús de Nazaret.

A veces es difícil ligar la historia con la coherencia.

La piedra de Rosetta

Agosto de 1799, nos encontramos en Rachid (Rosetta), una localidad egipcia sita a unos cuarenta y cinco kilómetros de Alejandría; son los tiempos de la expedición napoleónica al país del Nilo y la patru-

Fue algo más que una piedra de basalto, fue la llave que abrió los secretos de los jeroglíficos.

lla del teniente Bouchard trabaja bajo un implacable sol en el refuerzo de algunas defensas de la plaza. De repente, en plena faena, surge ante ellos majestuosa una piedra de setecientos cincuenta kilos de peso con 1,20 metros de altura. La mole está llena de inscripciones misteriosas y los soldados ponen el hallazgo en conocimiento de sus superiores; todavía no lo saben, pero han encontrado la llave que permitirá acceder a más de tres mil años de historia del antiguo Egipto.

Sus inscripciones en idioma jeroglífico, griego y demótico se convirtieron en el diccionario ideal para adentrarse en los caminos de esta antigua cultura, y un joven lingüista llamado Jean François Champollion fue el artífice de la prodigiosa traducción que nos permitió acceder a ese enigmático universo.

Este héroe de la cultura nació el 23 de diciembre de 1790 en circunstancias sumamente peculiares. Su madre, paralizada por una extraña enfermedad, estuvo a punto de morir meses antes del parto. Lo cierto es que los médicos no eran muy optimistas. Sin embargo, el padre, librero de profesión, quiso recurrir a todas las posibilidades y mandó llamar, en un último intento por salvar a su esposa, a Jacqou, un famoso curandero visionario de Figéac, ciudad en la que residían los Champollion. El sanador examinó a la mujer y, tras unos segundos de meditación, se retiró al bosque para conseguir unas hierbas especiales. Con ellas confeccionó un lecho que luego calentó, y acto seguido mandó a la futura madre que se recostara tres días con sus noches sobre la improvisada cama; en ese periodo le suministró vino caliente y algunos brebajes. De forma incomprensible, la joven se levantó sin ayuda y empezó a caminar por la estancia. El señor Champollion no daba crédito y Jacqou, sonriente, le dijo: «Tendrá un hijo sano y de imperecedero recuerdo, tanto que dará luz a la humanidad». El viejo curandero no se equivocó, aunque algo llamaría la atención en el recién nacido cuando fue examinado por los doctores: el bebe tenía las corneas amarillas, cosa muy frecuente entre los orientales, pero no en un centroeuropeo, y a esto se sumaba su tez oscura, casi parda. Paradójicamente, el pequeño Jean François recibió desde su infancia el apelativo de «egipcio», asunto que iría parejo con su personalidad el resto de su vida.

Desde bien temprano mostró interés por la Antigüedad, acaso alentado por la figura de su hermano mayor, Jacques Joseph, un bibliotecario especializado en el estudio de las culturas ancestrales. Estudió en Grenoble y en París, donde aprendió idiomas tan complejos como el árabe, copto, hebreo, caldeo, sirio, etíope o chino antiguo.

En 1802 la piedra de Rosetta fue enviada al Museo Británico, y comenzó la fiebre entre la comunidad de investigadores por descubrir su significado; mientras tanto el joven Champollion seguía fomentando su afición por Egipto.

En 1814 publicó su obra *Egipto bajo los faraones* y siete años más tarde se dedicó por entero a desencriptar los símbolos de la piedra y elaboró con tenacidad una teoría que a la postre resultó definitiva para conseguir la solución del caso. Hasta entonces se pensaba que los jeroglifos anunciaban sonidos, sílabas o ideas, Champollion unió en una sola las diferentes corrientes, dando como resultado que el antiguo idioma de los faraones era una mezcla de diferentes conceptos. El 14 de septiembre de 1822, un alocado Champollion se plantaba en el despacho de su hermano gritando: «Ya lo tengo». Tras decir esto cayó desplomado y permaneció casi en coma varios días. El esfuerzo había sido agotador, pero Jean François tenía la clave del misterio encerrada en sus famosos cartuchos dedicados a Ptolomeo y Cleopatra. Desde ese momento, Francia se rindió a sus conocimientos, fue agasajado recibiendo cátedras, subvenciones y el ansiado viaje a Egipto, que se produjo entre 1828 y 1830. En esta aventura catalogó 864 jeroglifos de los aproximadamente mil que se conocen y visitó templos como Dendera, donde confirmó sus tesis acerca de la escritura egipcia.

Fueron dos años que vivió con una intensidad fuera de lo común, escribiendo, dibujando y trazando nuevas líneas de trabajo.

Por desgracia no tuvo mucho tiempo para concretarlas, pues falleció el 4 de marzo de 1832 en Quercy víctima de un infarto al corazón. Terminaba así una vida entusiasta y dedicada por completo a resucitar el mágico mundo de los faraones. Antes de morir dijo: «Soy todo para Egipto y él es todo para mí». Hoy en día cualquier amante de la egiptología tiene a Champollion en su especial panteón de ilustres; sin él, nada de lo acontecido en los dos últimos siglos tendría la dimensión actual. A pesar de todo, Egipto sigue constituyendo un maravilloso misterio que aún tardaremos en descifrar por completo. En todo caso, siempre es recomendable una visita al Museo Británico de Londres, donde se encuentra la fascinante piedra de Rosetta. A buen seguro que su visión nos produce sensaciones tan especiales como las que sintió el padre de la egiptología moderna.

Pirámides, ¿templos o tumbas?

1837. El coronel británico Richard Howard Vyse, ayudado por su colaborador Perring, encontró en la cámara funeraria de la pirámide de Menkaure (Micerinos), excavada en la propia roca a unos seis metros bajo el suelo, un enorme sarcófago de basalto con inscripciones y sin su tapa, cuyo peso era de unas tres toneladas. En su interior no había ninguna momia, pero sí un par de sorpresas: la tapa de otro sarcófago de madera antropomorfa y ¡unos restos humanos!

Aparentemente, correspondían a destrozos de la momia real. Eran huesos y unas pocas tiras de lino con los que la momia habría sido envuelta para el enterramiento. En otra cámara superior de la pirámide descubren algunas piezas de basalto que corresponden a la tapa del sarcófago anterior, algo insólito, pues no hay respuesta a por qué una tapa de un peso extraordinario habría sido llevada hasta allí arriba.

Hasta aquí podríamos deducir dos cosas: que la pirámide de Micerinos fue realmente la tumba del faraón que la mandó construir y que su momia fue expoliada y robada hace siglos y quedan tan sólo pequeños guijarros de la venda y unos huesos reales diseminados por el suelo. Serían los primeros restos humanos de un posible faraón encontrados dentro de una pirámide. Los egiptólogos se frotaron las manos y empezaron las investigaciones con sus respectivas sorpresas, empezando por el hecho de que todo lo encontrado ha tenido un destino muy diferente. El sarcófago de basalto del faraón se envió un año más tarde a Inglaterra, a bordo de la goleta *Beatrice*, que naufragó frente a las costas de Cartagena, en España, y allí sigue hasta el momento. La tapa del sarcófago de madera, muy deteriorada, se expone en la primera planta del Museo Británico de Londres. Se realizaron análisis de este segundo sarcófago y los estudios tipológicos demostraron que databa de la época saíta, es decir, la dinastía XXVI (siglo VI a. C.), claramente reconocible debido a la forma antropomorfa de la tapa. Primer chasco.

Toca el turno a los huesos que se analizaron mediante el sistema de carbono-14... y se confirma que no eran los de Micerinos ni los de ningún faraón saíta: correspondían a un varón del siglo II d. C., es decir, de época cristiana. Segunda desilusión.

Así pues, ¿las pirámides fueron tumbas reales? ¿Qué clase de monumentos son esos que se extienden en la meseta de Gizeh construidos con millones de bloques de piedra en honor a tres faraones?

Parecen dos preguntas de *Trivial Pursuit* y la respuesta es fácil: son tres grandes pirámides (la única de las siete maravillas del mundo que aún se mantiene en pie), junto con la imponente Esfinge y el gigantesco complejo funerario que se extiende a lo largo de toda la meseta.

Y dos nuevas preguntas: ¿todo ese esfuerzo era para honrar la memoria de tres faraones de la dinastía IV? ¿Eran tres tumbas enormes a mayor gloria de tres reyes megalómanos?

En un primer momento, la historia siempre ha otorgado un carácter funerario a las tres pirámides egipcias, y eso porque en su interior se han encontrado cajas de piedra parecidas a sarcófagos, como la de granito rosa que se encuentra en el interior de la cámara del rey de la pirámide de Keops, un curioso receptáculo pétreo que es más grande que la pequeña puerta que da acceso a la estancia, lo cual obliga a suponer que se colocó antes de dar por terminada la cámara real.

Hoy en día son más los egiptólogos e investigadores en general que se inclinan por aceptar una doble finalidad en estos monumentos: no solo tendrían una clara función funeraria, sino también una misión iniciática o mística. Pero las preguntas siguen en el aire: ¿son tumbas? ¿Son lugares de enterramiento?

Veamos qué pasó con la momia del faraón Zoser de la III dinastía. En 1926, Gunn, en los trabajos de desescombro de la pirámide escalonada de Zoser, en Sakkara, encuentra en la cámara funeraria seis vértebras de una columna vertebral y parte de la cadera derecha de una momia. En 1934, Lauer y Quibell se introducen de nuevo en la cripta y encuentran la parte superior del húmero derecho, fragmentos de costilla y el pie izquierdo vendado con lino bañado en resinas. Lo más importante del hallazgo de estos restos es que la única entrada a la cámara que existía hasta entonces era un pequeño agujero practicado por los saqueadores, que imposibilita la introducción de otra momia de épocas posteriores. El estudio antropológico realizado entonces confirmó que se trataba de la momia del faraón. Eso, sumado a que la técnica de momificación del pie se ajusta a la III dinastía, no dejaba lugar a dudas sobre que la pirámide fuese la tumba del rey Zoser (Dyeser); ésos debían de ser los restos de su momia.

Se deduce así que al menos en la III dinastía esas pirámides llegaron a ser tumbas, aunque la tesis de que fueron únicamente lugares de enterramiento cada vez tiene menos partidarios por una sencilla razón inicial: apenas se han encontrado momias, ni ningún tipo de resto humano, salvo los vasos canopes, en el interior de las pirámides, lo cual no es una prueba definitiva, pues ha pasado demasiado tiempo como para que cada una de las más de cien pirámides encontradas no hayan sido saqueadas a conciencia incluso en la misma época de los faraones. A mediados de los años cincuenta el egiptólogo egipcio Zakaria Goneim descubrió una pirámide en la necrópolis de Sakkara en la que encontró un sarcófago cerrado y sellado del faraón Sekhem-khet (2700 a. C.). ¡Un sarcófago intacto de hace cinco mil años de antigüedad con un ramillete de flores sobre la tapa! Todo un acontecimiento arqueológico de primer orden. Lo abrieron y... estaba vacío. La explicación que dio Goneim es que la pirámide no era otra cosa que un cenotafio.

Nacho Ares, en su obra *Egipto el Oculto* (1998), cree que las pirámides pudieron convertirse en tumbas con el tiempo y que tan sólo tuvieron un carácter funerario en un segundo plano. En primer lugar, es un hecho que distintos faraones se hicieron construir varias pirámides, como le ocurrió a Esnofru, padre del rey Keops, al que se le atribuyen tres pirámides. ¿Tres tumbas? No parece lógico ni creíble.

En segundo lugar, a través de estudios comparativos que se han realizado entre pirámides y tumbas convencionales, se puede concluir que las llamadas cámaras del sarcófago, en la estructura de las pirámides, fueron construidas para albergar los restos mortales del propietario del monumento.

Las teorías más revolucionarias vienen de la mano del ingeniero Robert Bauval y de Adrian Gilbert, autores de *El misterio de Orión* (1995), quienes intentan demostrar el vínculo entre la constelación de Orión, la ubicación de las pirámides y el dios de los muertos Osiris, lo cual conectaría directamente la finalidad mortuoria de las pirámides con un claro propósito astronómico, que sería su principal objetivo. La orientación de sus canales y galerías está enfocada a esa constelación en la posición que debió de tener en el año 10500 a. C. Es decir, que las tres pirámides de Gizeh reproducen en la Tierra la distribución de las tres estrellas centrales de la constelación de Orión. Y no sólo estas tres pirámides, sino también las de los faraones Diodefre, Zahaw el Ariani y Esnefru, que se corresponderían con otros tantos puntos de la misma constelación. ¿Con qué finalidad? Desde este punto de vista, las pirámides proyectarían el alma del faraón hacia su destino en las estrellas. Todo lo cual obliga a replantearnos si las pirámides llegaron a ser alguna vez tumbas, en su sentido estricto, o a reescribir la historia de Egipto de arriba abajo.

Sea como fuere, en las ciento catorce pirámides censadas y catalogadas hasta el momento no se ha encontrado aún ningún material concluyente que pueda conectarlas con una función de enterramiento, aunque sí están relacionadas con la muerte y la resurrección, por lo que es más factible suponer que tuvieron una finalidad múltiple. El error es catalogarlas todas como si tuvieran una única misión. Las pirámides atribuidas a Esnefru, Keops, Kefrén y Micerinos no sólo hay que separarlas del conjunto a causa de su envergadura y perfección, sino también porque no contienen en su interior la más leve pista de cuándo fueron edificadas, ni por quién, ni con qué motivos. Por el contrario, todas las demás pirámides están repletas de jeroglíficos, esculturas y relieves que hacen fácil su datación. Y si ello es así, también su utilidad puede ser diferente. Se han barajado teorías para todos los gustos, según la particular visión de cada investigador: servir como antenas emisoras-receptoras, como hitos geodésicos, como centros de observación astronómica, como templos iniciáticos o como archivo de conocimientos de civilizaciones desaparecidas...

Se podría decir que estas impresionantes pirámides eran sofisticados templos de poder de una secreta religión celeste que revela un conocimiento astronómico muy superior al que se venía atribuyendo a los antiguos egipcios.

¿Hubo faraones rubios y faraones negros?

El problema del aspecto externo de los egipcios puede parecer trivial a primera vista, y sin duda lo es. Sin embargo, es un asunto que desde que se planteó por primera vez en el mundo occidental, a finales del siglo XVIII, ha generado un enorme debate que aún no ha concluido y que a lo largo del siglo pasado se vio contaminado por cuestiones ideológicas que lo hicieron tomar un rumbo absurdo.

Joham Friederich Blumenbach fue el primer europeo que se ocupó de cómo eran aquellos hombres que habían construido una de las civilizaciones más asombrosas de la historia. Concluyó que los egipcios antiguos eran predominantemente un pueblo similar a los etíopes, con un segundo grupo parecido a la población de la India védica y en el que había un tercer elemento racial producto de la mezcla de los dos anteriores. Las conclusiones del estudioso alemán tuvieron una gran influencia en el siglo XIX, pues a muchos de los primeros egiptólogos les interesó hacer hincapié en una supuesta relación entre la India antigua y Egipto. El detallado análisis del «coeficiente racial», que se estableció a principios del siglo XX con detalladas mediciones craneales, probó que las semejanzas con la población del subcontinente hindú no eran demasiado elevadas, pero alejaban mucho a los pueblos del antiguo Egipto de los habitantes del África negra, en tanto los situaba más próximos a los europeos del sur y a los asiáticos de levante, algo bastante lógico teniendo en cuenta la proximidad geográfica.

Más recientemente se inició un poderoso movimiento cultural empeñado en la «africanización» de la cultura egipcia, entendiendo como tal la vinculación de la cultura egipcia y su desarrollo como el exponente supremo del desarrollo de los pueblos «negros» y de su aportación a la humanidad.

En lo que respecta al nordicismo de los antiguos egipcios, estas teorías nacieron en 1939, cuando el profesor Carlton Coon, de la Universidad de Harvard, escribió un libro llamado *Las razas de Europa*, lleno de fotografías, cuadros, mapas, diagramas y citas científicas. En este libro, el profesor Coon hacía una asombrosa aseveración: «La reina Hetep-Heres II, de la cuarta dinastía, la hija de Keops, el constructor de la gran pirámide, es retratada en los coloridos bajorrelieves de su tumba como una llamativa rubia. Su cabello está pintado con un brillante amarillo moteado con pequeñas líneas rojas horizontales, y su piel es blanca. Ésta es la más temprana evidencia conocida de rubicundez en el mundo». ¿De dónde pudieron surgir los egipcios rubios? Hay varias posibilidades: libios, constructores megalíticos y pueblos de las montañas del Cáucaso y del área del sur de Ucrania.

Los antiguos libios se extendían desde las islas Canarias, a través del Magreb, hasta el delta del Nilo. El tercio occidental del delta del Nilo estaba ocupado por libios durante los primeros años de civilización registrada. ¿Es posible que un pueblo blanco pudiera componer el núcleo de la clase regente del Antiguo Egipto? ¿Quiénes eran los libios y de dónde provenían? El profesor Coon afirmaba que durante la edad del Paleolítico superior (30000-5000 a. C.) Europa y el oeste de África del Norte estaban ocupadas por descendientes de los hombres de Crô-Magnon. Braidwood dice que «las gentes de Crô-Magnon eran altas y de grandes huesos, con cráneos grandes, largos y rugosos. Debieron de haber tenido un aspecto similar a los actuales escandinavos».

Los hombres Afalou y Crô-Magnon tenían cerebros más grandes que los hombres modernos. Su volumen craneal —que los científicos denominan «capacidad craneal»— tenía alrededor de 1.650 centímetros cúbicos. El actual promedio de talla cerebral es de 1.326 centímetros cúbicos. Los granjeros que vivían en Tushka, en el Nilo, alrededor del 11000 a. C., tenían una capacidad craneal de 1.452 centímetros cúbicos, un volumen casi idéntico a la talla cerebral de los actuales europeos septentrionales, 1.453 centímetros cúbicos. Los modernos habitantes de El Cairo promedian sólo 1.302 centímetros cúbicos. Pero incluso esta cifra es mayor que el promedio de los actuales negros africanos, 1.295 centímetros cúbicos. En la época de los hombres de Afalou, África al sur del Sáhara estaba poblada por el hombre de Rhodesia, que promediaba 1.225 centímetros cúbicos. Por milenios, el influjo de negros desde el sur del Sáhara provocó que la población de Egipto se volviese más negra y con cerebros más pequeños.

Las antiguas pinturas egipcias de los libios los describen como blancos, con cabellos rubios, ojos azules y caracteres faciales nórdicos. El antiguo escritor griego, Scylax, describió a los libios como rubios y los escritores latinos describieron a los libios como rubios. El gran historiador egipcio Maspero dice que Seth «era pelirrojo y de piel blanca, con un temperamento violento, sombrío y celoso». Hoy la antigua raza libia aún sobrevive en remotas partes del Rif, en Marruecos y entre los kabiles de Argelia.

La realidad, aunque moleste a los racistas nórdicos, obsesionados con ver faraones con aspecto sueco, y a los modernos fanáticos de la negritud, empeñados en hacer parecer a Ramsés primo de Kunta Kinte, ha de imponerse tal y como fue. Los egipcios de la Antigüedad fueron fruto del encuentro de pueblos muy diversos, procedentes del norte, del este y del sur, que de modo lento se fueron mezclando durante milenios con una población que llevaba en el lugar desde el neolítico, sin que el aspecto externo ocasional de la clase dirigente de las diferentes dinastías —las hubo negras, nórdicas y asiáticas— tenga la más mínima importancia, salvo tal vez como prueba de la existencia de profundos e intensos movimientos de pueblos en el Mediterráneo oriental. Los propios egipcios, según fue aumentando su conciencia de ser un pueblo único, se vieron asimismo como los «hombres genuinos», a medio camino entre los nubios, de piel negra, y los libios y asiáticos, barbudos y de piel clara. Esta visión, magníficamente detallada en la XVIII dinastía en pinturas y esculturas, se consolidó en el último milenio antes de nuestra era y ya no fue eliminada por el hecho ocasional de que hubiese faraones negros, como los de la dinastía etíope, o europeos, como los ptolomeos. Por lo tanto, como bien dijo el antropólogo norteamericano Loring Bracefore, los intentos de forzar la calificación de los egipcios en negros o blancos carecen de justificación biológica, pues el «concepto quimérico anticuado de raza es totalmente inadecuado para tratar la realidad biológica humana de Egipto, el antiguo o el moderno».

¿Cómo influyó Sirio y Orión en los egipcios?

Osiris se casó con Isis y se convirtieron en los primeros gobernantes del antiguo Egipto. Ambos eran dos de los hijos del dios Ra; el tercero de sus vástagos fue Seth, que asesinó a Osiris cuando éste tenía veintiocho años de edad. Después de matarlo lo cortó en catorce pedazos, pero Isis, que había permanecido escondida durante semanas, pudo recuperarlos todos, salvo el correspondiente al órgano sexual. Sin embargo, la diosa fabricó uno artificial, que colocó encima del cuerpo de su esposo Osiris, que cobró forma de milano y dejó embarazada a Isis. De tan milagrosa concepción nació Horus…

Esa leyenda nos narra de forma alegórica el nacimiento del antiguo Egipto. Desde entonces, y como señalan todos los textos y leyendas, se ha identificado a la figura de Isis con la estrella Sirio, que es la más brillante y espectacular del firmamento. Pero hubo una época en la que este astro no fue visible debido al tercer movimiento de la Tierra: la precesión. Y es que nuestro azul mundo, además de rotar en torno a sí mismo y de girar alrededor del Sol, se mueve como una peonza debido a la inclinación de su eje. Eso provocó que, durante un largo tiempo, Sirio no fuera visible para los hombres que ocupaban las arenas de Egipto en un momento determinado de la prehistoria. Sin embargo, al ser la precesión un movimiento cíclico, Sirio asomó por el horizonte en el año 10500 antes de Cristo. Casi a la vez, las aguas del Nilo comenzaron a desbordarse, inundando los campos y haciendo que la agricultura volviese a prosperar.

Tal acontecimiento siempre ocurría por las mismas fechas, sólo que en esa ocasión coincidió con la aparición de un astro más brillante que cualquier otro, Sirio, que como hemos dicho representa a Isis. Quizá por ello no es casualidad que las tres grandes pirámides y la Esfinge de la meseta de Gizeh dibujen sobre la arena del desierto la posición de las tres principales estrellas de la constelación de Orión y de Sirio tal cual pudieron ser observadas aquel año 10500 antes de Cristo. Y es que si para los egipcios Sirio era Isis, la constelación de Orión estaba encarnada en la figura de Osiris. Así pues, ese año, esa situación astronómica y esa circunstancia climática marcaron en cierto modo el origen mítico de la civilización egipcia, que de forma metafórica se narra en la leyenda anteriormente explicada...

Pero aquel fenómeno se repitió en otras ocasiones, especialmente en el año 3300 a. C. En aquella ocasión, la precesión provocó que Sirio volviera a desaparecer ante los asombrados ojos de los egipcios. Se dejó de ver durante setenta días, transcurridos los cuales surgió de nuevo en el horizonte en el mismo momento matemático del amanecer del primer día del solsticio de verano, tras el que el Nilo se desbordó nuevamente. Precisamente, a partir de esa fecha, la civilización emergió en aquella tierra hasta convertirse en el pueblo más fascinante de todos los tiempos. Para el egiptólogo Ed Krupp, aquel acontecimiento astronómico es el que reflejan los relatos míticos: «Tras desaparecer setenta días, Sirio volvió a surgir antes de la salida del Sol y de iniciarse la inundación del Nilo, razón por la cual los egipcios consideraban a ese día como el primero del año. Es por ello que se conoce a Isis, es decir, a Sirio, como la "señora del año nuevo". Así pues, el tiempo que Isis pasa ocultándose de Seth es el tiempo que Sirio desapareció del cielo. Luego resurge y da luz a Horus, al igual que Sirio da inicio al año nuevo».

Brillantes investigadores como Robert Bauval descubrieron que, en fechas próximas al nacimiento de Jesús de Nazaret, se produjo un fenómeno celeste casi idéntico. En su opinión, su nacimiento y la saga de su familia, así como la aparición de la estrella que anunciaba su venida, podría no ser más que una reactivación del mito egipcio. Y es que, ciertamente, Orión y Sirio han sido el objeto de numerosos cultos y mensajes cifrados. Muchas de las construcciones que nos legaron están orientadas en función de estos astros al tiempo que, en los jeroglíficos que dejaron grabados, aparecen como objeto de adoración religiosa.

No deja de ser casualidad que muchos pueblos de la Antigüedad apuntaran a Sirio como el origen de sus fundadores. El caso más llamativo es el del pueblo dogón de Mali. En sus leyendas dicen que dioses llegados desde allí les transmitieron sus conocimientos. Tales saberes los legaron de generación en generación a lo largo de siglos y siglos. Hace casi cien años se descubrió que esos dioses que llegaron desde Sirio contaron a los dogones cómo era su estrella. Les explicaron las características orbitales, así como otras pistas significativas: «Junto a Sirio existen otras dos estrellas invisibles», narraron aquellos dioses. Cuando los modernos telescopios aparecieron, los astrónomos descubrieron que, efectivamente, los dogones estaban en lo cierto y que sabían de detalles astronómicos de Sirio que con sus medios jamás hubieran podido alcanzar. En 1862 se descubrió definitivamente que Sirio A tenía a su alrededor a Sirio B, una enana blanca de una gran densidad, y en 1995 se descubre a Sirio C, dos estrellas invisibles a los ojos humanos que sólo podían captarse mediante modernos telescopios. ¿Cómo supieron tal cosa los dogones hace cientos o miles de años?

Y es que tanto la de Egipto, como otras culturas del pasado, no son una excepción: dicen que sus dioses llegaron desde la estrella más brillante del firmamento...

Capítulo III

Enigmas del cristianismo

¿Dónde se encuentra el Arca de la Alianza?

Las películas de Indiana Jones han puesto de moda la búsqueda de la legendaria y perdida Arca de la Alianza. Cuenta el Antiguo Testamento que, bajo la guía de Moisés, el Arca viajó con los hebreos desde el desierto del Sinaí a Horma. Muerto Moisés, bajo la dirección de Josué, pasó el Jordán y entró en Palestina. En tiempos de Samuel fue capturada por los filisteos y llevada a Ashod, a Gath y después a Ekron. Asustados por los poderes del Arca, que provoca muertes y enfermedades, se la devolvieron a los israelitas, que la guardaron en Kirjath-Jearim. David la hizo llevar finalmente a Jerusalén, donde Salomón la guardó en el templo. Después de esto, ninguna mención en los libros históricos, sólo silencio. Nabucodonosor, al tomar Jerusalén en el año 587 a. C., mandó incendiar el templo, pero no se hace mención alguna del Arca. ¿En qué lugar podría encontrarse hoy en día?

Ya que hemos comenzado por citar a Indiana Jones, el arqueólogo Vendyl Jones, un tipo pintoresco de quien se dice que inspiró a Spielberg para su personaje cinematográfico, cuenta que descifró una parte del rollo de cobre hallado en 1952 en Qumram, que resultó ser una lista de objetos del sanctasanctórum del templo, indicándose hasta sesenta y dos lugares donde se ocultaron objetos litúrgicos tras la destrucción del segundo templo. Vendyl Jones dice que el Arca de la Alianza está en la relación y se halla en la ciudad de Gilgal.

Otro arqueólogo, Ron Wyatt, sostiene que se encuentra enterrada bajo el monte Moriah, en el Grotto o caverna en la que Jeremías escondió el Tabernáculo, el Arca de la Alianza y el Altar del Incienso y cuya entrada cerró después. El lugar indicado por Wyatt para iniciar la búsqueda, la cual emprendió en compañía de sus dos hijos, Danny y Ronny, era un lugar que algunos denominan la *pared del Calvario*, cuyo relieve dibuja —con mucha imaginación— la forma de una calavera alusiva al Gólgota donde Jesús fue crucificado. Wyatt decidió excavar perpendicular a la roca y tras dos años de trabajo descubrió una cueva bajo el monte Moriah. El 6 de enero de 1982, después de una búsqueda en todos los pasadizos y cavidades, halló lo que buscaba, una caja de piedra con la tapa partida en dos y justamente encima, en el techo de la cueva, distinguió una grieta ennegrecida por algún sedimento. Al llegar a la caja comprobó que la hendidura de la tapa estaba manchada de la misma sustancia del techo. Decidió volver días después con unos instrumentos ópticos especiales, de cuya lectura dedujo que el contenido de la caja no era otro que el Arca de la Alianza. Asegura que informó a las autoridades israelíes, pero éstas le recomendaron mantener el secreto. Para él puede seguir allí.

Anthony F. Futterer la ha buscado en el monte Nebó. Al parecer la encontró y, antes de morir, dejó pistas de su emplazamiento a un tal reverendo Clinton Locy. Tom Crotser, arqueólogo estadounidense que visitó al reverendo, dice que consiguió una copia de la inscripción que Futterer había visto en la boca del túnel bajo el Nebó. Según Crotser, la traducción de esa inscripción era «aquí yace el Arca de la Alianza». En el monte Pisagh —en la cordillera del monte Nebó— encontraron una cavidad que al parecer era la entrada de la gruta. Quitaron la plancha de hojalata que cubría la entrada y se introdujeron en el pasadizo el 31 de octubre de 1981. Allí aseguran que había una caja de oro que no tocaron por temor a recibir una descarga, pero hicieron varias fotografías y la midieron. Más tarde en Ammán intentaron inútilmente convencer a las autoridades jordanas de su descubrimiento.

Una información, que Maimónides atribuye a un judío llamado Arabaita, pudo haber inspirado una expedición que en 1908 buscó el Arca bajo el antiguo templo de Salomón. Era la expedición Parker, que comenzó su búsqueda en el palacio-museo de Topkapi, en Estambul. Durante esta expedición el sueco Walter H. Juvelius, estudioso de la Biblia, había encontrado un código sagrado en un manuscrito del Libro de Ezequiel en el que descubrió el emplazamiento exacto del Arca bajo el templo. Juvelius se asoció al capitán Montague Parker bajo el mecenazgo de la duquesa de Marlborough, para recuperar el Arca de su presunto escondite. Gracias a una serie de sobornos a las autoridades turcas, entre 1909 y 1911 el grupo descubrió varios túneles secretos. Mas su búsqueda acabó el 17 de abril de 1911, cuando Parker y sus hombres intentaron entrar en una gruta natural, justo debajo de la roca sagrada sobre la que estuvo colocada el Arca en la época del primer templo. Parker y su equipo descendieron a la gruta y empezaron a retirar las piedras que cubrían la entrada a una galería antiquísima. Uno de los vigilantes que estaba pasando la noche en el templo oyó los ruidos de los trabajos de cava y al descubrir extranjeros bajo el sanctasanctórum, fue a la ciudad para avisar a todo el mundo sobre la profanación que estaba sucediendo. Una muchedumbre enfurecida llegó frente a los muros del templo dispuesta a hacer pagar con sangre la ofensa. Parker y el resto de la expedición consiguieron escapar a Jerusalén y de allí al puerto de Haifa, donde embarcaron sanos y salvos.

Pero la pista más apreciada hoy en día es la defendida por el investigador británico Graham Hancock y plasmada en su obra *Símbolo y Señal*. Hancock dice que oyó hablar por primera vez de la conexión del Arca con Etiopía mientras escribía un libro sobre este país africano, donde había sido corresponsal. En una visita a la ciudad de Axum conoció a quien afirmaba ser guardián del Arca o *Tabot*, que le contó la leyenda del hijo de Salomón y Belkis, la mítica reina de Saba, y su relación con el objeto sagrado. La hipótesis de Hancock demuestra que el Arca salió de Palestina, recaló un tiempo en Elefantina (Egipto) y después de que los judíos de Elefantina huyesen al Sudán y a las tierras altas de Etiopía, llegó finalmente al lago Tana. Visitando esta zona conoció la existencia de unos textos antiguos —el *Kabra Negast*— que relataban como el Arca de la Alianza había sido colocada en una especie de tabernáculo en la isla lacustre de Tana Kirkos, donde permaneció ochocientos años hasta que el rey Ezana de Etiopía la llevó hasta su emplazamiento actual en Axum. Desde luego en Etiopía había judíos, los *falashas,* aunque la historia del Arca se vinculó a las tradiciones cristianas, pues los etíopes se convirtieron en torno al siglo IV. Graham Hancock sostiene firmemente que el Arca de Menelik I se depositó en la iglesia de Santa María de Sión, en Axum, y ahí sigue...

Finalmente, hay todo tipo de leyendas más o menos documentadas que la sitúan en otras partes, como la capilla de Rosslyn, en Escocia, donde supuestamente la llevaron los caballeros templarios, que la habrían encontrado bien en Jerusalén, bien en el Vaticano, gracias a que el gobierno de Mussolini se la donó, tras haberla encontrado en Etiopía, o bien, y más extraño todavía, en algún lugar no identificado de Alemania, donde la habría llevado desde una gruta cercana a Tarascón un comando especial de las SS al mando de Otto Skorzeny, que seguía las pistas dejadas por Otto Rahn antes de su suicidio ritual. Pero, si no les parece suficiente, hay hasta quien sostiene que desde Alemania fue embarcada en un submarino en 1945, antes del final de la guerra, con rumbo a algún lugar secreto de América del Sur o, ya puestos a imaginar, de la Antártida. Como pueden ver, hay variantes para todos los gustos.

¿Cuándo nació y murió Jesús?

Lo que se sabe seguro es que no nació un 25 de diciembre, ni en el año que se le adjudica.

El despiste proviene de unos cálculos elaborados por un astrónomo y teólogo escita llamado Dionisio *el Exiguo*, que vivió en Roma

Fue todo un enigma para los historiadores determinar la fecha exacta del nacimiento y muerte de uno de los hombres más prodigiosos.

unos quinientos años después de la época de Jesús. El apodo de El Exiguo le venía dado por su baja estatura, pero tras el follón que organizó, se podría decir que exiguos eran también sus conocimientos.

Según sus cálculos, Cristo había nacido en el 753 AUC (los romanos fechaban los acontecimientos desde el año en que, según la leyenda, se fundó la ciudad de Roma y ese año era el I AUC, iniciales de *ab urbe condita*, es decir, desde la fundación de la ciudad). Poco después desapareció este método romano de fijar las fechas por lo farragoso que era. En su lugar, dado que el cristianismo ya era una realidad en todo el Imperio Romano, se implantó la costumbre de contar los años a partir del nacimiento de Jesús. Este año fue el I Anno Domini («Año del Señor») y los años anteriores al nacimiento de Cristo se etiquetaron como a. C. De ese modo, si Jesús nació en el 753 AUC, significaba que Roma se habría fundado en el 753

a. C. Desde entonces los métodos de fijación de fechas siguen la cronología de la era cristiana, en la que I d. C. equivale al 753 AUC.

Y aquí es donde la lía nuestro Dionisio *el Exiguo*. Hoy se sabe que Herodes el Grande subió al trono en el 716 AUC, es decir, en el 37 a. C. y que reinó durante treinta y tres años, hasta que murió en el 4 a. C. Así que resulta imposible que Jesús naciera en el año I (y menos en el año 0, que no existe) y al mismo tiempo «en los días del rey Herodes», como dicen Lucas y Mateo. Por lo tanto, el año de nacimiento de Jesús se debe retrasar al menos cuatro años. Vistas así las cosas, no deja de ser paradójico que Jesucristo naciera en el año 4 antes de sí mismo. Aunque lo normal es que fuera en el año 6 o 7 a. C.

Durante dos mil años el error del monje fue de pequeña importancia, pero en nuestra época se convierte en algo fundamental. Por ejemplo, los que situaron el fin del mundo en el año 2000 tienen aún unos cuantos años de esperanza de que sus catastróficas profecías se cumplan.

Por lo que respecta al 25 de diciembre como natalicio de Jesús, tenemos otro tanto de lo mismo. No hay constancia de que naciera en esa fecha ni siquiera en sus proximidades, pues si nos atenemos a lo que dice el evangelista San Lucas, los pastores estaban al relente de la noche con sus ovejas cuando ocurre el milagro de la estrella de Belén y, por lo tanto, en el momento justo en que el niño Jesús nace en una cueva o un pesebre camino de Belén. Los pastores no podrían pernoctar al aire libre en diciembre en Palestina, con una temperatura media de tres grados bajo cero, lo que refuerza el testimonio del Talmud según el cual los rebaños salían a los campos desde marzo hasta principios de noviembre.

Durante el siglo III se fijaron varias fechas del natalicio de Jesús. Las iglesias cristianas orientales, como la de Armenia, fijó el 6 de enero, otros propusieron el 25 de marzo, el 15 de abril o el 25 de mayo, esta última establecida por Clemente de Alejandría. Había que poner fin a tanto desmán. El papa Fabián, en el siglo III, calificó de sacrílegos a quienes intentaran determinar la fecha del nacimiento de Jesús. Hubo de pasar un siglo más para que el 25 de diciembre fuera inmutable. La establece el papa Liberio en el año 354 y quiso buscar una fecha significativa para solapar cultos paganos. El 25 de diciembre, próximo al solsticio de invierno, los romanos realizaban las fiestas tanto al Sol Invictus como a Mitra, dos dioses solares, redentores y salvadores, con muchos elementos comunes con Jesús (nacimiento en una cueva, de una mujer virgen, con señales luminosas, que mueren crucificados, etc.). Y funcionó. Aunque, realmente, Jesús naciera en primavera o verano, como proponen muchos teólogos.

Lo curioso es que quien nació un 25 de diciembre fue el emperador Nerón, que poco o nada tenía de dios bonachón, luminoso y salvador.

Y nos queda la cuestión de la muerte de Cristo. Se sabe que va a Jerusalén con ocasión de la Pascua, al parecer a finales de marzo del año 30. Es crucificado un día antes del Sabbat, durante los preparativos de la Pascua, porque en ese año la fiesta coincidió con el Sabbat. Ésta se celebra el 15 del mes judío de Nisán. En aquel periodo el 15 cayó solamente dos veces en sábado: en los años 30 y 33. Si Jesús predica durante un año, sólo puede ser el correcto el que correspondería al viernes 7 de abril del 30. Si, en cambio, predicó durante tres años, como dicen los evangelistas, debió de ser el 3 de abril del año 33. En todo caso, se está de acuerdo en que el óbito debió de producirse a las tres de la tarde, hora de Jerusalén y resucitó en la madrugada del domingo, sobre las cuatro de la mañana, es decir, que no estuvo tres días muerto como asegura el catecismo.

Entre los dos años posibles, el 30 y el 33, hay fuertes razones históricas a favor del segundo. De lo contrario, habría que comprimir las predicaciones de Juan el Bautista (quien murió antes) y del mismo Jesús a unos cuantos meses de duración.

La fecha del 7 de abril del año 30 la mantiene el jesuita japonés Yoshimasa Tsuchiya, según los cálculos de un calendario perpetuo de propia invención y considerando el hecho de que la muerte de Cristo ocurriera dos días antes de la luna llena, después del equinoccio de primavera. Esa misma fecha es la que da Juan José Benítez en su *Caballo de Troya*, donde muere de parada cardiaca a las 14.57 horas y 30 segundos.

La otra posible fecha de su muerte que se baraja es la del 3 de abril del año 33 y esta tesis la defienden dos científicos de la Universidad de Oxford, Colin J. Humphreys y W.G. Walddington. Parten de varios hechos: cuando muere ocurre un fenómeno natural casi al anochecer cual fue una Luna de un color rojo intenso que salió por encima de Jerusalén bañando el Gólgota con una luz crepuscular. Los dos científicos lo interpretan como un eclipse parcial de Luna. En el informe que envía Poncio Pilato al emperador Tiberio le dice: «El Sol se oscureció, salieron estrellas en el cielo y por todas partes la gente encendió las lámparas». Hace referencia también a que sobre el mediodía el Sol desapareció tras las nubes de polvo gris en una furiosa tormenta de arena que se levantó de pronto. Conclusión: que entre el año 26 y el 36, años de gobierno del procurador de Judea, Poncio Pilato, sólo hubo un eclipse parcial de Luna al comienzo de la noche y que fuera visible desde Jerusalén: el 3 de abril del año 33, a las 18.20 horas. La misma opinión tienen los astrónomos Livin Mircea y Tiberiu Oproiu, del instituto Astronómico del Observatorio de Cluj (Rumanía), basándose en el eclipse solar en Jerusalén de ese año.

Pero, bien mirado, para el que tiene fe estas cuestiones le traen al fresco. Naciera cuando naciera y muriera cuando muriera, la realidad histórica y espiritual de Jesús trasciende todo lo que aquí podamos decir.

¿Quién fue María Magdalena?

Este personaje constituye, posiblemente, uno de los grandes epicentros místicos de la religión cristiana. Según los cuatro evangelios escogidos como auténticos por el concilio de Nicea celebrado en el año

*Según algunas hipótesis,
María Magdalena llevó
en su vientre el
verdadero Santo Grial.*

325 de nuestra era, la Magdalena apenas tuvo incidencia en la vida
del Mesías. En esos textos oficiales este icono del sagrado femenino
es nombrado en doce ocasiones, otorgándole un papel meramente figurativo en capítulos puntuales. La Iglesia de entonces se encontraba
absolutamente entregada al santo concepto de la Trinidad y no podía
consentir desviaciones a cargo de una presunta familia generada en la
Tierra por el hijo de Dios. Por tanto, los trescientos obispos reunidos cerca de Constantinopla por el emperador Constantino hicieron
de la Magdalena una acompañante de Jesús de segunda línea, primero como víctima de una posesión demoníaca en la que interviene
Jesús para expulsar de su cuerpo mediante exorcismo siete demonios
infernales, luego como prostituta redimida por el Salvador, más tar-

de convertida en testigo privilegiado de la agonía, muerte y resurrección del redentor. En todo caso, no hay quien la prive de haber sido la primera en contemplar el cuerpo resucitado de Jesús, la misma que corre a contárselo a unos incrédulos apóstoles, los cuales, en un acto incomprensible de falta de fe, no dan crédito a lo escuchado, llegando incluso a irritarse con la narración de aquella mujer llena de dolor y amor hacia el Mesías. Conocido es el enfrentamiento entre la Magdalena y Pedro, futuro fundador de la Iglesia católica, lo que nos habla de los recelos del apóstol hacia la más que posible compañera sentimental del nazareno, desvelándose una cierta inquina hacia María transformada en símbolo matriarcal de tantas culturas ancestrales y enemigo real de las últimas intenciones de una primitiva comunidad cristiana basada en postulados célibes, que relegaban el papel femenino al ostracismo más injusto. Y poco más se desvela sobre ella en la historia aceptada desde el siglo IV y sostenida desde entonces por grandes autoridades como el papa Gregorio I, quien identifica a María Magdalena con María de Betania, hermana de Lázaro y Marta, la misma mujer que Lucas describe como pecadora y aquella de la que Jesús expulsó siete demonios, según Juan. El arzobispo de Maguncia, Rabano Mauro, mantuvo la misma versión en el siglo IX, al igual que el arzobispo de Génova, Santiago de la Vorágine, en el siglo XIII o san Bernardo de Claraval, fundador de la orden cisterciense y mentor de los caballeros templarios.

Sin embargo, hoy en día los numerosos exegetas católicos y de otras procedencias que han investigado la vida de la Magdalena coinciden en afirmar que hubo mucho más que esto y que los máximos dirigentes eclesiales se empeñaron en cubrir de bruma unas circunstancias que en su tiempo hubiesen obstaculizado las pretensiones trazadas por los prebostes eclesiásticos sobre lo que ellos entendían como una correcta manera de dirigir los designios de Dios en la Tierra. Según las hipótesis más heterodoxas, la Magdalena no era hermana de Marta y Lázaro, tal y como se estableció en origen, sino que más bien debemos pensar que era procedente de la localidad de Magdala, a orillas del mar de Galilea en Palestina, perteneciendo al linaje proveniente de la tribu judía de Benjamín, en la que reinó Saúl, antecesor del monarca David. Por tanto, Jesús de Nazaret y ella representaban el más rancio abolengo hebreo. No es de extrañar que se conocieran y que sintieran un interés mutuo por unir sus castas. En algunos trabajos de investigación se presume que bien pudieran haber sido los novios protagonistas de las famosas bodas de Caná, donde la Virgen María se ocupó de todos los detalles ceremoniales mientras que Jesús obraba el milagro de la conversión de agua por vino. No obstante, el empeño de la Iglesia oficial por proclamar el celibato del redentor hizo que conscientemente se borrara de un plumazo el arbitrio de María Magdalena en el devenir de los acontecimientos que acompañaron a Jesús en sus años privados y públicos. Sólo pensar que el hijo de Dios pudiera haberse casado para tener descendencia con una mujer de dudosa procedencia hace surgir encendidas llagas en la piel de los más ortodoxos, y eso pudiera haber hecho pensar en el posible resquebrajamiento de los muros católicos en aquellos siglos iniciales para la fe cristiana, pues según los primigenios gobernantes católicos, la divinidad de Cristo era incompatible con cualquier apetencia terrena. Lo cierto es que hemos necesitado muchas centurias de exhaustiva investigación para recuperar el olvidado pero trascendental papel de María Magdalena en la historia más grande jamás contada. Autores como la prestigiosa Margaret Starbird han dedicado buena parte de sus vidas a recuperar la figura histórica de esta fémina, llegando a pensar que el verdadero Santo Grial lo llevó ella misma encerrado en su vientre. Y es que no faltan hipótesis que nos ponen en la pista de un Jesús superviviente de la cruz, el cual, una vez recuperado del sufrimiento, viajó en compañía de su mujer embarazada y de algunos seguidores hasta las Galias, desembarcó en el puerto de la actual Marsella y fundó una dinastía gracias al nacimiento de una niña a la que bautizaron con el nombre de Sara. Con el paso de los siglos, casas reales como los merovingios o sociedades religiosas como cátaros y templarios se convertirían en custodios de ese linaje crístico, cuyo secreto perdura hasta nuestros días.

¿Tuvo Jesús hermanos e hijos?

Responder afirmativamente a semejante pregunta es pecado capital, pero permítanos el lector correr el riesgo de ir directamente al Infierno por semejante cosa. Y es que, a veces, buscar la verdad le coloca a uno en la senda de lo sacrílego.

Es cosa de dogmas; la virginidad de María lo es; nació, vivió y murió sin conocer a varón, lo que en este caso significa que Jesús fue hijo único. Del mismo modo, Jesús nació, vivió y murió sin conocer a mujer alguna. Es por ello que ni se casó ni dejó descendencia.

Ambas creencias son pilares fundamentales para el catolicismo apostólico romano, pero no por ello deben ser verdad, del mismo modo que abrirse a la posibilidad contraria no debiera quebrantar las creencias de nadie, pero no olvidemos que sobre verdades absolutas escritas en ninguna parte la Iglesia ha construido durante dos mil años un imperio ideológico. Sin embargo, ni a los doctores de la Iglesia —que los hay, y bien sabios que son algunos— se les puede escapar que en los tiempos en los que vivieron Jesús y María mantener tan puras conductas hubiera supuesto un peligro ciertamente considerable.

Y no es que en la Palestina del siglo I fueran unos liberales, sino que por entonces desposarse y hacer efectivo los débitos conyugales era la forma de dar a entender que uno servía para algo. De lo contrario, no sólo se arriesgaban al descrédito social, sino incluso al peligro físico.

Algo no encaja si los dogmas se fundamentan en las Sagradas Escrituras. Si leemos el Evangelio de Marcos encontramos el siguiente pasaje: «¿No es éste el carpintero, el hijo de María y el hermano de Santiago, José, Simeón y Judas? ¿No están sus hermanas entre nosotros?». En este versículo, los habitantes de Nazaret se referían a Jesús, a quien endosan cuatro hermanos y, al menos, dos hermanas.

Y es que referencias de este estilo encontramos del orden de una decena en los Evangelios...

Para excusarse, la Iglesia ha vendido como explicación a estas palabras que, en aquellos tiempos, se utilizaba el mismo vocablo tanto para referirse a hermanos como para mentar a los primos. Así que —a modo de explicación oficial por parte del Vaticano— se nos dice que todo es un problema de traducción debido al lenguaje en el cual están escritos los textos evangélicos.

Para saber a qué atenernos, en más de una ocasión hemos preguntado en *La Rosa de los Vientos* a uno de los principales expertos mundiales en este asunto. Se llama Antonio Piñero, catedrático en filología neotestamentaria en la Universidad Complutense. Es decir, que se trata de un especialista en el tipo de griego en que está escrito, por ejemplo, el Evangelio de Marcos. Su posición al respecto es, por tanto, la posición de un científico de las letras según se utilizaban hace dos mil años: «Esta suposición no es defendida por casi nadie... Los llamados hermanos de Jesús lo eran en el pleno sentido de la palabra», nos asegura.

Ciertamente, son muchas las fuentes que hacen alusión a los hermanos de Jesús. Por ejemplo, el evangelio de los Hebreos, un apócrifo en el que puede leerse «su madre y sus hermanos decían a Jesús...». De hecho, en su *Historia Eclesiástica*, Eusebio de Cesárea dice que Santiago y Judas eran dos de los hermanos de Jesús, lo cual es coincidente con el Evangelio de Marcos.

Pocos estudiosos serios son los que admiten que Jesús era hijo único de María, pero lo que sí parece más complicado es admitir que también él tuvo descendencia. Y es que, en primer lugar, habría que determinar si estuvo casado, si bien para empezar sirva decir que tal cosa no es barbaridad alguna, puesto que, en aquella época, quien no se casaba era un proscrito de los cielos...

Por lo que dicen los Evangelios oficiales poco puede saberse, aunque sí deducirse que María Magdalena mantenía una proximidad a Jesús que estaba fuera de toda lógica. Eso sí, los guardianes del dogma mantienen una tesis contra viento y marea: Jesús perdonaba a los pecadores y los admitía entre sus seguidores. Y puesto que la Magdalena era una prostituta, la dejó acercarse a su regazo mesiánico. Pero hete aquí que los exegetas del Vaticano se han sacado de la manga una historia negra de la Magdalena que no es sino un gran invento.

En ningún texto, ni en los oficiales ni en los oficiosos, se sugiere que la otra María fuera una meretriz. Aquello fue una farsa, ya que a nadie escapaba la singular relación que existió entre ambos, algo que está muy presente en los textos gnósticos de Nag Hammadi, en uno de los cuales —el evangelio de María— se explica que los apóstoles andaban celosos de la Magdalena, puesto que sospechaban que la amaba más a ella que a ellos.

Otro apócrifo es aún más explícito: «La amaba más que a todos los discípulos y solía besarla en la boca a menudo», se lee en el evangelio de Felipe. Y es que no pocos estudiosos —mejor dicho, cientos de estudiosos— han propuesto que, por determinadas características, las bodas de Caná fueron sus propias nupcias. Y si se llegó a casar, lo de tener hijos era algo más bien lógico; más aún en aquellos tiempos. Visto con cierta frialdad, tampoco pasa nada. ¿Acaso Jesús hubiera sido menos Jesús si se hubiera casado? Si lo que pregonó fue el amor, ¿qué mejor forma de demostrarlo que entregando su corazón a su esposa?

¿Tienen algún mérito los evangelios apócrifos?

Tenemos delante los cuatro Evangelios oficiales, que ocupan apenas un centenar de páginas. Al lado hemos colocado otros evangelios, los prohibidos, y ocupan más de cuatro mil páginas...

Así es. Al margen de los que siempre nos han presentado como los auténticos, hay decenas de textos que nos transmiten igualmente los hechos de la vida de Jesús. Por desgracia para la Iglesia, unos y otros merecen la misma consideración, sea mucha o poca, pero quieran o no tienen la misma credibilidad. El problema es que unos presentan determinadas informaciones que resultan contrarias a los dogmas mantenidos por el Vaticano durante dos mil años. Y son precisamente los que apoyan esos dogmas aquellos que merecen la catalogación oficial de favoritos...

Hacia el siglo II y III circulaban decenas de relatos evangélicos entre los fieles seguidores de la entonces herejía cristiana. Sin embargo, quienes mandaban en la incipiente Iglesia procuraban que los seguidores de Jesús mantuvieran unas creencias determinadas que les asegurara el control ideológico de los creyentes. En ésas tuvo lugar el concilio de Nicea, allá por el año 325. Fue allí —y sólo entonces— cuando se decidió cuáles de los más de cincuenta evangelios conocidos pasaban a recibir el sello de «autenticidad». Y los elegidos fueron, como el lector puede imaginar, los de Lucas, Mateo, Marcos y Juan. Mientras tanto, el resto quedó condenado al ostracismo y al olvido, cuando no al desprecio más absoluto.

¿Cuál fue el criterio del que se sirvieron los padres de la Iglesia para determinar qué evangelios eran los válidos? Como se puede suponer, dejaron la elección en manos de Dios...

Hay varias versiones al respecto. Según relatan algunos textos, los obispos colocaron todos los evangelios sobre el altar y pidieron a Dios que enviara una señal para elegir aquellos que fueron escritos por inspiración divina. De repente, cuarenta y seis de aquellos libros empezaron a caer uno tras otro al suelo. Los únicos cuatro que no se movieron fueron los que, según los reunidos, eran auténticos...

No mucho más creíble es otra versión según la cual una paloma sobrevoló Nicea durante la celebración del concilio, coronando a los obispos tras entrar en la sala de reunión atravesando un cristal sin romperlo. Entonces, la paloma se fue posando sobre el hombro de cada uno de ellos susurrándoles al oído cuáles eran los verdaderos evangelios que debían ser tomados como «palabra de Dios».

Una versión algo más lógica —sólo en parte, claro— dice que los obispos colocaron sobre el altar aquellos textos evangélicos que en opinión de ellos eran los más coherentes. Tras ello, comenzaron a rezar pidiendo a Dios que les diera alguna señal si estaban equivocados al elegir aquellos cuatro textos. Una señal que podía consistir —relata el libro anónimo *Libelus Synodicus*— en arrojar a las paredes cualquiera de los libros que fueran contrarios a Dios. Lógicamente, ninguno de aquellos libros se movió un centímetro de su lugar. No es difícil adivinar que se trata de los cuatro Evangelios conocidos y que fueron elegidos previamente por los obispos porque, sencillamente, su contenido no quebraba las normas y creencias que ya se edificaban como pilar vital para los millones de cristianos que existían en Europa. Eso sí: al margen de esos cuatro, no colocaron ninguno más sobre el altar.

Por culpa de esta división entre «canónicos» y «apócrifos», la humanidad no ha podido tener fácil acceso a infinidad de textos que podrían arrojar luz sobre la figura de Jesús de Nazaret. De haber sido públicos, sabríamos mucho más sobre el personaje más importante e influyente de la historia. Habríamos descubierto a un personaje mucho más humano de lo descrito por los Evangelios canónicos, conocedor de las tradiciones esotéricas imperantes en la época, fuertemente implicado en las luchas políticas de su pueblo a favor de la libertad e independencia, sabedor del pálpito desgarrador que significa sentir amor carnal y transmisor de conductas pragmáticas encaminadas a buscar la paz y sabiduría interior de un modo distinto a como lo enseñan los Evangelios «legales». El problema es que, de no haber existido una criba para determinar qué evangelios estaban prohibidos, el Vaticano jamás habría tenido sentido. Porque, entre otras cosas, esos textos heréticos no dicen nada sobre que Jesús fundara una Iglesia...

¿Es auténtica la Sábana Santa?

Sin la más mínima duda. Por desgracia, los análisis mediante el C-14, realizados por tres laboratorios y dados a conocer el 13 de octubre de 1988, fueron interpretados por los grandes medios de comunicación como un punto y final a uno de los grandes enigmas de la Humanidad. Según aquellos estudios, la Sábana Santa databa de entre los años 1260 y 1390, razón por la cual se dictaminó que es «una falsificación medieval» y no la mortaja que habría envuelto el cuerpo de Jesús de Nazaret después de ser crucificado.

No tenga duda el lector: aquellos exámenes fueron una gigantesca estafa científica. La última prueba al respecto ha llegado gracias al investigador norteamericano Raymond Rogers, que ha descubierto a comienzos de 2005 que el fragmento de la también llamada Síndone que se utilizó para datar al sudario mediante el carbono-14 contenía una sustancia llamada vanilina, mientras que el resto de la Sábana no presentaba tal «contaminación». La presencia de estos restos indican —y así lo ha confirmado un equipo de expertos independientes que ha aprobado la publicación del trabajo de Rogers en la revista científica *Termochimica Acta*— que el trocito analizado era un remiendo y no parte del lienzo original.

Por desgracia, la ciencia y sus portavoces se han olvidado de lo que ocurrió justo antes de que el Vaticano diera a conocer los resultados de aquel estudio. Y es que tras el recorte del fragmento —de siete por un centímetros— cientos de escépticos clamaron contra los análisis, cuyos resultados se darían a conocer meses más tarde.

La publicación de los resultados desfavorables a las tesis vaticanas sorprendió a propios y extraños, pero especialmente a aquellos que meses antes habían renegado de la prueba al considerar que los científicos no la habían efectuado en condiciones de control óptimas. Los escépticos estaban convencidos de que tras el examen del carbono-14 había una conspiración para favorecer la autenticidad de la Sábana Santa. Como es lógico, los negativistas echaron marcha atrás y aplaudieron los estudios de Oxford, Zúrich y Arizona. De repente se olvidaron de todo lo que habían dicho con anterioridad y se erigieron en altavoces de los resultados de aquellos análisis.

La extraordinaria acogida mediática que tuvo la desilusionante noticia sirvió para que la Sábana Santa abandonara para siempre el olimpo informativo. El asunto dejó de interesar, pese a que entre los sindonólogos de todo el mundo se abrió un acalorado debate sobre la idoneidad o no del empleo de ese método para aplicarlo a una muestra tan singular. Dos congresos internacionales celebrados en París (1989) y Milán (1990) sirvieron para que científicos de diversos países presentaran ponencias que cuestionaban el estudio. Todas aquellas «quejas» cayeron en saco roto, pese a que Michael Tite, director del Museo Británico, pidió disculpas por los errores metodológicos y protocolarios que se cometieron durante el estudio del que él mismo fue nombrado garante por el Vaticano. A fin de cuentas, Tite había sido el elegido por la Iglesia para que el análisis se efectuara de acuerdo con unas normas de seguridad previamente establecidas. Pero muy pocos medios de comunicación se hicieron eco de que hasta los propios científicos que efectuaron ese análisis dudaban de cómo se habían hecho las cosas. Tampoco dieron a conocer la más que sospechosa actitud del responsable del laboratorio de Oxford, al que un diario británico le prometió una importante suma de dinero si filtraba a la prensa los resultados antes de que el Vaticano los diera a conocer. Pero ojo: la exclusiva sólo era válida si el resultado del análisis era favorable a la tesis del fraude…

Quince años después el misterio resucitó de la mano de Rogers: «El hecho de que la vanilina no se haya encontrado en el tejido de la parte central de la Sábana, de la misma manera que no se encuentra en otras telas igual de antiguas, indica que la datación anterior tiene que estar equivocada. El trozo que analizaron los laboratorios, efectivamente, es de en torno al año 1290, pero es imposible que el resto de la reliquia sea de la misma fecha. Tiene que ser mucho más antigua». Como nueva datación, en función de la vanilina, Rogers propuso que la Sábana Santa tiene un mínimo de mil trescientos años y un máximo de tres mil. Es decir: podría datar de la época de Jesucristo y ser, por tanto, lo que la tradición dice que es una suerte de impregnación del lienzo por medios inexplicables de alguien que falleció tras ser crucificado.

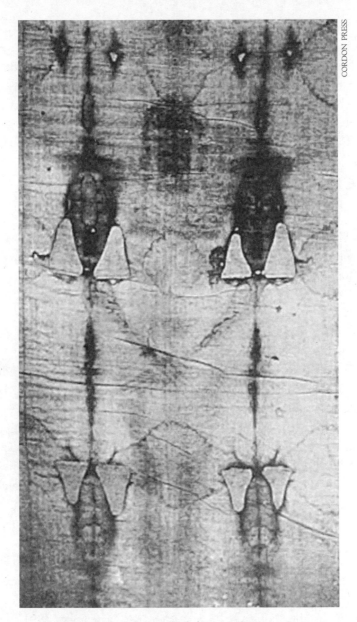

La Sábana Santa de Turín ha suscitado, desde 1988, tantas controversias como posibles investigaciones en aras de su falsedad o autenticidad.

Sin embargo, ésta no ha sido la primera vez que la prueba del carbono-14 sufre un jaque. Ya en 1988, Gabriel Vial, director del Museo de Tejidos de Lyon (Francia), advirtió a los científicos encargados de la prueba que «el punto seleccionado podría ser un parche». La advertencia cayó en saco roto. También lo recordó en septiembre de 1989 el experto Franco Testore durante el simposio de París: «La muestra analizada puede tener síntomas de contaminación, ya que se encuentra a muy escasos centímetros de una de las zonas que sabemos fue dañada por el incendio de 1532. Además, sobre este punto se han acumulado siglos de suciedad y se ha producido lo que se conoce como electroforesis: contaminación en la cavidad de las fibras de lino». Con anterioridad, el italiano Giovanni Riggi publicó un trabajo titulado *Rapporo Sindone*, en el cual advertía que la zona utilizada para el análisis «presenta hilos de otra naturaleza que, aunque en cantidad mínima, pueden conducir a variaciones en la datación, puesto que son de incorporación tardía». En cierto modo, lo que estaban haciendo estos expertos era anticipar el resultado al estudio publicado en el año 2005 por el norteamericano Rogers.

Uno de los investigadores disidentes —a los que tampoco nadie tomó en consideración en su momento— fue el británico Peter H. South, director del laboratorio de análisis textil de Ambergate (Gran Bretaña). Denunció que en las muestras utilizadas para el análisis mediante carbono-14 había elementos impuros: «Se detectó algodón, un algodón fino, amarillo oscuro. Desafortunadamente, es imposible explicar cómo esas fibras acabaron en la Síndone, que, fundamentalmente, está hecha de lino». Los periodistas a quienes reveló esas informaciones no lo tomaron en cuenta. Ni siquiera cuando South publicó en la revista especializada *Textile Horizonts* aquellos datos. Y es que lo podemos afirmar sin ningún tipo de miedo: el mundo entero sufrió un engaño masivo orquestado por los científicos escépticos para hacernos creer que, según el carbono-14, la Sábana Santa era un fraude.

En su libro *El escándalo de una medida* (ed. Marcombo, 1991), los periodistas Enmanuella Marinelli y Orazzio Petrosillo muestran que existieron enormes incorrecciones tras el análisis efectuado por los tres laboratorios, que condenaron a la Sábana Santa a convertirse en una falsificación medieval. Por un lado, no se siguieron los protocolos pactados previamente mientras que, además, los trozos examinados incluso pudieron ser alterados durante el proceso de traslado entre Turín y los diversos laboratorios, que, por si fuera poco, mantuvieron contacto entre sí durante todo el proceso de investigación «sin que nadie se enterara, pero asegurándose entre ellos que los resultados de unos y otros coincidían», denunció el periodista francés Bruno Bonnet-Eymard.

Por el contrario, se han efectuado otras pruebas para averiguar la antigüedad de la Síndone. Se ha examinado el tipo de tejido, y se ha llegado a la conclusión de que fue elaborado del mismo modo en que se confeccionaban telas en el siglo I en Palmira. Por no citar a los investigadores que llevan treinta años examinando los pólenes que quedaron adheridos a la trama: más de veinte tipos de esos pólenes florecieron en Oriente Próximo sólo en el siglo I, ni antes ni después.

Además, Alan Whagner, un informático norteamericano que colabora con la Justicia en la resolución de casos policiales, aplicó sus técnicas a la imagen del rostro de la Síndone. En su examen comparó la cara que aparece en la Sábana con las primeras representaciones artísticas que existen de Jesús de Nazaret. Tras su estudio —al que aplicó las mejores técnicas informáticas— concluyó que, sin ningún género de dudas, aquellos iconos tomaron como modelo el rostro que aparece impreso en la mortaja que nos ocupa. Lo relevante es que aquellas primeras representaciones datan de los siglos III, IV y V, lo que quiere decir que entonces ya existía la Sábana Santa y que el resultado del carbono-14 no puede estar en lo cierto.

Por no hablar de otras mil pruebas que sirven para defender la autenticidad del lienzo. Cabría recordar que en la imagen no hay ningún resto de pintura, del mismo modo que podríamos efectuar —a tenor de los rastros que aparecen en la efigie— una autopsia del personaje cuya imagen aparece grabada. En dicha autopsia encontramos detalles que nos indican que, de haber existido un falsificador medieval, quien lo hiciera disponía de una serie de conocimientos científicos que por entonces no se habían desarrollado. Sin ir más lejos, el examen del cuerpo desvela que si alguien fabricó la imagen conocía, por ejemplo, todos los detalles sobre la circulación de la sangre. Sin embargo, en la Edad Media nadie sabía cómo funcionaba nuestro cuerpo a este nivel. Aún no había llegado Miguel Servet para explicarlo...

En suma: quienes afirman que la Sábana Santa es real pueden agarrarse a cientos de experimentos científicos, mientras que quienes apuestan por su falsificación sólo disponen de un examen científico a su favor que, para colmo, ha sido completamente desautorizado.

¿Vírgenes negras?

Hace miles de años, en el Neolítico, cuando los seres humanos comenzaban a extenderse por el planeta, las grutas, los bosques, los ríos, las montañas, los lugares en los que se desarrollaba la vida de los primeros grupos de cazadores nómadas se convirtieron en ocasiones en lugares especiales. Tal vez algunos de estos sitios llamaron su atención. Detalladas observaciones, fenómenos anómalos, reflexiones en las cuevas al amparo del fuego en las noches oscuras en las que en el exterior acechaban bestias sin nombre y todo tipo de peligros les hicieron destacar algunos lugares que les daban una placentera sensación de seguridad o que les ponían en contacto con las fuerzas inmensas e incontroladas del mundo. Todo lo que ocurría a su alrededor tenía que obedecer a una causa, la misma que provocaba las tormentas, la lluvia, el viento, las mareas, los temblores de tierra. Todo era, sin duda, producto de la Tierra, de la Madre Tierra, a la que había que rendir culto y a la que se debía venerar por su poder, pero a la que también había que agradecer todo lo bueno que ofrecía la existencia y con la que había que mantener una buena relación, con el fin de que fuera propicia a la tribu y la apoyase con su poder infinito.

Esta primera deidad y la más importante ha sido conocida de forma general con el nombre de Diosa Madre, como forma de identificar de manera universal a la Tierra. La Diosa Madre era la responsable de los fenómenos naturales que desconcertaban a los primeros hombres y se le comenzó a rendir culto en aquellos sitios en los que los hombres primitivos creían que podían comunicarse con la divinidad. Para ello se identificaron lugares especiales, sitios, enclaves, que no han perdido la fuerza mágica y evocadora que tenían cuando nuestros antepasados los convirtieron en centros de culto. Eran cuevas, ríos, fuentes o peñas, en las que se sentía, se notaba, el pulso de la Tierra. Todos ellos fueron sacralizados y pasaron de generación en generación, de siglo en siglo, convertidos en lo que eran: lugares de poder.

Las culturas primitivas eran esencialmente matriarcales, las mujeres guardaban el secreto de la vida y la Diosa Tierra era una mujer, la madre de todas las cosas. Sólo con la llegada del cristianismo las cosas cambiaron, la crucifixión de Jesús, su muerte redentora, trasladaba el culto a una figura masculina, pero el culto ancestral pagano a la Diosa Madre y los centros en los que se la había venerado desde hacía miles de años nunca se perdieron y fueron trasladados o convertidos en lugares de culto de un figura que seguía representando a la deidad femenina: la Virgen, con el niño en brazos, supervivencia lejana que mantenía los ecos de un pasado nunca muerto. La Iglesia trató de minimizar este hecho, intentando que el culto a la Virgen estuviese siempre en un cuidado segundo plano, pero en Europa occidental esto cambió radicalmente a partir del siglo XI.

San Bernardo de Claraval y la orden del Císter, que se extendió a lo largo de los siglos XI y XII por todo el mundo cristiano, impulsaron el culto a la Virgen María, aflorando en Occidente la corriente nunca eliminada de la vieja tradición, de nuevo sus viejos centros de culto fueron rehabilitados y sobre ellos nacieron ermitas, iglesias y catedrales. Muchas de las imágenes de la Virgen veneradas en estos lugares tenían una especial característica, eran vírgenes negras, tallas oscuras que no eran ninguna novedad en el mundo, pues figuras muy similares llevaban entre nosotros miles de años. ¿De dónde habían salido?

Las imágenes de vírgenes negras obedecen a una lejana tradición que estaba muy arraigada en Oriente. La representación de la Virgen con el niño Jesús en brazos no es más que una adaptación al cristianismo de las imágenes de Isis con Horus, casi siempre representada en negro, algo que también ocurrió con otras diosas del Mediterráneo oriental como Astarté, Deméter, Cibeles e incluso Diana. Estas tradiciones fueron absorbidas por el cristianismo, al igual que ocurrió con otras muchas de origen pagano. En Europa, la aparición de vírgenes negras a partir de esa época demuestra que no se habían olvidado los antiguos lugares de culto y el culto a la Tierra, que de nuevo fueron rehabilitados, si es que alguna vez habían dejado de estar activos.

Quedan, por último, dos cuestiones que desde siempre han atraído a los amantes de lo oculto y del misterio. La primera es el papel jugado por la orden del Temple y su relación con las vírgenes negras y la segunda, la posibilidad de que algunos centros de culto a una virgen negra ocultasen un culto secreto a la Magdalena, en lugar de a la madre de Jesucristo. Ambas cuestiones están íntimamente relacionadas, aunque, en contra de lo que a menudo se piensa, las vírgenes negras no han tenido necesariamente relación con los templarios.

Es más que probable que el Temple tuviese relaciones en Tierra Santa con sociedades secretas judías, sufíes o gnósticas. Las sofisticadas y avanzadas culturas del Mediterráneo oriental debieron de influir mucho en el pensamiento de los rudos caballeros europeos, que, afectados por tal despliegue de sabiduría y cultura, integraron una gran parte de estos conocimientos recién adquiridos en su proyecto político-religioso, del que en realidad sólo tenemos conjeturas. Algunos investigadores piensan que, en Europa occidental, los templarios buscaron identificar y controlar los centros de poder de la vieja tradición, en los que alzaron iglesias y ermitas, tal vez con el intento de crear un nuevo culto que integrase en el cristianismo las antiguas creencias y las orientales. Con su búsqueda de la sinarquía y del gobierno de la caridad y el amor, ellos perseguían recrear el reino de Dios. Si eso fuese cierto, en una época de marcado culto masculino, conocedores del riesgo que podría tener exponer abiertamente un culto a una «Diosa», lo camuflaron ingeniosamente bajo la representación de una figura nueva que, bajo el nombre de Nuestra Señora, encubriese el culto a la Diosa Madre, creando una curiosa asociación entre ésta y María Magdalena, a la que ya algunos evangelios apócrifos conceden una gran importancia.

¿A cuántos herejes mató la Inquisición?

El papa Juan Pablo II renovó en el 2004 la solemne petición de perdón a Dios, formulada en el año 2000, por los «métodos de intolerancia y violencia» de la Inquisición, que «representa para la opinión pública el símbolo del antitestimonio y del escándalo». No le faltaba razón. Hoy está considerada como una de las páginas más negras de la historia de la Iglesia, una larga página manchada de horrores y de sangre. Mucho se ha dicho sobre esta institución y mucho se ha exagerado sobre sus métodos y sus víctimas. Para empezar, sería conveniente saber que los historiadores distinguen tres inquisiciones: la medieval, ejercida por los obispos locales, o por la Santa Sede con carácter puntual y esporádico (por ejemplo, la Cruzada contra los albigenses); la española (y más tarde, por imitación, la portuguesa), creada en 1478 por los Reyes Católicos con el beneplácito papal, con actuación restringida al territorio de la corona española y portuguesa, lo que incluía América y los territorios europeos (en particular italianos) dependientes de ella; y una tercera inquisición, la romana, la más moderna, fundada por el papa Pablo III en 1542 con ámbito teóricamente universal.

Uno de los temas más controvertidos de la Santa Inquisición (nombre eufemístico donde los haya) es saber a cuántas personas llegó mandar ejecutar para acabar con la herejía y la hechicería. Las cifras varían tanto a nivel general como si lo hacemos por países, y para eso necesitamos saber cuánto tiempo duró. Inexplicablemente, la Inquisición tuvo una larga vida en España: se instauró en 1242 y no fue abolida formalmente hasta 1834 durante la regencia de María Cristina. Sin embargo, su actuación más intensa se registra entre 1478 y 1700, es decir, durante el gobierno de los Reyes Católicos y los Austrias.

En España, sólo en tiempos de Felipe V, dicen que fueron quemadas en la hoguera mil seiscientas brujas y así se barajan cifras escalofriantes en gran parte aportadas por Juan Antonio Llorente, ex secretario del Santo Oficio madrileño, que fue el mejor difusor de la leyenda negra a través de su *Historia crítica de la Inquisición española*, que contiene muchos elementos de interés, junto a errores de bulto de carácter estadístico. A partir del siglo XIX, se consideraron válidas (aunque más tarde se demostraron erróneas) las cifras globales aportadas por Llorente, entre las que se recogía la muerte del 9,2 por ciento de las personas juzgadas por la Inquisición. Según sus datos, en los 339 años que cubría su muestra fueron quemadas 31.912 personas, otras 17.659 lo fueron en efigie y 291.021 fueron penitenciadas con penas graves, eso sin añadir los castigados por los tribunales de México, Lima, Cartagena de Indias, Sicilia, Cerdeña, Orán, Malta y las galeras del mar.

Hasta hace pocos años ha existido cierta confusión sobre el número de víctimas mortales del Santo Oficio. Es preciso aclarar, no obstante, que los ajusticiados por herejía y brujería no fueron las únicas víctimas: existían penas menores (cárcel, multas, penitencias, sambenitos, etc.) y, además, las familias de los reos quedaban marcadas por la infamia durante generaciones (de ahí la importancia que se dio en la España del XVII a la «limpieza de sangre», es decir, a no tener antepasados falsos conversos del judaísmo o islamismo, perseguidos por la Inquisición).

Respecto al número de ajusticiados no hay datos definitivos, porque hasta ahora no se han podido estudiar todas las causas conservadas en archivos. Son más próximos a la realidad los estudios realizados en 1986 por los profesores Heningsen y Contreras, dos expertos en el tema, sobre unas cuarenta y cinco mil causas abiertas por herejía (exactamente 44.674) entre 1540 y 1700: concluyen que fueron quemadas 1.346 personas, lo que supone el 1,8% de los juzgados (algo menos de nueve personas al año) en todo el enorme territorio del imperio español, desde Sicilia hasta el Perú, lo cual representa una tasa inferior a la de cualquier tribunal provincial de Justicia. De ellos el 1,7 por ciento fueron condenados además en efigie, es decir, no pudieron ser ajusticiados por estar en paradero desconocido, por lo que en su lugar se quemaba o ahorcaba a muñecos. Y todo esto en ciento sesenta años.

Tomando en consideración un intervalo de tiempo más amplio, el profesor Bartolomé Escandell afirma que entre 1478 y 1834 (refundación y abolición del Santo Oficio) se condenó a muerte al 1,2 por ciento de los juzgados. Para Shafer, investigador protestante alemán, en España desde 1520 hasta 1820 (trescientos años) el número de herejes condenados a muerte fue de doscientos veinte, de los que doce fueron quemados.

España carga con el «sambenito» de ser el país más severo en cuanto a la aplicación de las penas y nada más lejos de la realidad. La Inquisición española condenó a la hoguera a cincuenta y nueve brujas, aunque sería mejor decir supuestas brujas, a pesar de que los procesos celebrados por el temido tribunal fueron ciento veinticinco mil. Ése es uno de los datos inéditos contenidos en las 786 páginas del volumen *La Inquisición*, editado por el Vaticano y presentado a mediados del año 2004 en Roma por los cardenales Roger Etchegaray, Jean Lous Tauran y Georges Cottier. El libro, resultado de un simposio internacional celebrado en el Vaticano en el año 1998, le sirvió de base al papa Wojtyla durante el Jubileo del 2000 para pedir perdón al mundo por los pecados cometidos por los católicos durante los siglos pasados.

En la ponencia del profesor Gustav Heningsen se exponen datos precisos sobre esta terrible escabechina. De las 125.000 mujeres acusadas por brujería en toda Europa entre los años 1540 y 1700, murieron en la hoguera unas 50.000. Sus conclusiones se pueden resumir en esta tabla:

PAÍS	AJUSTICIADAS	HABITANTES
España	59	7.000.000
Portugal	4	
Italia	36	
Suiza	4.000	1.000.000
Polonia-Lituania	10.000	3.400.000
Dinamarca-Noruega	1.350	970.000
Alemania	25.000	16.000.000

La caza y quema de brujas en esos países revela que la Inquisición en ciertos lugares, como España, fue más benévola e indulgente que en Suiza (donde hubo más matanzas en proporción a su población) o Alemania. Se puede comprobar que la ejecución de herejes y brujas fue superior en los países protestantes que en los católicos.

Esto contrasta con los datos suministrados por el historiador e hispanista británico Henry Kamen, conocido estudioso no católico de la Inquisición española, quien ha calculado y rebajado la cifra a un total de tres mil víctimas (años antes decía que eran diez mil) a lo largo de sus seis siglos de existencia. Kamen añade que «resulta interesante comparar las estadísticas sobre condenas a muerte de los tribunales civiles e inquisitoriales entre los siglos XV y XVIII en Europa: por cada cien penas de muerte dictadas por tribunales ordinarios, la Inquisición emitió una».

La Inquisición ha sido fuente de numerosos escándalos, a los que no es preciso añadir más horrores —ni errores— que los justamente necesarios y comprobados.

Capítulo IV

Tecnología en la Antigüedad

¿Qué era la Mesa de Salomón?

De todos los objetos del legendario templo del rey bíblico, el Arca y la Mesa son, sin duda, sus objetos más conocidos. Mucho se ha escrito sobre el origen y composición de esta «mesa». Se ha especulado sobre toda clase de hipótesis: desde que era una simple mesa, eso sí, de oro y diamantes, hasta que en realidad se trataba de un cofre, aunque el análisis de las leyendas medievales parece hacer referencia siempre a un espejo. De su propietario, el rey Salomón, se ha dicho que poseía una gran sabiduría y una considerable fuente de riquezas. Entre sus valiosas posesiones se cree que tenía un trono totalmente automatizado, naves voladoras y un espejo mágico. La tradición no habla para nada de ninguna mesa que tuviera un valor concreto o simbólico para Salomón y, al igual que las narraciones árabes, las referencias a este objeto siempre aluden a un espejo de cualidades prodigiosas.

El Libro de Enoch ya hace referencia a ellos, diciendo que fue Azaziel quien enseñó a los hombres a fabricar espejos mágicos donde podían verse escenas y personas distantes. Recuerda un remoto aparato de televisión, pero no adelantemos todavía hipótesis. Se dice que este espejo de Salomón le revelaba todos los lugares del mundo y le permitía ver los siete climas (Carra de Vaux, *L'abregé des Merveilles*, París,1898). Si a esto unimos el hecho de que, según Al-Masudi, disponía de un mapamundi y de la bóveda celeste dibujada en sus santuarios, llamados tronos de Salomón, la imaginación se dispara.

De ser cierto esto, estaríamos en presencia de un espejo mágico, de un sofisticado aparato de alta tecnología, construido con materiales no enteramente de este mundo, que además de servir para ver acontecimientos futuros servía para la navegación aérea. Pero hay más datos que avalan esta hipótesis, aparentemente tan extravagante. Francisco Picus, en el *Libro de las seis ciencias*, describía la construcción del espejo de Al Muchefi, según las leyes de la perspectiva y adecuados aspectos astronómicos. Se dice que en aquel espejo se podía ver un panorama del Tiempo.

En cuanto a quién pudo construir un objeto tan asombroso, la tradición dice que Tiro, la más poderosa de las ciudades fenicias, le ayudó en la construcción del templo. El rey designó como arquitecto a un tal Hiram o Abhirán. La construcción duró siete años, tiempo excesivo si tan sólo se dedicaron a la edificación de un templo de cincuenta y cinco metros de largo por veintiocho de ancho y quince de alto, pero no si además hicieron otras cosas. Para Eslava Galán, la construcción del templo encubre el magno esfuerzo del rey judío por reunir a los sabios del mundo, con objeto de hallar la fórmula del nombre del Dios Primordial o principio básico que conjugara, en admirable sincretismo, los principios solares y lunares hasta entonces en pugna. Y, ciertamente, Salomón llegó a ser una persona muy poderosa y sabia. Tenía buenos marineros, buenos arquitectos, carpinteros, una buena flota de barcos, madera de cedro y excelentes fundidores de metales. Fundió para su amigo diez grandes vasos de bronce, cada uno de los cuales tenía la capacidad del Arca de la Alianza, es decir, cuarenta *baths* —un *bath* representa 0,029163 metros cúbicos.

Luego Hiram fundió para Salomón una enorme copa de bronce, una verdadera piscina, con una capacidad de dos mil *baths*, o sea, cincuenta veces la de los vasos. Esta enorme copa, que pronto se llamará el Mar de Bronce, tenía un volumen de 58,320 metros cúbicos. Su superficie era de unos sesenta metros cuadrados y al parecer su espesor era de diez centímetros, por lo que debía de tener seis metros cúbicos o sesenta toneladas de bronce, lo cual es una barbaridad y, tal como dice Maurice Chatelain, resulta difícil creer que un monumento semejante pudiera ser construido para el baño de Salomón o de sus concubinas. Es mucho más probable que este enorme espejo, cuyo diámetro era superior al del reflector del observatorio de Monte Palomar en California, hubiera sido construido con fines astronómicos. Chatelain dice que quizá se encuentre aún a una gran profundidad bajo las ruinas del templo. Entonces, ¿qué era? ¿Un gran telescopio, una especie de antena parabólica, un radar, un gran espejo con propósitos astronómicos o un simple objeto decorativo? Recordemos que estamos en el siglo X a. C. Diversas leyendas no se limitan a decir que fue construida por un ser humano, sino por una serie de espíritus serviciales que tenía Salomón: los djins o genios de la mitología musulmana.

De la Mesa o Cofre de Salomón poco se sabe desde que el templo fue destruido por Nabucodonosor II en el 587 a. C. Ciertos tesoros debieron de quedar a salvo en escondites secretos, no muy lejos de la zona, hasta que en el año 70 d. C. el tesoro del templo es saqueado por las legiones de Tito y llevado a Roma, donde se coloca en el templo de la Paz Judaica —para unos— o templo de Júpiter Capitolino —para otros—. Flavio Josefo, testigo presencial de los hechos y cronista de aquella conquista, escribe que «entre la gran cantidad de despojos, los más notables eran los que habían sido hallados en el templo de Jerusalén, la mesa de oro que pesaba varias toneladas y el candelabro de oro».

En el año 410 los visigodos de Alarico se apoderan de Roma y del tesoro, que pasó a formar parte del tesoro antiguo de los godos, siguiendo con ellos durante su largo vagar por Italia y la Galia, hasta que quedó depositado en Tolosa, en Aquitania, la capital de los godos desde el 418, una vez que se asentaron en un territorio firmemente. Este tesoro antiguo constituía una especie de patrimonio de la nación visigoda y era distinto del tesoro real, que constituía la reserva monetaria del Estado. El historiador Procopio, en su libro V de *Historia de la guerra gótica*, dice que Alarico escapó con «los tesoros de Salomón, el rey de los hebreos, espectáculo muy digno de verse, pues en su mayor parte estaban adornados con esmeraldas y en tiempos antiguos habían sido tomados de Jerusalén por los romanos».

En el año 507, después del desastre visigodo en la batalla de Vouille, fue llevado a Toledo, donde fue guardado en una cueva conocida como Gruta de Hércules. El rey Rodrigo, según la leyenda, abrió el Cofre de Salomón y vio las imágenes de aquellos que acabarían con su reino. Ese mismo año, el 711, los musulmanes, al mando de Tariq, invadieron España y llegaron hasta Toledo, donde se apoderaron del tesoro antiguo de los godos, en un palacio llamado la Mansión de los Monarcas, donde se dice que encontraron la Mesa en la que estaba inscrito el nombre de Salomón y otra mesa de ágata. Los historiadores árabes enumeran las cosas maravillosas que encontraron en el palacio, entre ellas un espejo mágico, grande y redondo formado por una aleación de metales, que en su tiempo había sido fabricado para Salomón, hijo de David —¡sobre ambos la paz!—; el que se miraba en ese espejo «podía ver en él la imagen de los siete climas del universo».

¿Para qué sirvió la máquina de Antikitera?

Aquel o aquellos que la poseyeron podían conocer gracias a este mecanismo insólito los desplazamientos del Sol y la Luna a lo largo del año. Del mismo modo, servía para localizar a Venus y Marte, además de otros astros, en la bóveda celeste, y para averiguar dónde se iban a encontrar en el futuro. Era un complejo almanaque astronómico para el cual se dispuso de conocimientos científicos de la más absoluta vanguardia. Ciertamente, a partir de Galileo la observación del cielo se convirtió en una ciencia de precisión. Pero en este caso había un problema de primer orden: la máquina fue fabricada cientos de años antes de que naciera el genial astrónomo y hereje. Cómo podía haber dispuesto de tales conocimientos sigue siendo un enigma monstruoso para el que aún no tenemos respuesta.

Esta singular pieza, que hoy se conserva en el Museo Arqueológico de Atenas, fue rescatada del fondo del mar Egeo allá por el año 1900. Se encontraba en el interior de una galera del año 80 a. C. junto a ánforas, jarrones, estatuas de mármol... En un principio, lógicamente, nadie reparó en una pieza cuyo valor material era aparentemente nulo. Sin embargo, medio siglo después, el ilustre arqueólogo Dereck de Solla Price decidió investigar aquel objeto del que nadie quería saber nada.

Tras limpiarlo descubrió algo insólito. Esa piedra escondía una rueda central dentada de doscientas cuarenta secciones que se acoplaba con enorme precisión a otras cuarenta ruedas también dentadas. Encontró, además, que toda la pieza estaba formada por un solo bloque. Para ello —sobra decirlo— los hombres de la época tuvieron que haber dispuesto de una tecnología muy desarrollada. No hablamos, por supuesto, de que dispusieran de una técnica propia de la era espacial, pero sí de unos conocimientos muy superiores a los que se atribuyen tradicionalmente a los hombres que vivieron en la misma época de Jesucristo.

Para que la astronomía alcanzara el nivel de conocimientos astronómicos que muestra la máquina de Antikitera, tuvieron que ser necesarios mil quinientos años y muchas toneladas de piras inquisitoriales para asar vivos a aquellos hombres de ciencia que intentaron explicar cómo se movían las estrellas en el firmamento. Pero hubo alguien que, hace dos mil cien años, ya sabía todo eso. Por prudencia, quizá, sólo se atrevió a reflejarlo en este sorprendente reloj astronómico que incluso mereció un hueco en una de las revistas científicas aceptadas como tales, *Scientific American*. En sus páginas pudo leerse que este hallazgo «nos obliga a revisar nuestros conocimientos sobre la historia de la ciencia». Por desgracia, los lectores, la mayor parte de ellos científicos, no hicieron mucho caso y siguen cerrando sus ojos ante el desafío que supone este artefacto tan singular.

¿Lentes en la Antigüedad?

Decía Chesterton: «Muchas ideas nuevas no son más que ideas viejas puestas en otro sitio».

Y esta frase se puede aplicar a esta pregunta: ¿hubo lentes pulidas en la Antigüedad? Y por antigüedad nos referimos a varios siglos antes de Cristo. Si la respuesta es afirmativa, significaría que algunas culturas como los egipcios, los griegos, los sumerios o los mayas tuvieron un conocimiento muy avanzado en astronomía y óptica. Partamos de la base de que las lentes, gafas y telescopios se consideran generalmente como inventos recientes. Se acepta que los anteojos aparecieron por primera vez en la Italia del siglo XIII y que el telescopio empezó a usarse a comienzos del siglo XVII. Sin embargo, cuando terminen de leer este capítulo, tendrán otra opinión.

Se cree que las lentes fueron inventadas como consecuencia de una gradual acumulación de conocimientos y se ha estimado erróneamente que la primera se debe al escritor Aristófanes en el año 424 a. C., quien hizo un globo de vidrio soplado y luego lo rellenó de agua, aunque su objetivo no era amplificar las imágenes. En la obra teatral *Las nubes*, el personaje Strepsiades planea usar una lente quemadora para enfocar los rayos del Sol en una tableta de cera y así fundir el registro de la deuda de una apuesta.

Recordemos, para empezar, que el científico griego Ptolomeo (100-170 d. C.) realizó en su libro *La Óptica* un detallado estudio sobre las propiedades de las lentes y los espejos, tanto convexos como cóncavos, adelantándose con mucho a los estudios de los científicos renacentistas.

En 1609, Galileo Galilei perfeccionó el telescopio del holandés Hans Lippeshey, utilizando dos lentes simples, una plano-convexa y una bicóncava, colocándolas en los extremos de un tubo de plomo. Galileo fue el primer hombre que vio los anillos de Saturno y las lunas de Júpiter ayudado por el telescopio. Este hito histórico provocó gran asombro, tanto que se adjudicó a Galileo el título de inventor del telescopio, error que todavía persiste. Y Lippeshey tampoco fue el primero. Ya se conocían excelentes lentes de cristal de roca desde hacía varios siglos.

Los chinos, por ejemplo, poseían catálogos de manchas solares y conocían los ciclos de máxima actividad solar que se producen cada once años. Salvo que tuvieran ciencia infusa, lo más lógico es pensar que se ayudaron de instrumentos ópticos para llegar a tener todos esos conocimientos astronómicos. Se sabe que estos pueblos y civilizaciones conocían lentes talladas en cristal de roca y no es descabellado pensar que averiguaron la técnica según la cual poniendo dos lentes con distancias focales diferentes se podían obtener resultados semejantes a los que obtuvo Galileo en el siglo XVII. El filósofo griego Demócrito, del siglo V a. C., describía la Luna como un lugar con montañas, similar a una segunda Tierra, y a la Vía Láctea como un conglomerado de numerosísimas estrellas, algo difícil de detectar en su época si no es porque tenía a mano un rudimentario telescopio.

Los sacerdotes babilonios ya daban datos representados en sus tablillas de los cuatro satélites mayores de Júpiter o del anillo de Saturno, conocido entre ellos como *Nirrosch*. Séneca advertía que los sabios de ese pueblo eran capaces de ver los objetos aumentados empleando para ello esferas de vidrio llenas de agua. Pero tenían otra clase de tecnología óptica. Tal vez la más conocida sea la denominada Lente de Layard (también llamada Lente de Nínive), que con forma oval se adaptaba perfectamente a la cuenca del ojo humano como si de un cristal de gafa se tratara. Lo inquietante de esa lente, que se conserva en el Museo Británico, en el Departamento de Antigüedades de Asia occidental, es que data del siglo VII a. C. Los historiadores aún no admiten que se pudiera fabricar —y menos usar— este tipo de sofisticada tecnología utilizando una pieza de cuarzo de gran calidad. Lo curioso además es que la Lente de Layard tiene estrías regulares de 45° que recorren el borde, estrías que fueron meticulosamente realizadas para permitir que esa lente estuviera montada, lo más firmemente posible, en una banda metálica que la rodeaba, vamos, en una montura posiblemente de oro, como la de la Lente griega de Nola, que, con el tiempo, fue extraída o robada.

Los expertos coinciden en afirmar que la Lente de Layard fue fabricada a partir de una pieza de cuarzo de gran calidad, que fue tallada y luego pulida para adaptarse a un caso particular de astigmatismo, ya que es una lente plano-convexa de tipo toroidal, lo que significa que sólo se lo podía permitir alguien con poder, posiblemente un rey, lo cual concuerda con el lugar donde fue encontrada. Se la llama así porque apareció en una excavación realizada por Austen Henry Layard en 1849 en una cámara del Palacio de Noroeste de Kalhu, la antigua capital asiria más conocida por Nimrud y que debió de pertenecer al rey Sargon II, que reinó desde el 722 al 705 a. C.

Pero lo más probable, como afirma Robert Temple en su libro *El sol de cristal* (2000), es que Sargon heredara o capturara el monóculo. Existían varias ciudades con mayor tradición que las asirias en cuanto a la fabricación de lentes de cristal de roca. Por ejemplo, Troya y Éfeso eran importantes centros de cristal manufacturado. En las excavaciones de Éfeso se han encontrado más de treinta ejemplares cuyas investigaciones aún no han concluido y Heinrich Schliemann rescató cuarenta y ocho lentes convexas de cristal, totalmente pulidas, en el yacimiento arqueológico de Troya (actualmente en Turquía), datado en el 1300 a. C., incluyendo una magnífica lente perforada en el centro, a través de la cual el artesano podía insertar sus herramientas, mientras la lente aumentaba todo lo que se hallaba bajo ella. Se dice pronto. Los alemanes dijeron que estos objetos y demás tesoros troyanos, depositados en el Museo de Berlín, fueron destruidos por los bombardeos aliados de 1944. Hoy sabemos que no es verdad, ya que el gobierno ruso confesó a mediados de los años noventa que el «tesoro y el oro de Troya» obraban en su poder.

La construcción y uso de lentes nos podría hacer entender que se grabaran miniaturas sobre gemas chinas algunas tan diminutas que resultan casi invisibles a simple vista o quizá pudiéramos averiguar el secreto del «escudo incandescente» gracias al cual Arquímedes destruyó una flota romana.

Robert Temple, profesor de la Universidad de Louisville, en Kentucky, recoge multitud de casos en su obra, donde se evidencia que en la más remota Antigüedad hubo una tecnología óptica olvidada. Según él, existen más de cuatrocientos cincuenta artefactos ópticos elaborados con lentes pulidas que han sobrevivido a nuestros tiempos y que están repartidos por diversos museos del mundo. El propio Temple ha localizado muchas lentes, hasta ahora perdidas, en varios museos ingleses, y se siente desbordado. Nos cuenta que hay grandes colecciones con muchos ejemplares: «Están las lentes cartaginesas, las lentes micénicas, las lentes minoicas, las lentes de Rhodas y las lentes de Éfeso, que son cóncavas y no convexas, y que reducen las imágenes hasta un 75 por ciento, lo que las hace adecuadas para los miopes..., y también están todos los objetos romanos de cristal que se usaban para aumentar... Y esto sigue y sigue. No sólo un libro, sino diez, serían necesarios para poder realizar siquiera una somera descripción de todas ellas».

El encuentro de estas lentes en yacimientos arqueológicos es algo que se ha producido reiteradamente, aunque sin darle demasiada trascendencia. Los franceses recuperaron en el yacimiento de Cartago (Túnez) dieciséis lentes cartaginesas: dos de cristal de roca y catorce de vidrio, todas ellas lentes plano-convexas. En las ruinas de México y Guatemala se han descubierto lentes bien pulimentadas pertenecientes a los olmecas, un pueblo que vivió entre el 2500 a. C. y el inicio de la era cristiana.

Algunos historiadores dan pábulo a ciertas leyendas que sostienen que el rey Kanyaspa de Ceylan usaba en el siglo V d. C. un pequeño telescopio para vigilar su harén ubicado en la fortaleza de Sigiriya. Y existen pruebas de esto que estamos diciendo, retrasando su antigüedad a varios siglos antes de nuestra era.

Inexplicablemente, hay que esperar hasta el siglo X para ver a los chinos utilizar lentes de aumento colocadas en molduras. En 1249 el fraile franciscano inglés Roger Bacon formuló la primera afirmación acerca del uso de lentes para mejorar la visión. Talló las primeras lentes con forma de «lenteja» que hoy conocemos e incluso sugirió la posibilidad de combinar lentes para formar un telescopio. En su libro *Opus maius* describe claramente las propiedades de una lente para amplificar y estudió cómo las lentes externas podrían mejorar la visión defectuosa. En Europa, las gafas se utilizaron por primera vez en Italia, inventadas, dicen, por el florentino Salvino Degli Armati hacia 1285, y algunos retratos medievales representan a personas que portaban gafas. Hoy sabemos que no fueron los primeros.

Ya no es un secreto que los antiguos egipcios tenían grandes conocimientos de óptica, astronomía, cálculos aritméticos, trigonometría, etcétera. De hecho, algunas de las mejores lentes jamás realizadas datan del año 2600 a. C., durante el periodo del Imperio Antiguo, momento de esplendor, porque a partir de esa fecha se produce un declive tecnológico, algo que pasa con otras culturas. En una antigua tumba egipcia de Tanis (siglo II d. C.) se descubrió una lente tan perfecta que, según los expertos, debió de pulirse a máquina. Hoy se exhibe en el Museo Británico de Londres, en el Departamento de Antigüedades Egipcias, y su existencia es todo un reto para la ciencia y otro misterio para añadir a su nómina.

Hoy en día, para lograr buenos resultados con el pulido se emplea el láser, los ultrasonidos o el óxido de cerio. ¿Y antes?

¿Hubo alguna vez lámparas perpetuas?

En muchas historias clásicas y medievales, de claro matiz sobrenatural o religioso, encontramos relatos que hacen alusión al hallazgo de lámparas perpetuas, a luces que no se extinguen, a velas que no se consumen y a candiles sin aceite que no se apagan.

Según la leyenda, estas lámparas (la voz latina *lucerna* corresponde a la griega *lychnus*) ardían sin intermitencia en algunos templos de las divinidades paganas y se alimentaban de un líquido inconsumible. También se cuenta que al abrir algunas sepulturas se encontraron con «lámparas eternas», que se apagaron justo en el momento de profanar la tumba o el recinto donde se encontraban. Muchas de estas noticias se localizan tanto en la tradición judeocristiana de la Edad Media como en la del islam o de la Hermandad Rosacruz: lámparas que sirvieron para iluminar estancias sagradas de templos e imágenes religiosas y que fueron encontradas tras siglos de ocultamiento.

Uno de estos relatos se refiere al hallazgo de la imagen de la Virgen de la Almudena escondida por los cristianos durante la invasión musulmana en el siglo VIII. Fue encontrada por el rey Alfonso VI de Castilla, en el año 1085, al derribar la muralla que rodeaba la alcazaba de Madrid, conocida como la Almudayna. En el boquete abierto en la Cuesta de la Vega hallaron la Virgen Negra y, a sus pies, dos objetos parecidos a cirios encendidos que habían permanecido sin extinguirse durante los trescientos setenta años que estuvo escondida.

Este mismo soberano debía de tener un fino olfato en eso de localizar lámparas similares, pues también fue él el protagonista de encontrar (o mejor dicho, su caballo al arrodillarse en un determinado lugar de la mezquita, durante la reconquista de Toledo) un hueco en el muro y dentro de él un Cristo ahumado por una extraña vela que había permanecido milagrosamente sin apagarse durante más de trescientos años, de ahí que recibiera el nombre de Cristo de la Luz. Caso parecido es el de Nuestra Señora de la Luz, patrona de Cuenca, que fue localizada por el rey Alfonso VIII en una cueva junto al río Júcar, con un candil de plata encendido desde hacía varios años. Semejantes historias se cuentan respecto a otras imágenes de vírgenes, como la de Nájera, localizada en el siglo XI por el rey García Sánchez III.

Todas estas noticias nos llevan a formularnos una pregunta: ¿estamos hablando de meras supercherías o de una tecnología conocida por los sabios medievales del siglo VII y VIII, que habrían heredado de épocas anteriores, y que tan sólo utilizaron para esos fines tan piadosos? Hay mucho más de lo segundo que de lo primero.

Una lámpara incandescente fue hallada en Antioquía durante el reinado de Justiniano de Bizancio (siglo V) y una inscripción en la misma indicaba que había estado ardiendo durante más de quinientos años (sin vestales a su cargo que mantuvieran el «fuego sagrado»). Asimismo, el hallazgo en el año 1540 de una lámpara encendida en la tumba de Máximo Olibio, próxima a Atessa, Estado de Padua (Italia), alimentó aún más la creencia en estas lámparas inextinguibles.

Diversos autores latinos hablan de esta clase de lámparas en Roma durante los siglos II y III. Ya Pausanias, geógrafo griego del siglo II, describió una hermosa lámpara dorada en el templo de Minerva que podía estar encendida durante todo un año.

¿Y las hubo en el misterioso Egipto? San Agustín (siglo V) dejó una descripción de una lámpara maravillosa localizada en un templo egipcio dedicado a Isis, afirmando que ni el viento ni el agua podían apagarla. El jesuita Atanasius Kircher se refiere en su obra *Edipo Egipcíaco* (1652) a lámparas encendidas halladas en las bóvedas subterráneas de Menfis.

Por si fuera poco, durante el reinado anglicano de Enrique VIII (siglo XVI), se ordenó saquear y destruir muchas tumbas antiguas, descubriendo entonces que algunas de ellas contenían lamparillas que, inexplicablemente, aún estaban encendidas y que se remontaban al siglo III. Además, en ese mismo siglo, durante el papado de Pablo III (1534-1549), se encontró dentro de la tumba de Tulia, hija del célebre Cicerón, una extraña lamparilla que quince siglos después de haber sido encendida todavía ardía con una mortecina llama. Y hasta se asegura que uno de estos curiosos artefactos se localizó en la cueva ermita de Sant Salvador, en el macizo de Montserrat, datándose su antigüedad en el siglo XIII.

Ya sabemos que las leyendas suelen ocultar un poso de verdad y que hay que saber leer entre líneas. Por ejemplo, existe una alusiva a Roger Bacon, del que se dice que estaba poseído por el demonio hasta el punto de que éste le había regalado una parte del «fuego del Infierno», que le permitía leer y estudiar de noche para proseguir en su búsqueda de conocimientos. Esta leyenda nos está diciendo que Bacon, monje y alquimista medieval, había realizado otro de sus inventos científicos revolucionarios e incomprensibles para la gente de su época, cual era el gas de alumbrado gracias a la destilación de ciertos productos orgánicos, ya que sus coetáneos ni siquiera sospechaban la composición del aire y menos aún la existencia del gas combustible.

En la actualidad, dos de estas lámparas —apagadas— se pueden contemplar en el Museo de las Rarezas de Leyden, Países Bajos. Sobre las mismas, el profesor Hargrave Jennings da una posible explicación al enigma afirmando que los romanos y los helenos consiguieron el secreto de mantenerlas encendidas durante siglos por medio de la «oleaginosidad» del oro, convertido, mediante un proceso alquímico desconocido, en una sustancia líquida inapagable que hoy sería inencontrable y, por supuesto, siguiendo el juego de palabras, impagable.

Algunos autores se han aventurado a decir que estaban hechas con bloques de cristal y que el vinagre (o sea, el ácido acético) representaba en ellas un papel predominante. La teósofa Helena Blavastski, en su obra *Isis sin velo*, cuenta como ella misma vio construir, mediante diversas fórmulas ocultistas, una lamparilla que estuvo encendida durante seis años.

Los datos obtenidos en viejas leyendas y en yacimientos arqueológicos son más coincidentes que divergentes, llegando a la conclusión de que muchas eran lámparas que utilizaban mecha de amianto y que estaba prohibido tocarlas so pena de provocar una explosión capaz de arrasar toda una ciudad. ¿De qué tecnologías o fuerzas secretas nos están hablando estos relatos?

Tal vez la explicación la podamos encontrar en lo que nos dicen viejos textos judíos al afirmar que estas lámparas «proceden de los vigilantes del cielo».

¿Funcionó la pila de Bagdad?

Respuesta afirmativa. Eso sí, saber para qué la pudieron haber usado hace dos mil años se antoja una empresa más que complicada, aunque podemos atrevernos a sugerirlo. El hecho es que, tal y como ha llegado a nosotros, la llamada pila de Bagdad estaba en perfectas condiciones de uso. Gracias a ella, hoy podríamos encender un transistor. Es por eso que tan inquietante pieza está catalogada como un «objeto fuera de su tiempo»: parece un invento moderno, pero estuvo en manos de hombres que nacieron antes que Jesucristo.

Hagamos historia...

La reliquia fue descubierta en el año 1936 en Rabua, una colina próxima a Bagdad, Irak, tierra que hoy se ha convertido en el mejor ejemplo de la decadencia humana, pero que antaño fue la cuna de la civilización. Como tantos y tantos pequeños —y a la vez grandes por su significado— tesoros del pasado, apareció de casualidad, mientras se procedía al alcantarillado de la ciudad. La «culpa» —y bien agradecidos que le estamos— fue del ingeniero que modelaba la obra, el alemán Wilhelm Köning.

En principio no parecía nada más que una vasija de barro de quince centímetros de altura rematada por un tapón de asfalto. Al «descorcharla», Köning encontró una varilla de cobre de diecinueve centímetros de altura y 2,6 de ancho. Además, había otra de hierro revestido de fino plomo que parecía corroída por el ácido.

Con acierto, a Köning aquello le pareció una rudimentaria batería eléctrica. Pero no sólo por su aspecto, sino también porque rellenó el recipiente con un electrolito y aquello comenzó a generar una tímida corriente.

Pese a todo, las investigaciones sí se hicieron esperar. Es lo que suele ocurrir habitualmente cuando algo se sale de una norma establecida. Si —como es el caso— un hallazgo arqueológico desestabiliza las tesis imperantes y choca contra cualquier planteamiento oficial, la pieza en cuestión es sometida al ostracismo más absoluto. Pero, afortunadamente, siempre hay personajes dispuestos a arriesgar su reputación en beneficio del conocimiento humano.

Tal es el caso del ingeniero Willard F. M. Gray, que en cuanto supo que la pieza formaba parte de la colección del Museo de Bagdad que se iba a exhibir en la localidad alemana de Hildesheim, no dudó en dejarse caer por allí. Había leído algo respecto de la sorprendente pieza y aquél parecía el momento de contrastar o negar los comentarios que circulaban. Si de verdad era una suerte de pila eléctrica, lo iba a averiguar. Además, llevaba tiempo recogiendo información sobre cómo en el antiguo Irak galvanizaban objetos. Y aquél era un misterio —el cómo podían lograrlo— que podría racionalizarse gracias a la pila en cuestión.

Tras estudiar la singular pieza arqueológica construyó una réplica. Sólo le faltaba suponer qué líquido pudieron utilizar hace dos mil años para emplearlo al modo de producto alcalino. Debía de ser algo que estuviera al alcance de aquellos hombres y que fuera abundante en la época y en la zona. Quizá —pensó— el popular zumo de uva de la antigua Mesopotamia...

Así pues, preparó una solución del alcalino dentro del recipiente y sumergió en su interior una estatuilla de plata. Ya sólo quedaba esperar a la posible reacción... ¡Y se produjo! Al cabo de dos horas, la plata empezó a adquirir tonalidad dorada, algo que sólo podía lograrse si aquel artefacto generaba una mínima corriente eléctrica. Repitió el experimento una y otra vez hasta que finalmente concluyó que aquel receptáculo y las varillas de su interior eran una verdadera pila capaz de generar corrientes de aproximadamente 1,5 voltios, algo muy similar a lo que dos mil años después lograron Volta y Galvani al desarrollar las pilas modernas. Su invento, con el tiempo, sirvió para dar luz a las linternas o para escuchar transistores. Evidentemente, en la antigua Mesopotamia no llegaron a tanto, pero sí parece factible que se empleara para galvanizar metales. No importa que la ciencia oficial no lo acepte, porque las pruebas están ahí, en el Museo de Bagdad...

Afortunadamente —sirva como último apunte—, la pieza resistió el saqueo y destrucción del Museo que se produjo tras la guerra del año 2003. No estaría de más que algún científico se dignara ahora estudiarla como se merece...

¿Existieron autómatas medievales?

La mayor parte de los antropólogos coinciden en considerar como antecesores más directos de los autómatas, tal y como los concebimos hoy en día, a la creación en ritos ancestrales de estatuas de divinidades dotadas de componentes móviles, con capacidad para mover la cabeza, los brazos o emitir sonidos, lo que garantizaba el respeto reverencial de los creyentes y la felicidad de los sacerdotes que los creaban. Los primeros testimonios que tenemos de estas primeras criaturas mecánicas rudimentarias han llegado hasta nosotros a través de los ojos curiosos de viajeros y sabios griegos. Así sabemos que la estatua babilonia de la diosa Isthar tenía brazos articulados y que era frecuente que las estatuas de Anubis tuviesen la mandíbula móvil o que varias estatuas de Isis arrojasen chispas por los ojos. También en Egipto los colosos de Memnom, dos enormes estatuas que representaban al faraón Amenofis III, eran capaces, por medio de un ingenioso mecanismo, de emitir sonidos guturales, similares a los susurros humanos, lo que hacían invariablemente a la salida del Sol, lo cual demuestra un alto nivel de conocimientos en física y acústica por parte de los sacerdotes egipcios.

Sin embargo, por mucho que nos llamen la atención los ingeniosos inventos y creaciones de los sacerdotes de Oriente, algunas menciones de autómatas realizadas por los griegos son aún más inquietantes. Homero cita en la *Iliada* a unas jóvenes de bronce similares a las mujeres de carne y hueso construidas por los dioses para escanciar la bebida en los banquetes y afirma que el dios Vulcano había construido un perro de oro animado. Aristóteles, creador él mismo de máquinas fascinantes, habla de una estatua leñosa, representativa de la diosa Venus, que incluso caminaba y gesticulaba merced a la animación proporcionada por la circulación del mercurio en su interior y por las variaciones de temperatura. La mitología narra la existencia del terrible autómata Talos, un gigante cretense de bronce capaz de arrojar enormes piedras en todas las direcciones y de triturar entre sus brazos a los asaltantes y flotas enemigas. Esta estatua, así descrita por los historiadores griegos, ha llamado siempre la atención, pues al igual que algunas leyendas sumerias, lo que sugiere es algo muy similar a un robot.

Pero es en el siglo V a. C. cuando, según la historia, se construyó el primer autómata del que tengamos noticias fiables. Lo diseñó y fabricó Architeo de Tarento para demostrar algunas propiedades geométricas. Se trataba de una paloma de madera capaz de volar. Unos siglos después, la fantástica sede de saber y conocimiento que era la biblioteca de Alejandría creó una escuela que produjo los primeros tratados técnicos sobre autómatas. El catálogo de los extraños objetos que describían y la forma en la que funcionaban se han perdido en su mayor parte, pero algunos retales fueron recopilados para ser usados después por los bizantinos, romanos, árabes, etc.

Tras la caída del Imperio Romano hubo unos siglos de escasas noticias sobre autómatas, pues Europa había entrado en una larga época de oscuridad, hasta que poco a poco la técnica y la ciencia medievales lograsen llevar a cabo notables creaciones, gracias al desarrollo de lo que iba a ser el símbolo de la creatividad europea de la época, el reloj mecánico, con sus ruedas dentadas y sus ejes diferenciales, todo un logro mecánico y de precisión. La mayor parte de aquellos autómatas de los que hemos tenido noticia estaban vinculados de alguna forma a los relojes, sin duda lo más elaborado de la técnica medieval europea. Hoy en día nadie discute la enorme importancia de la relojería en el desarrollo de la cultura occidental. La capacidad de construir pequeñas maravillas mecánicas que fuesen capaces de controlar y medir el tiempo con precisión, y que estuvieran al alcance de todos, cambiaron el mundo para siempre. Los relojes se instalaron en las catedrales, en el centro de las ciudades. De la técnica cada vez más depurada de los maestros relojeros europeos nacieron verdaderas maravillas que fueron el goce de reyes, prelados y nobles, creando escuelas de artesanos capaces de realizar maravillas mecánicas, como las series de muñecos levantados en campanarios de catedrales o ayuntamientos que daban golpes a una campana para marcar las horas.

Vinculados a escuelas de canteros e incluso de herméticos alquimistas, algunos creadores de los siglos XII al XV buscaron fórmulas que les permitieran dotar de vida de una vez por todas a la materia inanimada, lo que hoy llamaríamos vida artificial, y se extendió por las doctrinas herméticas de todo el mundo, según los relatos fantásticos de la época, que san Alberto Magno había sido capaz de proyectar e incluso de construir un robot móvil que daba respuestas a todo tipo de problemas. La misma leyenda asegura que santo Tomás de Aquino destruyó el invento calificándolo de obra del diablo, aunque con el perfeccionamiento de engranajes y sistemas de relojería se generalizó también la afición de inventores por crear ingeniosos autómatas, hombrecitos artificiales y muñecas animadas, y se dice que el propio papa Silvestre II construyó autómatas capaces de realizar funciones complejas. Estos autómatas eran probablemente verdaderos prodigios mecánicos, elaborados con una paciencia infinita por especialistas en relojería y miniaturización, hábiles artesanos capaces de manipular metales a escalas muy pequeñas. En 1429, aparecieron los *Tratados técnicos de Fontana*, primeras publicaciones sobre autómatas, a los que siguió *De vmachinis*, de Mariani, y en 1472 la obra de Venturio Garini sobre los autómatas militares. Incluso se atribuye al gran Leonardo da Vinci la construcción de un león mecánico con ocasión de la entrada en Milán de Luis XII en 1494.

La moda de los autómatas creció en los siglos XVI y XVII, hasta culminar en el siglo XVIII, algo que no tendría mayor importancia si no fuese por su relación con un invento trascendental, que a la larga cambió el mundo de hoy: la máquina de calcular, la automatización industrial, la tarjeta perforada y el comienzo de la «memoria artificial». El primer inventor que dio un paso en esa dirección fue Blas Pascal, quien en el siglo XVII inventó la primera máquina de calcular, perfeccionada más tarde por Grillet de Roven (1678), Poleni (1709) y, sobre todo, por Jacques Vaucanson, quien, después de haber construido un revolucionario telar mecánico, asombró al mundo de su tiempo con un prodigioso juguete que expuso en París, en 1738: era un pato de tamaño natural que nadaba, aleteaba, se alisaba las plumas, tragaba agua, picoteaba e ingería alimento, y que después de algún tiempo evacuaba lo tragado, en forma de materia amorfa, y todo gracias a ingeniosos sistemas de relojería. Algo, sin duda, digno de elogio.

¿Cuáles fueron los inventos de Leonardo da Vinci?

Leonardo da Vinci es, sin duda, *el homo universalis*. Un ser que se anticipó a la época que le tocó vivir y que, en consecuencia, sufrió la sordidez e incomprensión intelectual de la mayoría de sus coetáneos.

Nacido en 1452 en Vinci, una aldea próxima a Florencia, destacó desde bien joven por sus aptitudes para las bellas artes, lo que le granjeó credibilidad suficiente entre la sociedad florentina y, más tarde, la milanesa y la romana, lugares donde recibió la protección de grandes casas nobiliarias y del mismo papado. Su mente inquieta trabajaba febrilmente cada hora del día: pintaba, diseñaba edificios, concebía fiestas llenas de glamour, creaba trajes, platos de cocina y trabajos de ingeniería por igual. Su constante preocupación por el alma le llevó a diseccionar más de treinta cadáveres. Pero, sin duda, lo que le catapultó a la fama universal, además de sus obras maestras en la pintura, fue la concepción de inventos adelantados varias generaciones a su tiempo.

A su periodo de estancia en Milán hay que atribuir la mayor fertilidad de su legado. En esos años, pinta, construye, diseña, inventa y escribe la mayor parte de sus códices testimoniales, de los que hoy se conservan doscientos dieciocho cuadernos con unas siete mil páginas escritas al revés, dado el temor que siempre tuvo Leonardo a sus contemporáneos. La única solución para su lectura era situar el códice frente a un espejo. Gracias a estos textos, hemos averiguado mucho acerca de la personalidad abrumadora de nuestro zurdo artista.

De todas sus invenciones debemos resaltar varias, pero obligado es empezar por la que alcanzó mayor notoriedad: hablamos del famoso *carro blindado de combate*, vehículo accionado mediante manivelas que utilizan como fuerza motriz los músculos del conductor y cuya defensa consiste en una coraza cónica. Tan novedosos como adelantados resultaron sus diseños sobre naves acorazadas, submarinos o trajes de buzo. No debemos olvidar en estas líneas de guerra leonardescas los fusiles repetidores, ametralladoras, bombas fragmentarias, armas químicas, máscaras antigás o un sorprendente modelo de helicóptero. Nada escapó a la intuición del visionario, convirtiéndose en vanguardia pensadora de lo que llegaría, por desgracia, siglos más tarde.

En cuanto a la mecánica e ingeniería, sobresalen sus máquinas destinadas a la construcción y mejoramiento de ciudades y cauces fluviales. El mejor ejemplo lo constituye una grúa móvil muy parecida en concepción a las que hoy se utilizan en cualquier obra. También destacan sus apuntes sobre la creación de un primigenio buque de dragado o excavadora flotante que podía ser empleada para facilitar el tránsito naval por los ríos. Leonardo pensó en ciudades futuristas con varios niveles por donde discurrirían separados peatones y carrua-

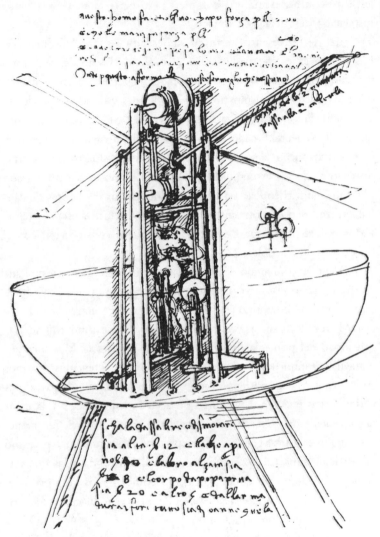

El genio de Leonardo da Vinci rebasa su propio tiempo y, aún hoy día, deja boquiabiertos a los estudiosos de su obra.

jes. En esa urbe, existía una compleja pero perfectamente vertebrada instalación de calefacción central.

Igual de interesantes resultan sus estudios sobre aerodinámica. Las indagaciones efectuadas sobre el vuelo de las aves darán como resultado ornitópteros, aparatos voladores para un solo ocupante, movidos por la fuerza muscular de las piernas y donde se puede ver un timón direccional. Por si fuera poco, en 1510, inventa un molino de aire caliente, basado en el principio de la rueda de palas y en el aprovechamiento del calor residual. El mismo sistema será utilizado en otro de sus artilugios haciendo que el motor sea propulsado por agua, convirtiéndose así en precedente de los medidores de caudal utilizados posteriormente. Todos estos artefactos estaban reforzados por las ideas que Leonardo dio para su construcción con el fin de hacerlos factibles.

Sin embargo, ninguno de sus inventos consiguió plasmarse en nada concreto, acaso el único ingenio construido fue un león mecánico diseñado por el florentino con el fin de complacer y entretener a Francisco I, rey de Francia, y el último mecenas que supo entender la genialidad del primer artista intelectual de la historia. Y si bien sus maravillosas intuiciones no pudieron ser realidad, sí tenemos al menos entre nosotros sus prodigios pictóricos, sus esbozos, dibujos y grabados. Estos trazos nos permiten un acercamiento directo a la mente más lúcida del Renacimiento, aquella que fue capaz de idear nuevas técnicas artísticas como el esfumato, un gran recurso que permitió obras de altísimo calado como la inmortal Gioconda o las dos versiones sobre la Virgen de las Rocas, así como frescos de proyección universal, verbigracia *La última cena*, que tantas especulaciones esotéricas ha desatado sobre su autor.

Leonardo falleció el 2 de mayo de 1519 en el castillo de Cloux, su último refugio artístico y muy cerca de la corte francesa de Amboise. Nunca sabremos si este enorme *magister* estuvo inmerso en hermandades secretas, conspiraciones religiosas o prioratos de frágil sustento. Lo único cierto es que fue un inmenso científico adelantado a su época, que basó sus premoniciones en una profunda observación y documentación de su entorno. Por triste que parezca, sus inventos no se pudieron llevar a la práctica, simplemente por indescifrables para ese momento histórico; lo contrario hubiese supuesto una gigantesca revolución científica tres siglos antes de lo previsto. Personajes como él son los que impulsan cada cierto tiempo a nuestra humanidad.

¿Existió el cronovisor?

Permitirán que se redoble el escepticismo, pero asegurar que en siglos pasados existió una máquina capaz de fotografiar el pasado parece una verdadera fantasía. De hecho, afirmar que existe a día de hoy también lo es, pero lo llamativo, ciertamente, es que esa cuestión no ha dejado de aparecer en numerosas publicaciones a lo largo del tiempo de forma reiterada y manteniendo siempre cierto halo de duda. Por si fuera poco, las noticias originales sobre el cronovisor van acompañadas de una fotografía obtenida con esta máquina, en la que se observa el rostro de Jesús con aspecto doliente, sufriendo, sin duda, la Pasión.

La historia de este artefacto saltó a la fama cuando en el año 1972 el diario italiano *Domenica del Corriere* publicó una exclusiva según la cual un equipo de doce físicos habría logrado desarrollar una máquina del tiempo en versión fotográfica. En realidad, el artefacto desarrollaba de nuevo un invento efectuado por «locos» científicos visionarios de siglos atrás. Tras el aparatejo se encontraba un monje benedictino llamado Alfredo Pellegrino Ernetti, que había partido de conceptos físicos avanzados y aparentemente sólidos. A fin de cuentas, la vida de este sacerdote no era la de un hombre recluido en una celda para orar. Ni mucho menos. Fue un personaje de enormes aptitudes científicas y artísticas cuya aportación al conocimiento en muchas ramas ha resultado fundamental para el futuro.

Ernetti se mostró muy interesado por las cualidades del sonido y de las ondas vibratorias que presentaba en sus diversas manifestaciones. Creó una cátedra de música especializada en ese asunto y se mostró especialmente receptivo a la aparición de fenómenos parapsicológicos como las psicofonías, esas grabaciones inexplicables que algunos atribuyen a las almas de las personas fallecidas. Tras estudiar este fenómeno, se planteó la posibilidad de que las imágenes y el sonido quedaran «grabados» en algo parecido al éter. Partiendo de ese conocimiento se planteó inmortalizar y grabar esas vibraciones del pasado, algo en lo que trabajó en colaboración con otro sacerdote llamado Luigi Borello. Sin embargo, este hombre ha negado que existiera algo más que un planteamiento teórico correcto. «Nunca quiso mostrar la cámara ni pudo demostrar que todo aquello que dijo fuera cierto», explicó dos décadas después Borello a la periodista Helena Olmo, de la revista *Año Cero*.

Según aseguraría Ernetti, su cronovisor era una realidad prohibida por el propio Vaticano. Aseguró poco antes de morir que fue perseguido y controlado para evitar que su hallazgo saliera a la luz; así lo confesó en su lecho de muerte al propio Borello, que no obstante no dejó de mostrar su incredulidad más absoluta, si bien fue consciente de como la Iglesia católica se encargó de denostar en lo posible a Ernetti. Este último fue el responsable de que Roma satanizara cualquier intento que se hiciera para captar la voz o la imagen de los difuntos o del tiempo pasado.

Respecto a la única imagen que disponemos del cronovisor, podemos afirmar que, sin lugar a dudas, es falsa. Dicha imagen de Jesús en la Pasión carece de toda vitalidad y su gesto es idéntico al que existe en muchas tallas religiosas propias de la Semana Santa. Es más, algunos investigadores creen haber encontrado la imagen auténtica en la que se inspiraría Ernetti para tomar su fotografía del pasado. Se trataría, efectivamente, de una talla procesional. Y parecen estar en lo cierto...

Capítulo V

Linajes, órdenes y caballeros

Samuráis, los guerreros del Sol Naciente

En los últimos años ha cobrado auge la fascinación por el mundo oriental, palabras como *ninja, bushido, samurái* o todas las relacionadas con las artes marciales seducen a jóvenes de todo el hemisferio. Pero ¿por qué tanta fascinación? Seguramente, por la búsqueda incesante de valores humanos, muy difuminados en los últimos tiempos para nuestro aburrido y decadente sistema de vida. Y, en ese sentido, virtudes como el honor, la lealtad y el heroísmo nos han puesto en contacto con un universo enigmático hasta hace pocas décadas. Es admirable la condición y el alma de los antiguos guerreros medievales, hombres dispuestos a sacrificar sus vidas en la defensa de lo que ellos entendían como nobles ideales. Los caballeros europeos son sobradamente conocidos gracias a nuestra literatura más cercana, empero, los paladines de Oriente, acaso por la distancia o por una ignorancia aceptada, han sido cubiertos por la bruma o por los fantasmas del recelo. Curiosamente, si nos ponemos a la tarea de comparar vida y obra de estos luchadores, comprobaremos que no se diferencian en exceso en cuanto a determinadas pautas de comportamiento y pronto observaremos que hay pocas cosas que separen al Cid de un samurai Minamoto.

Según rezan las antiguas leyendas de la mitología japonesa, en el albor de los tiempos una bella diosa nipona contrajo tristeza de amor, y de sus lágrimas brotaron islas que conformaron el archipiélago del Sol Naciente. Siglos más tarde, surgirían guardianes para proteger las costas y territorios de una de las culturas más apasionantes de las que pueblan nuestro planeta.

Samurái significa en japonés 'servidor', y eso es precisamente lo que esta casta guerrera e intelectual hizo durante su tiempo de hegemonía —servir a sus señores feudales—, esos mismos *daimio* que pugnaban por el control de un imperio cuya representación figurativa máxima es el crisantemo. Dicen que la vida de un samurái era bella y breve como la flor del ciruelo, por eso no es extraño que uno de sus lemas vitales fuera: «Morir es sólo la puerta para una vida digna».

Estos magníficos caballeros mantuvieron una intensa vida militar entre los siglos XII y XVII. En ese periodo de luchas entre clanes, se les podía ver orgullosos a lomos de sus pequeños aunque resistentes caballos y fieles al ritual guerrero impuesto por el *bushido,* auténtico código de conducta para aquel que se formara en esta indomable casta. La liturgia del samurái antes de cada batalla sigue estremeciendo a todo aquel que se acerque a su historia. El poder contemplar a cualquiera de estos hombres en la preparación de un combate constituía un enorme espectáculo donde la intensidad y el honor lo invadían todo. Con sumo cuidado ceñían a su cuerpo majestuosas armaduras lacadas en negro en las que un sinfín de piezas ajustadas milimétricamente protegían a su dueño. La ceremonia se completaba cuando el samurái cogía sus armas personales, en las que destacaba la *katana,* una infalible espada de sesenta centímetros de largo elaborada con técnicas ancestrales sólo conocidas por escogidos maestros herreros, los cuales necesitaban tres meses para forjarlas. La tradición exigía que fuera la espada la que eligiera a su compañero, para ello el guerrero se situaba ante una selección de espadas expuesta por el forjador. La elección sólo dependía de las vibraciones comunes emitidas por la espada y el samurái. Una vez juntos, no volverían a separarse jamás, entroncándose sus almas hasta el combate final.

Los samuráis ocupaban sus periodos de ocio en el perfeccionamiento del espíritu. Gustaban de la poesía y el teatro y se refugiaban con frecuencia en la creación de maravillosos jardines flotantes. Eran ilustres pensadores que engrandecieron Japón en diferentes ámbitos.

Su declive llegó cuando la paz y los tiempos modernos se instalaron en el país. En 1868 el 7 por ciento de la población japonesa se podía considerar samurái, es decir, dos millones de personas regentaban sus vidas basándose en el código *bushido*. Muchos, ante el temor popular que seguían infundiendo, se refugiaron en las ciudades, convirtiéndose en artistas, comerciantes o profesores; otros no tuvieron esa suerte, quedando abandonados a la marginación o al alcoholismo.

En 1876 los samuráis se rebelaron ante el poder. Durante más de un año mantuvieron en jaque al gobierno con sus armas tradicionales. Sin embargo, el peso de la nueva tecnología bélica aplastó sus tradiciones y orgullo y más de veinte mil murieron acribillados por fusiles repetidores o ametralladoras de posición mientras realizaban sus últimas y gloriosas cargas de caballería. Fue la única manera que concibieron para morir de una forma noble que hiciera justicia a las enseñanzas recibidas; otros optaron por el *seppuku* o suicidio ritual, acabando sus días por su propia mano y no por la del enemigo.

En 1944 el espíritu samurái resurgió en forma de kamikazes que intentaban frenar el avance norteamericano sobre sus islas. Como sabemos, todo fue inútil, y aquel viento divino terminó por estrellarse contra el acero blindado de los buques aliados. No obstante, algo queda en la idiosincrasia nipona de aquellos bravos guerreros, lo vemos en su talante nacional, el mismo que ha impulsado a un imperio abatido por la guerra a volver a situarse posteriormente en una posición de liderazgo, junto a las potencias que lo derrotaron.

Los viajes secretos de los templarios

Como el lector estará comprobando a lo largo de este libro, en muchos museos se esconden piezas que han sido denostadas, pero que permanecen expuestas y a la vista de todos los visitantes que deseen contemplarlas. Su sola presencia es una demostración de que nos quedan muchas preguntas que responder, por mucho que algunos inquisidores opinen que lo sabemos absolutamente todo sobre nuestra historia. Para demostrar cuán equivocados están estos seudoescépticos, no estaría de más que alguno se pasara por el Museo Nacional de Arqueología de La Paz (Bolivia). Si lo hace, descubrirá que existe una pequeña estatua pétrea que representa a un personaje cubierto por una túnica en cuyo pecho presenta en alto relieve una cruz griega... ¡la cruz templaria! Y lo llamativo es que la pieza fue tallada por indígenas antes de la llegada de Colón a aquellas tierras, cuando aquel símbolo —y menos aún en la acepción del Temple— ni siquiera era conocido por aquellos hombres, al menos, en apariencia.

Para piezas como ésta no existe otra explicación más que abrir la mente a la posibilidad de que, de algún modo, los templarios pudieran haber alcanzado las tierras americanas antes de la llegada de Colón. Ciertamente, muy pocos creen ya aquella lección de historia en la que nos contaban como el descubridor salió al mar esperando encontrar las Indias por el otro lado. Ahora sabemos que Colón conocía perfectamente lo que hacía y adónde se dirigía. Y lo sabemos gracias a investigadores como José Antonio Hurtado, un ingeniero aeronáutico que, rebuscando en documentos antiguos, halló indicios suficientes como para demostrar que, en el siglo XIV, marineros mallorquines pudieron haber encontrado una ruta que les encaminaba a América. Dicha información acabó en manos del propio Colón y, según el estudioso, el origen de esos datos quizá había que buscarlo en fuentes próximas a la orden del Temple.

Los templarios poseyeron dominios en multitud de lugares, reflejo fiel de que su poder e influencia fueron enormes. La codicia que generó tanta riqueza fue, quizá, una de las causas que explica el trágico final de la orden. Lógicamente, se adentraron en nuevas sendas comerciales y pudieron desarrollar un pequeño imperio privado que les pudo llevar más allá de lo que se cree. Se sospecha, por ejemplo, que las grandes cantidades de plata que inundaron Europa en el siglo XIII tuvieron que ver mucho con ellos. ¿De dónde llegó esa plata? Muchos estudiosos sospechan que de América...

Algunas de las informaciones más secretas de los templarios fueron preservadas tras su desaparición por la orden de Cristo, radicada en Portugal, y que, en cierto modo, fue heredera del Temple. Quizá esa transmisión documental puede explicar por qué del entorno de esta orden surgieron marinos como Vasco de Gama. Además, existe un mapa de origen luso y templario que mostraba una tierra más allá de Cabo Verde, que era una suerte del fin del mundo para los hombres de aquella época. Por si fuera poco, las carabelas de las expediciones portuguesas llevaban velas con la cruz templaria a modo de estandarte. ¿Acaso los navegantes portugueses lograron convertirse en los dueños de los mares gracias a la información que obtuvieron los templarios en sus años dorados? Si se ordenan las piezas siguiendo dictados racionales, la historia de los viajes secretos de los templarios presenta una lógica aplastante.

¿Acaso es casualidad que La Rochelle fuera, gracias a su orientación y a las corrientes marinas que lo afectan, el mejor puerto posible para aventurarse mar adentro en pleno Atlántico?

Jacques de Molay, ¿el último maestre?

El 18 de septiembre de 1314 Jacques de Molay, gran maestre de la orden del Temple, era condenado a la hoguera en compañía de sus dignatarios. Molay había confesado bajo tortura todos y cada uno de los delitos de los que se acusaba a él y a los caballeros de su orden —apostasía, idolatría, ritos obscenos, ultraje a Cristo y sodomía—, por lo que el rey Felipe IV de Francia decidió dar un gran espectáculo con los grandes líderes templarios, pero la jugada no le salió bien. El día 19, ante la muchedumbre, Molay se retractó de su confesión y proclamó su inocencia. Encolerizado, el rey Felipe ordenó que él y sus dignatarios fuesen quemados en la hoguera. Al comenzar a encenderse las llamas, cargado de valor, Molay reafirmó su inocencia y emplazó al rey y al papa, asegurando que morirían ese mismo año. Clemente V, que tenía algo más de cincuenta años, no duró ni siquiera un mes y el rey, de cuarenta y seis, murió en noviembre. La profecía de Jacques de Molay se había cumplido.

La destrucción de los templarios tiene unas causas bien conocidas. A finales del siglo XIII la orden del Temple era una verdadera potencia financiera. Tenían en Europa tierras, castillos, una gran flota y daban garantías en el transporte de mercancías valiosas. El tesoro real de Francia se guardaba en la fortaleza del Temple en París y el propio rey se había refugiado una vez en ella durante una revuelta. Sus letras de cambio eran las más apreciadas en el mundo e incluso los musulmanes habían confiado su dinero a los templarios. Cuando san Juan de Acre cayó (1291), los templarios controlaban de hecho los mercados monetarios de toda la cristiandad. Teniendo en cuenta que la fuerza militar del Temple estaba concentrada en sus dos fronteras militares —Chipre y Andalucía—, parece evidente que no había ninguna amenaza directa contra la monarquía francesa, por lo que sólo desde un punto de vista político puede apreciarse la verdadera dimensión del proceso abierto contra el Temple, cuya única razón era el deseo de los reyes europeos de obtener riquezas y poder, en los albores del absolutismo.

El 14 de septiembre de 1306, el rey Felipe envió un pliego sellado con órdenes directas a todos sus jueces para que las ejecutasen un mes más tarde. En las cartas se ordenaba la detención de todos los templarios de Francia. El 14 de octubre, en una espectacular operación para la época, el mismo día y a la misma hora, los agentes del rey Felipe detuvieron en sus encomiendas a la mayoría de los caballeros de la orden al tiempo que se difundía el contenido de la

*Cuando Jacques de Molay aseguró ante la multitud que se agolpaba en París que él
y los dignatarios de la orden del Temple eran inocentes, estaba entrando en una
leyenda de la que ya nunca saldría.*

acusación. A partir del año 1307 se sucedieron las torturas y los interrogatorios a los detenidos. A una tímida protesta del papa Clemente V cuando se produjo la orden de arresto, siguió una total claudicación ante los intereses del rey Felipe y el 22 de noviembre de 1307, la *Bula Pastoralis Praeminientae* obligaba a todos los príncipes de la cristiandad a detener a los templarios. Finalmente, la orden fue condenada a ser disuelta, sin escuchar su defensa, en el concilio ecuménico de Vienne, en 1312, con la única oposición de los representantes de la corona de Aragón.

Es evidente que el Temple no desapareció de la noche a la mañana. Bajo terribles tormentos, el caballero Jean de Chalons confesó que cincuenta caballeros partieron de la fortaleza del Temple en París con destino a La Rochelle para poner a salvo las riquezas y los secretos de la orden, con ayuda de los dieciocho buques que allí se encontraban. El responsable de esta operación era Gerardo de Villiers, quien trabajaba a las órdenes de Hugo de Peraud, el tesorero del Temple. Otro caballero, Hugo de Chalons, había huido con la mayor parte del tesoro y, aunque ambos fueron capturados, del tesoro no se encontró nada. Este tesoro no era sólo material, sino que reunía los proyectos, planes y grandes conocimientos del Temple. Respecto a la flota, ésta partió con rumbo desconocido, aunque hoy en día conocemos perfectamente adónde se dirigieron. Una parte de la flota fue a Portugal, donde fueron muy bien acogidos por el rey Dinis I, que mostró un gran interés en sus técnicas de navegación y sus conocimientos de náutica. En Levante sus marinos habían empleado la brújula y la vela latina, que habían imitado de los *dhows* árabes. Tras desembarcar en Nazaré, se dirigieron a su impresionante fortaleza de Tomar.

El resto de la flota se dirigió a la fría y nórdica Escocia, donde el rey Roberto I Bruce estaba excomulgado y no aplicó la bula papal, y donde contaban con el apoyo de los señores de Midlothian y de familias nobles y poderosas como los Saint Clair, señores de las islas Orcadas. Nueve barcos llegaron a la isla de Mey, en el fiordo de Forth —hay tumbas templarias en Awe, Argyll, junto a la iglesia de Kilmartin—. Parece que caballeros templarios combatieron en Bannockburn contra los ingleses (1314), bajo su propio estandarte, el *bauseant*, y que para recompensarles el rey creó la Real Orden de Escocia.

Respecto a la herencia directa de Molay, se dice que nombró como gran maestre al caballero Pierre d'Aumont, preceptor de Auvernia, que fue el encargado de continuar su obra en Escocia. Esta tradición sabemos que es falsa. El preceptor de Auvernia era fray Imbert Blanke, detenido en Inglaterra y liberado poco después. Lo que sí es seguro es que parte de los caballeros y de las tradiciones del Temple siguieron vivas en Escocia, a través de órdenes y logias menores y de familias poderosas como los Saint Clair y tuvieron, tal vez, una notable influencia en el nacimiento de la masonería.

Una creencia más arraigada en su época decía que a Molay le sucedió Juan Marco L'Armenius, primado de la orden y comendador de Jerusalén. Sobre su figura se ha dicho que era de origen armenio —algo dudoso— o un personaje de familia noble —revestido de armiño—. L'Armenius rechazó la continuidad de la orden en Escocia y se supone que, a su muerte, su herencia fue transmitida en Francia a otros caballeros, si bien muchos historiadores niegan la autenticidad del documento en el que se basa su supuesto nombramiento, aunque ha sido usado para justificar muchas supervivencias neotemplarias.

Los tesoros escondidos de los templarios

Non nobis, Domine, non nobis, sed nomine tuo da gloriam («nada para nosotros, Señor, nada para nosotros, sino para la gloria de tu nombre») era el lema de los caballeros templarios, que no siempre llevaron hasta sus últimas consecuencias.

Las riquezas de los templarios tentaron la codicia del rey de Francia, Felipe el Hermoso, y la del papa Clemente V. El Temple de París se había convertido casi en el centro monetario internacional. Todo esto generó envidias, especulaciones y leyendas en torno a esta orden, sobre todo respecto al escondite de un fabuloso tesoro una vez que la orden se disolvió en 1307, cuya búsqueda no se ha interrumpido todavía. Poco antes de las detenciones, el gran maestre Jacques de Molay hizo quemar muchos libros y reglas de la orden. Hay datos que aseguran que un grupo de caballeros protagonizó una fuga organizada en la que pudieron llevarse el tesoro, sacado en secreto de la preceptoría de París, de noche, antes de las detenciones del 13 de octubre. Fue transportado hasta la costa (posiblemente, como ya se ha dicho, hasta La Rochelle, base naval de la orden) y cargado en dieciocho galeras.

Incluso no se habla de un tesoro, sino de varios que pudieron llegar a custodiar. ¿De qué índole? Posiblemente de todas: un tesoro consistente en documentos, otro económico y otro de reliquias, las más codiciadas de la cristiandad. Y a partir de aquí se ha dicho de todo: que si estuvieron en América explotando minas de plata doscientos años antes del descubrimiento oficial; que conservaron durante un siglo la Sábana Santa; que si fueron los primeros banqueros de la historia; que si instituyeron el culto a las vírgenes negras; que si dejaron sus secretos cifrados en el arte de la arquitectura; que si encontraron las Tablas de la Ley, el Arca de la Alianza, el Santo Grial y la Mesa de Salomón... tantos y tantos misterios se ciernen a su alrededor que esto les confiere, a pesar del tiempo transcurrido, una aureola de magia y poder.

Parece que el objetivo primordial de los nueve primeros caballeros de la orden de los Caballeros del Templo, cuando se asientan en 1118 en las caballerizas del antiguo templo de Salomón, era la búsqueda de algo de capital importancia.

Investigadores como Louis Charpentier creen que al cabo de nueve años de búsqueda, Hugo de Payens y sus ocho caballeros encontraron en Jerusalén el Arca junto a otras piezas de gran valor que llevaron a Francia, a la región del Languedoc, el último bastión de los cátaros antes de su exterminio por las tropas del rey Luis IX en 1243. Años después, tras la extinción de la orden del Temple, una cúpula dirigente y clandestina se debió de instalar al otro lado de los Pirineos, en determinadas fortalezas templarias de los reinos de Aragón y de León.

Desde tiempos inmemoriales, el Arca ha sido buscada en los subterráneos del antiguo templo de Salomón en Jerusalén (de donde se cree que nunca salió), en Axum, al norte de Etiopía, en alguna cámara secreta de las pirámides de Egipto y en la capilla de Rosslyn en Escocia, pero nadie ha puesto sus miras en un lugar que estaría mucho más cerca de nosotros: el castillo de Ponferrada.

Para muchos, el tan cacareado tesoro templario debió de ser la posesión del Arca de la Alianza durante un cierto tiempo, Arca que, además de contener las Tablas de la Ley, la vara de Aarón y el maná, podría ser un artefacto de un alto valor tecnológico cuya existencia no podía ser revelada a nadie por la peligrosidad que confería su uso y hasta su mera posesión.

El tesoro templario podría estar relacionado con sus viajes transoceánicos, lo que explicaría otro de sus enigmas: el origen de sus inmensas riquezas que luego sirvieron para financiar templos religiosos que preservaron para la eternidad...

¿Y dónde podríamos encontrar esas claves? La capilla escocesa de Rosslyn tiene todas las papeletas. La historia nos dice que el tercer conde Saint Clair construyó en Rosslyn una capilla octogonal, de inspiración templaria y repleta de simbolismo esotérico, que es considerada por masones de todo el mundo como su lugar sagrado y en la que se dice enterraron los templarios sus tesoros, incluido el Santo Grial. En ella hay esculpidas mazorcas de maíz y otras plantas americanas.

Ésta es una de las muchas evidencias que sustentan la autenticidad de una posible expedición realizada a América en 1398 por el noble Henry Saint Clair, con la ayuda de los hermanos Zeno, avezados navegantes venecianos. Su intención manifiesta era fundar una nueva Jerusalén en aquel continente.

¿Consiguieron los templarios cruzar el Atlántico? En caso afirmativo podríamos especular con la idea de que escondieran allí sus riquezas tanto materiales como simbólicas. Uno de los indicios más fascinantes de la incursión templaria en tierras americanas nace de una leyenda familiar en Escocia de la que tenemos numerosos datos gracias a la obra de uno de sus descendientes, Andrew Sinclair, titulada *La espada y el grial* (1992). Nos dice que el príncipe Henry Saint Clair partió en 1398 con trescientos colonos y doce embarcaciones. Su travesía condujo a la expedición hasta la costa nordeste de los Estados Unidos, que desembarcó en Nueva Escocia y dejó sus huellas en la costa de Massachusetts. Allí pasaron la primavera de 1399 para, después, regresar algunos de ellos a su lugar de origen. En una losa de la capilla de Rosslyn, construida en 1446 por un nieto de Henry, los miembros del clan Sinclair descubrieron la vinculación de sus antepasados con los templarios y comprobaron como, tras la disolución de la orden, un grupo de caballeros se refugió en las propiedades escocesas de los Sinclair, llevando consigo parte de sus documentos y riquezas. La familia Sinclair gastó, desde entonces, gran cantidad de dinero y riquezas que, al parecer, procedían de América. Éste fue su gran secreto. Un secreto que ha quedado reflejado en un antiquísimo sello, datado en 1214, en el que puede leerse *Secretum Templi* al tiempo que muestra a ¿un indio con plumas?

Y no es el único. En el corazón de Francia, concretamente en el tímpano de la catedral de Vézelay, en Borgoña, fechado alrededor de 1150, se halla representado otro indio con grandes orejas. O la presencia de indígenas adornados con plumas en los famosos *graffitis* de la catedral de Gisors.

Andrew Sinclair aporta pruebas sobre la existencia de asentamientos precolombinos en América del Norte casi un siglo antes que Colón gracias al príncipe escocés Henry de Saint Clair. Una posibilidad que entronca con las investigaciones llevadas a cabo por Jacques de Mahieu, según el cual la flota templaria habría arribado a México en 1307 huyendo de la persecución inquisitorial, a través de una ruta que los propios templarios ya habrían marcado desde mucho tiempo antes, entre los años 1272 y 1294. Y el citado Charpentier cree que esas minas de plata estarían ubicadas en el Yucatán. Ahora bien, las islas Canarias podrían servirles de escala, vía América, y además como refugio y escondite del tesoro, ya que eran lugares seguros al no estar todavía conquistados (se tardaría siglo y medio). De esta forma, el santuario de Nuestra Señora de la Candelaria contendría las claves de los tesoros, materiales y espirituales, que habrían sido puestos a salvo antes de la abolición de la orden. Esta tesis la mantienen investigadores españoles como Rafael Alarcón, Emiliano Bethencourt, Félix Rojas o José Antonio Hurtado, así como el noruego Thor Heyerdahl, quien afirmó en su día que Colón ya había viajado a América, varios años antes de su descubrimiento oficial, formando parte de una expedición danesa.

Pero para evaluar la auténtica dimensión del tesoro templario quizá los pasos haya que dirigirlos a un «espantoso ídolo», según las acusaciones de las actas inquisitoriales, que hacían llamar Bafomet. Lo del Bafomet tiene su intríngulis y su motivo. Estaba considerada una figura emblemática del esoterismo templario, al que también se ha llamado cabeza barbuda y «cabeza mágica». En las confesiones que se arrancaron con torturas a los templarios decían que veneraban a una especie de demonio postrándose ante una cabeza barbuda de varón que les hablaba y les investía de poderes ocultos. Al parecer, era un busto de anciano pintado totalmente de negro y alguna vez provisto de cuernos. Escritos alquímicos árabes hablan de una «cabeza de oro» sin entrar en más detalles.

Es de señalar que los templarios, adoradores de estas cabezasbafomets, honraban la memoria de Gerberto, y que en sus estatutos incluyeron una extemporánea alusión a la «Iglesia del verdadero Cristo en tiempos del papa Silvestre». ¿No podría tratarse de cabezas mecánicas? Autómatas parecidos los tenían, según las leyendas, san Alberto Magno, Roger Bacon y el papa Silvestre. ¿Toda una tecnología que destruyeron? No lo sabemos, pero no hay duda de que muchos de sus tesoros ocultos tuvieron que ver con estos bafomets de los que tanto se ha dicho y de los que prácticamente nada sabemos.

Muchos han querido despachar el asunto de los tesoros templarios de un plumazo, como hizo Joseph de Maistre: «El fanatismo los creó, la avaricia los destruyó. Eso fue todo». Otros pensamos que el misterio sigue más vivo que nunca.

Bafomet o el culto de los templarios

Los templarios rendían culto a un ídolo demoníaco, a una suerte de cabeza con aspecto de diablo que tenía por nombre Bafomet o Baphomet. Decían que era un rostro de aspecto humano, con barba terminada en punta y coronado por cuernos. Recuerdan que sus ojos eran como dos llamas. Al menos, ésa fue una de las acusaciones que se vertieron contra ellos en la Francia del rey psicópata Felipe IV el Hermoso, para acabar con la orden del Temple con la ayuda del siniestro papa Clemente V.

Aquello venía a significar que los caballeros templarios se habían desviado del culto crístico. Y que lo habían hecho de forma tan evidente que casi se habían aproximado a la adoración de imágenes representativas del mal. Fue una de las razones por las cuales el gran maestre Jacques de Molay fue quemado en la hoguera y se ordenó la disolución de la orden del Temple.

Sin embargo, cuesta trabajo imaginar a los caballeros templarios arrodillados delante de un busto en plan idolátrico. No olvidemos que aquellos hombres confesaron su adoración a Bafomet bajo crueles torturas mediante las cuales se pretendía obtener culpas para acusarlos y quemarlos vivos. Entre las imputaciones que se vertieron sobre ellos también encontramos otras totalmente ilógicas, como aquella según la cual los templarios debían ponerse el hábito para acto seguido escupir sobre una cruz.

Han pasado setecientos años desde aquello y todavía no sabemos qué era en realidad Bafomet. Ni siquiera podemos afirmar si existió algo que llevaba ese nombre, pero lo cierto es que las hipótesis al respecto son múltiples y variadas. Muchas de ellas parten de que tras ese término se escondía «algo» realmente inquietante, que podía poner en riesgo algunos de los dogmas del catolicismo. En este caso, lo que hicieron los acusadores fue transformar el significado de Bafomet para asociarlo a posturas heréticas contrarias al cristianismo.

Respecto al significado de la expresión resultan muy interesantes los estudios etimológicos del término, que originalmente se escribía Baphomet, una expresión del francés antiguo que significaba Mahoma. ¿Acaso se convirtieron al islam? Ciertamente, algunos han llegado a suponerlo, pero la realidad es que los caballeros templarios únicamente se limitaron a admitir como válidas algunas normas y comportamientos inspirados por la palabra del profeta sin renegar para nada de Jesús. Aquello, lógicamente, no acabó de agradar en las altas esferas, que pretendían controlar el culto de los fieles. Sin embargo, nada más lejos de la realidad que la conversión religiosa de los templarios...

En todo caso, en lo que sí coinciden muchos estudios lingüísticos del término es en su relación con la «sabiduría oculta». No deja de ser llamativo que la palabra Baphomet aparezca reflejada en los rollos del mar Muerto, textos apócrifos en los cuales algunos intérpretes creen haber encontrado la filosofía oculta de la que en secreto hizo gala Jesús de Nazaret. Sin embargo, dicha palabra aparece cifrada en estos textos gracias a un código lingüístico que los templarios conocían y que consistía en escribir cada vocablo utilizando su opuesto en el alfabeto. Es decir, si aplicamos dicho código —llamado *atbash*— a nuestro abecedario, la letra A sería la Z, la B sería la T, la C sería la S y así sucesivamente, pero trasladado al hebreo.

Así pues, la expresión Baphomet, traducida al hebreo codificado, se escribe Sophia, cuyo significado es «saber». Probablemente, dicha expresión sí pudo utilizarse internamente entre los templarios para hacer alusión a algún tipo de conocimiento que poseían y que quebraba dogmas y normas. Quizá ese saber fue lo que provocó que los templarios tuvieran que ocultarse de alguna forma. Dicha documentación, lógicamente, no podía ser aceptada por los mandatarios de comienzos del siglo XIV y los caballeros templarios la mantuvieron en la más absoluta reserva. Así pues, cuando Felipe V y el papa Clemente V buscaron acusaciones para condenar al Temple, obligaron a confesar a los detenidos un significado diferente para la expresión que nos ocupa. Es sólo una hipótesis, si bien existen otras, como el hecho de que esa cabeza a la que idolatraban no era sino el rostro de Jesús de Nazaret que aparece en la Sábana Santa, en cuya custodia tuvieron mucho que ver los templarios...

Rosslyn, ¿el último enigma templario?

Según narra una vieja tradición masónica francesa, en alguna fecha desconocida de la primera década del siglo XIV, nueve barcos llegaron a la isla de Mey, el fiordo de Forth, en Escocia. Eran parte de la flota templaria de La Rochelle —la otra mitad fue a Portugal—. Se decía que transportaban las riquezas materiales y documentales de la proscrita orden de Caballeros del Templo de Jerusalén: los templarios. Buscaban el apoyo del excomulgado monarca Roberto I Bruce y de algunas familias nobles que estaban vinculadas a la orden. El apoyo del rey lo obtuvieron en seguida y se dice que los caballeros templarios jugaron un papel destacado en la victoria sobre los ingleses en Bannockburn (1314), que iba a garantizar la independencia de Escocia. Entre los nobles escoceses que estuvieron al lado de su monarca había tres caballeros de una importante familia, los Saint Clair.

Uno de los nobles más poderosos de la Escocia de principios del siglo XV fue sir William Saint Clair, tercer príncipe de las Orcadas y líder de una familia de origen noruego, los More, que en el siglo X habían adoptado al establecerse en lo que hoy es Norman-

Extrañas construcciones y símbolos no descifrados han convertido a los caballeros templarios en los protagonistas de multitud de novelas y ensayos.

día el nombre de *Sanctus Clarus* —Luz Santa—, que en francés se convirtió en Saint Clair. Esta familia se labró una importante posición en los reinos del norte de Europa, especialmente en Escocia, donde llegaron a ser soberanos de las Orcadas. Este hombre poderoso decidió a mediados del siglo XV levantar la capilla de Rosslyn, a unos quince kilómetros de Edimburgo, y cuya aparición en la obra de Dan Brown *El Código Da Vinci* le ha dado fama mundial, si bien desde hace muchos años era un lugar enigmático.

En principio la idea de sir William era levantar una colegiata que reprodujese el templo de Salomón, en Jerusalén, pero su proyecto quedó reducido a una pequeña capilla, dada la complejidad de su decoración y la escasez de maestros artesanos de la calidad de los que se requerían para llevar a cabo el diseño original, y eso que hasta la remota Escocia llegaron de toda Europa carpinteros, canteros y especialistas en la talla de la piedra. Cuarenta años fueron necesarios para construir lo que aún hoy puede apreciarse, pues la obra continuó hasta la muerte de sir William, en 1484.

Escenas bíblicas como la expulsión del jardín del Edén, el ángel caído o la crucifixión aparecen mezcladas con esculturas paganas, relacionadas con tradiciones templarias y masónicas como el mítico pilar del Aprendiz, uno de los tres pilares que separan el coro del ala central de la capilla. Para unos, el pilar del Aprendiz simboliza el *Ygdrasil*, el árbol de los mitos nórdicos que sustentaba los cielos sobre la tierra. Para otros, es el árbol de la vida o el árbol de la ciencia del bien y del mal, situado en el jardín del Edén. Su simbología ha dado origen a todo tipo de conjeturas sobre lo que alberga en su interior. Casi todas ellas apuntan a la posibilidad de que sea el mítico Grial, la copa en la que bebió Jesucristo durante la Última Cena.

En 1992, Andrew Sinclair, un americano interesado por el pasado de su apellido, publicaba *The Sword and the Grail* —La Espada y el Grial—, como resultado de sus investigaciones en Escocia. A lo largo de las páginas de su libro, Sinclair intenta demostrar que sus antepasados tuvieron relación con la orden del Temple, el Santo Grial y una serie de viajes a América casi un siglo antes que Colón.

La pieza clave de su argumentación es una losa conservada en Rosslyn, donde aparecen talladas las figuras de una espada, un Grial y los escalones del templo de Salomón. La espada hablaría de un primer descubrimiento y desembarco en América del Norte, los escalones, tallados en la base del Grial, serían la prueba del legendario tesoro que hallaron los primeros templarios durante los años que permanecieron en las ruinas del templo. Para quien albergase dudas, Sinclair demostró que además en Rosslyn aparecen tallados en la piedra mazorcas de maíz y ágave, plantas que sólo se daban en el siglo XV en América. Sinclair incluso consiguió la autorización del actual conde de Rosslyn para realizar algunos estudios. Así, empleando las más modernas técnicas de radar, exploró toda la capilla, con la intención de detectar formas y objetos metálicos a través de la piedra, con resultados negativos. No obstante, Christopher Knight y Robert Lomas, autores de *best sellers* relacionados con los orígenes de la masonería y sus conexiones templarias, apuntaban la posibilidad de que en el pilar del Aprendiz no sólo se encontrase el Santo Grial, sino también determinados manuscritos, llegando incluso a afirmar que Rosslyn había sido construida como lugar sagrado para preservar los evangelios apócrifos. Estas teorías fueron el argumento de sus dos obras más conocidas, *The Hiram Key* (1996) y *The Second Messiah* (1998). Knight y Lomas creen que los manuscritos se encuentran bajo la capilla de Rosslyn y en los subterráneos de construcciones anteriores a la edificación de la capilla.

Los intentos para comprobar las afirmaciones de Sinclair han ido tropezando estos últimos años con crecientes dificultades. En abril de 1996, uno de los administradores de Rosslyn aceptó iniciar las excavaciones con la condición de que fuesen realizadas por expertos. En octubre, Knight y Lomas convencieron al doctor Jack Miller, un geólogo de gran reputación de la Universidad de Cambridge, y al doctor Fernando Neves, de la Escuela de Minas de Colorado. El proyecto era realizar una cata no invasiva cerca de la capilla, pero cuando los trabajos estaban a punto de iniciarse los administradores de Rosslyn denegaron el permiso, si no se firmaba un pacto de silencio, algo a lo que los investigadores se negaron. De nuevo lo intentaron a comienzos de 1998, esta vez con el profesor James Charlesworth, jefe del proyecto de los manuscritos del mar Muerto en la Universidad de Princeton. Tras dos reuniones con los administradores de Rosslyn, la propuesta de excavación arqueológica quedó, una vez más, en el olvido.

Más sorprendente, señala la investigadora española Mar Rey, buena conocedora de Rosslyn, es la teoría planteada por el antropólogo Keith Laidler, que afirma en *The Head of God: the Lost Treasure of*

The Templars (1998) que bajo el pilar del Aprendiz se encuentra la cabeza momificada de Cristo, rescatada por los templarios durante su estancia en Jerusalén y trasladada a Escocia tras la supresión de la orden. La base de su teoría estaría en una inscripción de dicho pilar que dice: «*Here beneath this pillar lies the head of God*» («Tras este pilar se encuentra la cabeza de Dios»). Laidler cree que el culto a la cabeza es propio de Canaán y perduró durante siglos entre el pueblo judío. Así, tras la Pasión de Jesucristo, su cabeza habría sido separada del tronco y embalsamada. Esta cabeza embalsamada sería el famoso Baphomet, supuesto ídolo que los templarios adoraban, según las declaraciones que ellos mismos hicieron al ser torturados por la Inquisición, algo que Jacques de Molay, su ultimo maestre, negó poco antes de morir en la hoguera.

¿Quiénes fueron los cátaros?

Construido a 1.060 metros de altura, en un lugar casi inexpugnable, se alza en el Languedoc la impresionante fortaleza de Montsegur, que en los años 1243 y 1244 se convertiría en el último núcleo de resistencia del catarismo. Enfrentados a miles de hombres, sus defensores resistieron diez meses en este bastión hasta el límite de sus fuerzas y tras la toma del mismo por los cruzados, unos doscientos veinte hombres, mujeres y niños fueron abrasados vivos en el *Prat dels Cremats* el 16 de marzo de 1244.

Durante los años siguientes los legados papales y los hombres de armas franceses que habían combatido la herejía cátara desde hacía décadas acabaron sistemáticamente con los últimos restos de la herejía, hasta extirpar completamente sus creencias y ritos. Fue un trabajo arduo, que duró hasta bien entrado el siglo XIV, cuando con el apresamiento de Belibaste, el último perfecto, en Morella, y su ejecución en Francia en 1321, puede decirse que acabó el movimiento cátaro. Los esfuerzos para borrar todo rastro de ellos fue tan intenso que se han convertido en uno de los mayores enigmas de la Edad Media.

Pero ¿quiénes eran en realidad los cátaros? El nombre —cátaro, del griego, significa 'puro, perfecto'— es un cultismo que se les aplicó después de haber sido exterminados, pues ellos sólo se reconocían a sí mismos como «los buenos hombres» y «las buenas mujeres», o «los buenos cristianos». Aparentemente, tienen alguna relación con la secta de los bogomilos de Bosnia —masivamente convertidos al islam a partir del siglo XIV—. De alguna forma no bien conocida, sus creencias se propagaron por los puertos del Danubio y del Rin hasta el norte de Francia, y de ahí a Lombardía y al Languedoc francés, donde arraigaron con enorme fuerza. Con el apoyo de la nobleza de Toulouse y Albi, ciudad esta última tan importante para su movimiento que se les conoce también con el nombre de «albigenses», sus creencias se extendieron rápidamente. A finales del siglo XII, sus sacerdotes se denominaban «perfectos»; llevaban una vida austera y recta, y por medio de la ascesis pretendían mantenerse alejados del mundo material. Se convertían en iniciados mediante un ritual particular, el *consolamentum*, que consistía en prepararse para la aparición del Espíritu Santo como consolador. Predicaron un dualismo inflexible: hay dos mundos y dos dioses, un Dios del Bien y un Dios del Mal. El Antiguo Testamento representaba el Mal, porque era obra del creador de la materia, el Dios malvado. Nuestro mundo creado por Satanás había surgido del mal. El reino de Dios, lleno de justicia y bondad, no puede existir en nuestro mundo, pues el diablo obliga a los ángeles a encarnarse en hombres y a poblar el mundo, pero al cabo de varias encarnaciones, llevando una vida pura y recta, el hombre puede llegar a ser perfecto, con lo que su alma escaparía del diablo y entraría en el reino divino.

Estas creencias, que demostraban una notable influencia oriental, fueron usadas por la Iglesia a partir del siglo XII para predicar contra el catarismo. En 1179 fueron excomulgados y en 1180, durante la primera campaña pública contra ellos, se les acusó de asesinar niños, pues consideraban que toda la carne humana era producto del demonio. En cualquier caso, alarmados por lo que veían, los cátaros buscaron la ayuda de familias poderosas de Languedoc y contaron con el apoyo —por interés político— del rey de Aragón, que veía en los herejes la forma de apoyar a sus vasallos de allende los Pirineos y consolidar un reino desde el Ebro a los Alpes. La riqueza de las tierras de la Provenza y el Languedoc a principios del siglo XIII, ambicionadas por el rey de Francia y los nobles guerreros del norte del Loira, más el miedo de la Iglesia a la pérdida de poder e influencia en la región, provocaron su destrucción.

En 1208 el papa Inocencio II proclamó la Cruzada contra ellos, a la que se sumaron millares de aventureros y nobles codiciosos del norte de Francia. A la cabeza de ellos, Simón de Monfort, el mejor guerrero de su época, que en 1209 no vacilaría en matar a cientos de herejes en la iglesia de Beziers. Una ola de fuego y sangre recorrió los campos y ciudades donde los cátaros eran ya una minoría significativa. Dispuesto a ayudar a sus feudatarios, el rey Pedro II de Aragón trató de detener a Monfort y a sus cruzados, que, aunque superados en una proporción de casi dos a uno, infligirán una espantosa derrota en Muret (1213) al rey de Aragón, que muere en la batalla, y a los nobles del Languedoc y Provenza. Acosados y perseguidos, situados a la defensiva, los cátaros se refugiarán en sus castillos roqueros. En 1233, la Iglesia de Roma confía a los dominicos la extirpación de la herejía, a los que se encarga la dirección de los tribunales inquisitoriales. La campaña contra los cátaros toma de nuevo fuerza a partir de esa fecha y en sólo diez años millares de cátaros son enviados a la hoguera y exterminados sin piedad. Quinientos de ellos se refugian en la fortaleza de Montsegur, dirigidos por el obispo cátaro de Tolosa Bertrand Marti. Los campesinos de los alrededores colaboran con ellos, por lo que su supervivencia está garantizada. Pero, para su desgracia, el rey Luis IX de Francia —más tarde san Luis—

consideró esto un ultraje y envió un gigantesco ejército de casi diez mil hombres contra ellos, acompañados de varios inquisidores. Esta enorme fuerza sitió la fortaleza y la tomó. Sin embargo, algo no fue bien. De forma insistente se había hablado de un tesoro cátaro, pero las riquezas encontradas eran muy inferiores a lo esperado. ¿Dónde estaba el resto?

Los agentes del rey de Francia sabían que los cátaros habían guardado toda su fortuna en Montsegur, que se había calculado en unas cien mil libras de oro o plata, una suma gigantesca. Un testigo dijo a la Inquisición que la noche anterior a la rendición del castillo varios perfectos y algunos de sus hombres de confianza consiguieron descolgarse de los riscos de la fortaleza llevando una parte importante de su tesoro. Tras atravesar las montañas y alcanzar el Sabarthès, lo escondieron en una red de grutas que existen cerca de la localidad de Tarascón. Otra teoría, que ganó fuerza en los medios ocultistas a partir del siglo XIX, era que en realidad lo que se había custodiado en Montsegur era ni más ni menos que el cáliz con la sangre de Cristo: el Santo Grial, y señalaron la relación entre el nombre de la fortaleza y el Monsalvat de las leyendas griálicas, elaborándose complejas teorías que intentaban relacionar a los protagonistas de las mismas con los protagonistas principales de la herejía cátara. Esta posibilidad atrajo a la zona a una multitud de buscadores de tesoros que querían seguir el rastro de la leyenda, como el alemán Otto Rahn, convencido de que estas historias ocultaban una increíble historia.

Finalmente, quedan algunos que ven en el secreto cátaro algo más importante. La posibilidad de que los defensores de Montsegur fuesen los últimos custodios de algo de mayor importancia, la descendencia de la *sangre real*, la mítica herencia biológica de Jesús y María Magdalena y del rey perdido de los merovingios, de quien nacerá el monarca que ha de gobernar el mundo en el fin de los tiempos, mito este último de gran éxito en ensayos y novelas seudohistóricas de todo tipo.

¿Existió el rey Arturo?

Cada pueblo necesita sus héroes, personajes valerosos que infunden un ánimo especial por el bien, en detrimento de la oscuridad y las tinieblas. Esos valientes encarnan los mejores valores de la sociedad que los acoge y son el espejo en el que los jóvenes se miran con el secreto anhelo de imitar el comportamiento de aquellos seres casi perfectos cuyo modelo de vida tanto entusiasma. Quién en algún momento de su existencia no ha soñado con poder emular las proezas del gran rey Arturo y sus caballeros de la Tabla Redonda; quién no ha tenido la necesidad de realizar un viaje iniciático buscando la verdad de su espíritu; quién no ha intentado conquistar el corazón del ser amado; quién no ha reivindicado en alguna ocasión sus raíces y su identidad patria. Por casualidad o no, lo antes expuesto está encerrado tras las murallas de Camelot, la luminosa capital del reino artúrico. Lo cierto es que esta historia épica se ha convertido con los siglos en una referencia obligada para los seguidores de la fantasía y de los ideales más nobles. Pero ¿en qué se fundamenta esta antigua tradición?

En el caso del rey Arturo es difícil desligar su verdadera epopeya de la planteada por cientos de libros, decenas de películas e incontables narraciones populares. Lo poco que sabemos de forma fidedigna es que, sobre el siglo V o VI d. C., existió un carismático caudillo anglorromano llamado Owain Dantgwyn, cuyo sobrenombre *Art* (Oso) fue el que finalmente le proyectaría de manera universal hasta nuestros días.

La figura de Arturo ha sido modelada a lo largo de los siglos, primero, por los clérigos amanuenses, luego por trovadores y juglares y, más tarde, por narradores románticos y guionistas cinematográficos.

Según aparece en las crónicas elaboradas por el monje Gildas en el siglo VI, existió un jefe tribal que logró, tras muchos combates, unificar a las tribus celtas de Britania; eran los tiempos de la edad oscura y poco o nada de lo acontecido pasaba al papel. Es, por tanto, mérito de los oradores el que nuestro personaje haya llegado a tan digno puerto. En los siglos IX y X Arturo surgirá de nuevo como guía de los sajones en las eternas luchas de Albión. Libros de gran calado como la *Historia Brittonum* o *Annales Cambriae* reforzarán la idea de un pasado glorioso para los británicos.

En el siglo XII la *Historia Regnum Britanniae*, de Geoffrey Monmouth, asentará la filosofía vital del universo artúrico para que años más tarde la inmensa reina Leonor de Aquitania —madre de Ricardo Corazón de León— encargue a sus trovadores la recuperación total de esta mítica tradición. Serán autores medievales como Chrétien de Troyes o Robert de Boron los que darán el impulso definitivo al rey Arturo y los suyos: el mago Merlín, Morgana, Ginebra, así como los caballeros puros de la Tabla Redonda, donde destacan Lancelot, Percival... Todos giran en torno a la magia de *Excalibur,* espada prodigiosa protegida por la dama del Lago, quien, en el deseo de dar a Inglaterra el monarca más capaz, la incrustará en una roca a la espera de ser extraída por el joven Arturo, el único elegido para regentar el destino escrito por los dioses celtas.

Camelot es la ciudad cuna de los mejores sentimientos humanos, su defensa es vital para contener a las hordas malignas. Los caballeros buscan el Grial como signo de pureza ante los ojos del creador. Y, por si todo falla, queda la enigmática isla de Avalón, la conexión perfecta con la ancestral religión pagana.

Finalmente, en 1469, el escritor Thomas de Mallory dio el toque definitivo a la mitología artúrica imaginando un apasionado romance entre la reina Ginebra y el caballero sir Lancelot. Sea como fuere, nunca sabremos cuánto de mito o cuánto de realidad tiene esta sugerente historia universal. Aunque casi todos nosotros nos hemos empeñado, por fortuna, en que esta narración sea verosímil, y de ahí su gozosa magia invisible que nos hace seguir soñando con emular gestas sublimes y encendidos amores puros.

Hoy en día existen diversos enclaves mágicos distribuidos por el Reino Unido que nos evocan la figura del semilegendario rey, iniciador de una saga monárquica llena de sortilegios, aventuras y paradigmas de las tradiciones más elevadas. Si queremos buscar la tumba de Pendragón —su valiente progenitor— debemos acudir al conjunto megalítico de Stonehenge. En cambio, si anhelamos rendir homenaje ante su supuesto sepulcro, obligado es el viaje a Glastombury, gran epicentro del misterio británico. Les aseguro que, aunque no nos topemos físicamente con estos santuarios del pasado, sus mentes quedarán impregnadas por una estela mística difícil de calibrar salvo para aquellos que sepan que el Grial sólo se encuentra en nuestros corazones.

Rennes-le-Château, el misterio continúa

Querido lector: en cuanto usted disponga de cuatro o cinco días libres, no dude en coger su coche y marcharse a conocer el lugar más bello y enigmático del mundo. Lo encontrará si llega a Francia a través del Pirineo, tras alcanzar Perpignan y tomar dirección a Carcasonna, esa ciudad medieval y amurallada que pasa por ser el principal foco de turismo del sur de Francia. Pero no cometa el error de todos los turistas que acuden hasta allí. Sí, pasee por esta ciudad; dedíquele una mañana y contemple las alamedas, murallas y castillos. Tómese un «café olé» —más o menos, un café con leche— mientras contempla una calle empedrada y, antes de caer en la tentación de entrar a una tienda de *souvenirs* —se sentirá estafado, se lo advertimos—, salga de las murallas y coja de nuevo el coche para tomar rumbo al sur, rumbo a la ciudad de Limoux.

No muchos kilómetros más abajo comenzará a descubrir como la calzada se estrecha bajo los árboles, que poco a poco son más y más grandes, más y más frondosos, y están rodeados por un entorno de ensueño. Acabará sintiendo que ha entrado en un túnel, pero no de piedra, sino de hojas verdes. Eso le indicará que está a punto de alcanzar un lugar maravilloso...

Cuando tras superar Limoux alcance Cuiza, diríjase al Château de Ducs Le Joyeux, un castillo del siglo XIII reconvertido en posada y que se trata, posiblemente, de uno de los hoteles más sorprendentes y embriagadores en los que usted haya estado nunca. A su alrededor respirará que por allí estuvieron cátaros y templarios. Y que muy cerca —aseguran los historiadores— pudieron haber dejado escondidos algunos de sus secretos más inconfesables.

Tan sólo a tres kilómetros de allí —no faltan las indicaciones, no se preocupe— una carretera de curvas infernales le invitará a penetrar en una aldea que posiblemente no tiene censados a más de un centenar de habitantes. Sin duda, tal lugar es sólo un vago recuerdo de la gran capital que fue en tiempos pasados, ya que desde allí se atisba toda la región de El Razés a la perfección. Se sentirá en el centro del mundo...

Y, de hecho, en parte, lo está.

Cuando haya escalado la carretera, descubrirá como muchas de las revueltas parecen apuntar como una flecha hacia el cercano monte Cardou, la montaña en la que se inspiró Julio Verne para convertirla —con otro nombre y otra ubicación— en el escenario de su *Viaje al centro de la Tierra*. No es casualidad, porque el genial escritor bretón ya sabía que los constructores mágicos de todos los castillos de la zona edificaron sus torres orientadas precisamente hacia este punto tan significativo.

Nada es casual. Aquella carretera fue trazada por un singular párroco que llegó en 1885 a Rennes-le-Château casi como castigado. Se llamaba Berenger Sauniere. No era un cura típico; sus superiores decidieron «desterrarlo» al fin del mundo. Y el fin del mundo más cercano para ellos estaba aquí...

Seis años después de su llegada acometió la reconstrucción de la antiquísima iglesia local, una obra románica del siglo XI que se caía de vieja. Y mientras efectuaba las obras, en el interior de un balaustre de madera hueco que sostenía el altar encontró unos pergaminos sorprendentes. Parte de ellos representaban genealogías y otros eran jeroglíficos. Para averiguar de qué se trataba aquello viajó a París, en donde varios paleógrafos trataron de descifrar el contenido de aquellos textos. Fuera cual fuera, las élites parisinas le abrieron sus puertas y se convirtió en el personaje más importante del esoterismo local.

Es como si hubiera encontrado un Santo Grial, un tesoro documental verdaderamente intrigante que le convirtió en un hombre millonario. A fin de cuentas, parecía el depositario de un secreto que trascendía de su tiempo. Para reflejar su hallazgo decidió transformar la iglesia en un nuevo jeroglífico. Y eso es lo que hoy puede encontrar ahí el viajero...

Hace no muchos años, Rennes-le-Château era destino de buscadores de tesoros y viajeros inquietos. Hoy, por mor del impacto mundial del libro *El Código Da Vinci*, es visita obligada para muchos turistas ávidos de encontrar «pruebas» cifradas de la posibilidad de que Jesús de Nazaret tuviera descendencia con María Magdalena, y de que esa línea genética hubiera llegado hasta nuestros días...

Si visita el lugar, prepárese para encontrarse ante el templo religioso más herético de la Tierra. Nada más entrar, leerá una leyenda en el frontispicio que le advierte: «Este lugar es terrible». Y, por si le quedaban dudas de ello, nada más atravesar el umbral, mire a su derecha... Ahí verá una escultura de madera que representa al demonio Asmodeo —el guardián del secreto, según la tradición— sujetando una pila bautismal. Un demonio que le mira desafiante, como avisándole de que está entrando en un lugar entre prohibido y sagrado. No es para menos, porque descubrirá que sus pies reposan sobre un tablero de ajedrez. Y es que todo el suelo está formado por baldosas negras y blancas, del mismo modo que lo estaban en tiempos los templos de rosacruces y masones.

Los cuadros del interior de la iglesia representan las estaciones de la Pasión de Jesús de Nazaret. Parece, de buenas a primeras, lo lógico en un templo levantado para piadosos convencidos. Pero no; porque los detalles de los cuadros son inquietantes. En ellos, María Magdalena aparece dolosa sufriendo en sus carnes el castigo que el propio Jesús vivió camino de la cruz. Pero la satanizada mujer —así nos la ha pintado la Iglesia durante dos milenios— está embarazada en estos cuadros. Ciertamente, eso es lo que parece hacernos creer la simbología de esta iglesia: Jesús se desposó con la Magdalena y tuvo descendencia con ella. Ése sería el contenido de los pergaminos cifrados que encontró Sauniere y que serían parte del tesoro documental de cátaros y templarios. Un secreto que habrían dejado allí...

Cometería un error si únicamente visitara Rennes-le-Château en su viaje. En aquella misma zona se encuentra Montsegur, ese castillo edificado en una escarpada cumbre que fue asediado por los cruzados cuando los cátaros se refugiaron allí con su secreto. Dice la historia que los hombres blancos, los hombres buenos, esos cristianos puros y sabedores de la verdad de Jesús, lograron escapar a última hora de la espada cruzada dejando a buen recaudo su tesoro.

Desde entonces hasta ahora, diferentes grupos de iniciados y sociedades secretas habrían logrado preservar en esta región el auténtico Santo Grial, la copa en la que según la tradición José de Arimatea guardó la sangre derramada por Jesús de Nazaret. Pero el verdadero Grial no sería un cáliz, sino que sería el secreto de la descendencia sanguínea de Jesús de Nazaret. Una descendencia que, según esos pergaminos, se habría preservado con el paso de los siglos confundida entre varias dinastías, desde los merovingios a las casas reales europeas. Incluso hoy, algunos Borbones aseguran sentirse descendientes directos de Jesús de Nazaret. Es por ello que reclaman para sí la restauración de la monarquía en Francia, la tierra sobre la que pusieron sus pies, de acuerdo con esta tradición, los primeros hijos de Jesús y María Magdalena.

Tanto dinero logró recaudar aquel sacerdote hace un siglo que reedificó el pueblo por completo. Construyó una vivienda sacerdotal a la que llamó Villa Bethania, hoy transformada en un museo de mil recovecos y sorpresas. En uno de sus extremos levantó una torre, la torre Magdala, desde la que contempla la región del Languedoc como si de un vigilante se tratara. Y es que algo así se consideró a sí mismo Sauniere: el último vigilante y cifrador del gran secreto de la cristiandad...

Esté atento a todos los detalles; no deje de contemplar el fresco que decora la pared de la iglesia, en donde verá representada una tumba de piedra custodiada por pastores. Es una representación del cuadro *Et in Arcadia Ego*, del artista Nicolas Poussin, de quien se dice que perteneció a las mismas corrientes esotéricas que salvaguardaron el secreto más terrible de la historia.

Pues bien, esa tumba se encontraba en el monte Cardou, aquel del que antes les hablábamos. Alguien, hace no muchos años, la dinamitó. Si visita los castillos de la zona, incluido el de Puivert, ese en el cual Roman Polansky rodó las escenas de *La novena puerta*, descubrirá que todos están orientados hacia este mistérico monte en donde estaba la que se dice que fue la tumba de Dios, a la que mira directamente y con toda la intención la lápida de la tumba de Sauniere, enterrado en un cementerio que estremece el alma junto a la que fue su ama de llaves, la guardiana de su vida, Marie Dedarnaud. También fue la ama de su corazón, la mujer a la que amó y deseó. Para aquel sacerdote, amarla no fue sacrilegio alguno. A fin de cuentas, había descubierto el Santo Grial, el gran tesoro de los cátaros, la descendencia de Jesús de Nazaret fruto de su amor con María Magdalena...

¿Quiénes fueron los merovingios?

Tras la caída del Imperio Romano de Occidente, y con ello de sus formas de gobierno a través de instituciones que llevaban operando durante siglos, el poder de los bárbaros germanos se extendió durante el siglo V por buena parte de los otrora territorios bajo la influencia romana. En el caso de las Galias, geografía perteneciente a la actual Francia, diversos pueblos como visigodos y francos se asentaron en aquella latitud dando inicio a una suerte de reinados, los cuales fueron a la postre el fundamento esencial para el futuro Estado francés.

La dinastía merovingia quedó instaurada a mediados de esa centuria con Meroveo alzado en padre de esa saga tan peculiar como misteriosa, dado que ni siquiera los orígenes del fundador están claros. Aunque sí su reinado, que parece haberse producido entre los años 448 y 457-458 d. C. A él le cupo el honor de haber asistido a la trascendental derrota de Atila y los hunos, mientras que a sus sucesores hay que atribuirles otros méritos. Tal fue el caso de Clodoveo I [481-511], vencedor de los poderosos alamanes, una tribu que amenazaba constantemente la frontera establecida por los francos en los territorios que hoy pertenecen al país germano. Su casi milagroso éxito sobre la confederación de tribus germánicas provocó su conversión al catolicismo. Esto fue algo motivado, en buena parte, por la acción de su mujer cristiana, la burgundia Clotilde, quien hizo ver a su esposo que todas las victorias sobre sus enemigos venían dadas por la acción directa del Dios único y verdadero. Clodoveo se bautizó con absoluta devoción en el año 496, recibiendo bendiciones y parabienes del sumo pontífice romano, el cual consiguió desde entonces el apoyo incondicional de su nuevo aliado franco. Más tarde, este rey principal para una dinastía llamada a perdurar más de tres siglos obtuvo otra importante victoria sobre los visigodos de Tolosa pésimamente dirigidos por Alarico II, en la batalla de Vouille, celebrada en el año 507, y que dio al traste con las aspiraciones godas en los territorios galos, dejándoles relegados a una pequeña franja mediterránea llamada Septimania y, por supuesto, a la práctica totalidad de la península Ibérica, donde permanecieron hasta la invasión musulmana del 711.

Pero ¿a qué se debe el inusitado resurgimiento de los merovingios en nuestros días? La causa debemos buscarla principalmente en la publicación de libros como *El último merovingio*, de Jim Hougan, *El enigma sagrado*, de Michael Baigent y Richard Leigh, o el nombradísimo *Código Da Vinci*, de Dan Brown, por citar algunas de las decenas de obras que se han escrito en los últimos años y que han abordado la sugerente cuestión de un supuesto Santo Grial oculto en la zona francesa de Languedoc. En esos títulos y en diversas leyendas populares se relaciona directamente a los merovingios con la custodia física y espiritual del Santo Grial encarnado en una supuesta descendencia de María Magdalena y Jesús de Nazaret. Según estas heréticas conspiraciones, la familia real franca estaría directamente entroncada con este linaje crístico, llegando sus reminiscencias a nuestros días con varias casas reales europeas resultantes de aquella divina mezcolanza. Serían los casos de los Habsburgo, Orleans, Borbón y, si indagamos con más profundidad, la práctica totalidad de monarquías, reinantes o no, que hoy tenemos en Europa.

En cuanto a los merovingios, no podemos asegurar que mantuvieran esa misión en su tiempo de poder, lo que sí sabemos son ciertos datos históricos que nos ponen en la pista de unas cabezas coronadas más pendientes de la holganza vacacional que de sus compromisos a la hora de dirigir el reino o reinos asignados a ellos. La unificación territorial bajo los cetros de Clodoveo I o Dagoberto I fueron meros destellos, ya que la posterior disgregación en entidades independientes como Neustria, Austrasia o Borgoña fueron debilitando el poder real en beneficio de la emergente clase aristocrática representada fielmente por los mayordomos de palacio. Finalmente, la influencia, el dinero y el apoyo eclesial y político provocaron la caída de los merovingios en un golpe que hoy llamaríamos de Estado y cuyos artífices fueron, como era de esperar, los mayordomos tutores del país, los cuales crearían una nueva dinastía, la carolingia, con personajes relevantes para la historia europea como Carlos Martell, Pipino el Breve, Carlomán o Carlomagno, que daría título al nuevo linaje galo. En cuanto al último merovingio del que tanto se habla y del que tanto se hablará, sólo diré que, lejos de cualquier especulación imaginaria por parte de autores arriesgados, el auténtico legitimado para decir que puso fin a esa saga es Childerico III, quien reinaría entre 742-751, año en el que Pipino el Breve, llamado así

Son abundantes las leyendas galas en torno al linaje perdido de los merovingios, la dinastía fundadora de Francia.

por su escasa estatura, le depuso con la aquiescencia del papa Boni-
facio, acaso trémulo ante el revelador misterio que guardaban celosamente los merovingios. Lo cierto es que el último representante
de esta casa real acabó sus días recluido en el convento de Saint Omer,
falleciendo en 756 y llevándose el secreto familiar a la tumba, sin
que sepamos con certeza si esa hipotética relación con los descendientes del Mesías salvador se mantuvo con otras sociedades y órdenes posteriores como cátaros y templarios, o más bien se difuminó
en los cielos del sur de Francia hasta ser resucitado a mediados del
siglo XX, gracias a un extraño invento conocido como Priorato de
Sión y que se arrogó el derecho de ser continuador de la estirpe merovingia.

Capítulo VI
Herejes

Prisciliano, el Lutero hispano

El periodista y escritor Ramón Chao, en su obra *Prisciliano de Compostela* (1999), afirma que los huesos venerados por dos millones de peregrinos al año en la catedral de Santiago de Compostela son del gallego Prisciliano.

Un hereje, en fin, que en el siglo IV revolucionó el cristianismo primitivo chocando frontalmente con la Iglesia, ejecutado en la ciudad alemana de Tréveris en el año 385 y cuyos restos habrían sido trasladados por sus seguidores hasta Galicia. Ramón Chao se suma así a tantos otros historiadores, españoles y extranjeros, que, como el profesor Henry Chadwick, de la Universidad de Oxford, también aseguran que la urna de plata de la catedral encierra las reliquias de Prisciliano, y no las del apóstol. El propio Miguel de Unamuno mencionó en muchas ocasiones la posibilidad de que la historia de Prisciliano se hubiera solapado con la leyenda del apóstol Santiago: «El sepulcro de Santiago lo es de toda España, pero quizá repose en él el gnóstico gallego Prisciliano».

Entre los dos personajes surgen varias coincidencias: ambos mueren decapitados, ambos son trasladados a Hispania por sus discípulos dentro de un sarcófago de piedra y ambos entran por la desembocadura del río Ulla, llegando a Galaecia, en concreto a Iria Flavia (de donde dicen algunos que sería natural Prisciliano), para depositar los restos en la necrópolis céltico-romana de Amaea, en cuyos alrededores surgió Compostela. Los defensores de las dos tesis están de acuerdo en que las excavaciones de la catedral de Santiago revelan la existencia de una necrópolis cristiana anterior al descubrimiento del mito jacobeo, que sólo tendría su razón de ser en la tumba de un gran personaje o santo que daría la clave de Compostela, palabra que procedería del latín *Compositum*, lo que quiere decir 'lugar de enterramiento'.

Como se ve, hay mucho ruido y pocas nueces en torno a esta controversia que algunos intentan atajar diciendo que Prisciliano realmente está enterrado en Santa Eulalia de Bóveda, al sur de Lugo.

Haciendo un breve repaso biográfico, nuestro personaje sería originario de una familia de Iria Flavia del siglo IV. Sulpicio Severo (en su *Vita Martini*) se refiere a él en estos términos: «Era agudo, inquieto, elocuente, culto y erudito, con extraordinaria disposición para el diálogo y la discusión... Podían verse en él grandes cualidades, interiores y físicas. Podía mantenerse despierto largo tiempo, soportando hambre y sed, poco ávido de bienes, expresamente parco en su uso. Asimismo vanidoso y más orgulloso de lo normal de sus conocimientos profanos; incluso se cree que, desde su juventud, practicó la magia».

En su adolescencia recibió las enseñanzas de una aristócrata, Ágape, y de su marido, un retórico llamado Elpidio, personajes que siempre le acompañaron en todas sus vicisitudes. Algunos (como Higinio, obispo de Córdoba) afirman que fue iniciado por el sabio Marco de Menfis, pero es un dato falso, pues Marco vivió antes de nacer Prisciliano.

Cuando estuvo preparado para la enseñanza, recorrió villas, trochas y caminos, atrayendo a nobles, plebeyos, mujeres y también a obispos, como Instancio y Salviano, propagándose rápidamente el priscilianismo por Galaecia, Lusitania y Bética. Debía de poseer un gran carisma, manifestado en que allá por donde pasaba iba dejando comunidades de fieles seguidores que se comprometían a vivir según su modelo, pero no recluidos en monasterios, sino en sus propias villas y ciudades, reuniéndose periódicamente. Practicaban el ayuno, seguían un régimen vegetariano, no bebían alcohol y su vida era de lo más ascética. Para atajar los progresos de la nueva doctrina, se reunió en el año 380 un concilio en Zaragoza, donde fueron excomulgados los prelados Instancio y Salviano y los laicos Elpidio y Prisciliano.

En el año 382, cuando contaba la edad de treinta y tres años, apoyado por el clero extremeño y portugués, Instancio y Salviano elevaron a Prisciliano al obispado de Ávila, persuadidos del apoyo que sus doctrinas tendrían con este importante cargo eclesiástico, tres años después de haber sido ordenado sacerdote. A ello se opuso Hidacio, obispo de Mérida, y el emperador Graciano, que decretó el destierro *extra omnes terras* a los herejes españoles. Gracias a Macedonio, que intervino ante el emperador Graciano, éste anuló el destierro y restituyó a los priscilianistas a sus iglesias. Pero poco tiempo duró el restablecimiento, ya que cuando llega a emperador Clemente Máximo, fueron nuevamente perseguidos. A esta caza con saña se unió otro obispo, Itacio, acusando a Prisciliano de sostener doctrinas heréticas sobre la Santísima Trinidad, de practicar la magia, el maniqueísmo y de tener excesos sexuales. Una de estas acusaciones era «la obtención de buenas cosechas mediante la consagración de los frutos al Sol y a la Luna».

Prisciliano y los suyos intentaron solicitar el apoyo del Vaticano, ante el papa Dámaso, y emprendieron camino por la vía de Astorga a Burdeos. El papa se negó a recibirlos; lo mismo sucedió con san Ambrosio, obispo de Milán. Amenazados por todos los poderes, Prisciliano y los suyos marcharon a Tréveris, donde un sínodo de obispos inició contra ellos un juicio. Sometidos a tortura, confesaron que practicaban la brujería (*maleficium*) y que se entregaban a prácticas obscenas y a orar desnudos. Así, desoyendo las súplicas que elevó en su favor Martíns de Tours, Prisciliano y varios adeptos suyos fueron condenados en el año 385, entregados al brazo secular y decapitados en Tréveris (actualmente en Alemania), donde gobernaba Máximo, que compartía su imperio con Graciano. Constituyó la primera muerte de un cristiano a manos de otros cristianos. Como dice Sánchez Dragó, es el primer mártir por un delito de opinión.

Murieron con él dos clérigos, Felicísimo y Armenio; el diácono Aurelio, su amiga Eucrocia (también llamada Ágape) y Latroniano, un poeta cristiano de la Aquitania de suficiente renombre como para ser incluido en las *Vidas de hombres ilustres*, de san Jerónimo. Sus cuerpos son llevados a Hispania, según Sulpicio Severo. Y aquí se debería haber terminado la historia de este revolucionario de las ideas, del pensamiento y de la Iglesia heterodoxa. Sobre todo cuando en el año 400 abjuraron en masa los que poco antes se mostraron reacios, siendo el I concilio toledano el colofón de este acontecimiento.

Muchos notables priscilianistas abjuraron, entre ellos Simphosio y Dictimio, pero mantuvieron vivas las doctrinas de Prisciliano. Tanto que en el año 409 los godos invadieron la Península y el priscilianismo encontró refugio en Galicia, sometida a los suevos. Puede afirmarse que el II concilio de Braga (celebrado en 567) enterró casi definitivamente el priscilianismo, aunque algunos estudiosos dicen que, como secta secreta, esta herejía duró hasta el siglo IX.

¿Cuáles eran esas doctrinas que tantas ronchas levantaban en el seno de la Iglesia? Pueden resumirse en lo siguiente: negaban la Trinidad y no distinguían personas en ella, sino atributos derivados de la esencia divina; el demonio es intrínsecamente malo (coincidiendo con los maniqueos) y no fue creado por Dios, sino que surgió del caos y las tinieblas; los ángeles y el alma humana son, en esencia, de la misma sustancia divina; los cuerpos estaban sometidos al influjo de los astros y cada parte del cuerpo dependía de un signo del Zodiaco. Abre las puertas de los templos a las mujeres como participantes activas, predica la abstinencia de alcohol y la carne, no prohíbe el matrimonio de monjes ni clérigos, aunque recomienda el celibato, condena la esclavitud y admite los prohibidos evangelios apócrifos de Tomás,

Juan y Andrés. Utiliza el baile como parte de la liturgia. Los priscilianistas negaban la resurrección de los cuerpos y consideraban el Antiguo Testamento no como verdades, sino como alegorías.

Cuando en el año 814 se encuentra un sepulcro en el monte Libredón, con toda la parafernalia de luces, el obispo Teodomiro y el rey de Asturias, Alfonso II el Casto, dictaminan por ciencia infusa que se trata del de Santiago y eso sin prueba alguna. Pero en el ambiente flotaban dos poderosas razones que convenía que así fuera: era necesario elevar la moral de las tropas cristianas, en plena Reconquista, y suplantar el culto priscilianista, todavía en auge, por el de un apóstol fuera de toda sospecha, como era Santiago.

He aquí el retrato de un hombre que tuvo la desgracia de adelantarse a su tiempo, como la de tantos otros...

Giordano Bruno, el hereje que pensó por sí mismo

Hace más de cuatrocientos años, la Santa Inquisición, en nombre de Dios, condenó a morir en la hoguera a un hombre que se anticipó a su tiempo, pero que nos dejó un mensaje de cómo la rebeldía es una causa que es necesario poner en práctica para enfrentarse al poder establecido. Fue condenado por hereje, pero en realidad quienes le sentenciaron a muerte lo hicieron porque vieron en él a alguien capaz de pensar por sí mismo. Ése fue su mayor pecado...

Pongamos por delante unas breves pinceladas biográficas para retratar la vida de Giordano Bruno, un personaje que nació en Nola (Italia) en 1548 y que con apenas quince años ingresó en los dominicos. Sólo trece años después, las primeras sospechas empezaron a recaer sobre él. Y todo porque se negaba a idolatrar a los santos y por empezar a manifestar una idea de Dios que iba mucho más allá de la concepción antropocéntrica de la época. Sin embargo, en absoluto era un ateo. Él creía en Dios, pero lo hacía con una visión científica que o no quisieron o no llegaron a entender los hombres de su época. A fin de cuentas, él fue el primero —y hete aquí la que puede ser su idea más innovadora— en proponer la pluralidad de mundos habitados, un concepto que en aquella época quebraba con absolutamente todo lo establecido...

Pero no vayamos aún tan lejos. Con tan sólo veintiocho años abandonó el monasterio dominico y, tras viajar en busca de respuestas vitales, abrazó el calvinismo pero, poco después, cuando quiso ejercer el derecho a la libre opinión, fue hecho prisionero acusado de ser contrario a la libertad intelectual. Y todo por haber mostrado su disconformidad con algunas de las normas propuestas por Calvino. Es decir, la condena que le cayó fue justo por lo contrario de lo que hizo.

Su batalla contra los poderes establecidos no quedó ahí. Tras su guerra contra el calvinismo se trasladó a Londres, en donde se convirtió en profesor de la Universidad de Oxford. Eran los tiempos en los que el mundo aristotélico empezó a perder sentido frente a las propuestas de Copérnico. Básicamente, se empezaba a considerar nuestro mundo como una parte del universo y no como el centro.

Erróneamente, algunos recuerdan su figura como la de un mártir científico. Y eso es falso por mucho que Bruno prefigurara algunos conceptos propios de la ciencia moderna. Sus tesis suponían una ruptura con lo medieval y a punto estuvo de plantear conceptos propios del siglo XX. Ya dijo que cada estrella es el centro de un sistema planetario, algo que hasta hace sólo veinte años aún eran negado por muchos científicos.

Pero tampoco fue sólo un hereje religioso. Cierto que por eso fue condenado a la hoguera en el año 1600. Fue quemado vivo «a fuego lento, para incrementar el sufrimiento». De él, la Santa Inquisición dijo que era apóstata, impenitente, herético y obstinado. Entre las cosas que negaba rotundamente estaba el pecado original; no podía concebir que el amor carnal fuera un crimen cuando era un modo de mantener el discurrir del universo hacia el infinito. También ponía en duda el sentido que la Iglesia daba a la encarnación de Jesús;

pues siendo como fue un defensor de la pluralidad de mundos, al afirmar tal cosa cuestionaba el carácter único de la figura de Jesús. A día de hoy, la Iglesia sigue sin aceptar sus planteamientos...

Su discurso frente a las acusaciones que vertían contra él los doctores de la Iglesia fue memorable: «Creo que el universo es infinito como obra del divino e infinito poder, porque hubiera sido indigno de la omnipotencia y de la bondad de Dios crear un solo mundo finito pudiendo crear, además de este mundo, infinitos otros. Por tanto, declaro que hay múltiples mundos parecidos al nuestro... Esto parece a primera vista contrario a la verdad si se compulsa con la fe ortodoxa. Además, en este universo hay una providencia por cuya virtud todos los seres viven, se mueven y perseveran en su perfeccionamiento... Con respecto a la verdadera fe, ha de creerse en la individualidad de las divinas personas».

Su discurso nos recuerda por qué fue un hereje. Es muy sencillo: Giordano Bruno defendió el librepensamiento como única forma de crecimiento personal. Y ese mensaje de independencia respecto a los poderes establecidos es aquello que nos debe quedar de un personaje que fue quemado porque ejerció su derecho a opinar por sí mismo. Ésa fue su herejía.

Juicio contra Galileo Galilei

Nuestra historia comienza el 24 de mayo de 1543, cuando el astrónomo polaco Nicolás Copérnico publica su libro *La revolución de los cuerpos celestes*; casi sin pretenderlo, había dado un inmenso salto cualitativo sobre la concepción de los mecanismos que movían el universo. Por desgracia, este adelantado falleció al poco de ver impresa su obra, con lo que se perdió el terremoto científico en el que desembocó su hipótesis heliocentrista. Según Copérnico, la Tierra no era, como se creía, el núcleo estático del firmamento, sino que la actividad dinámica del Sol, los planetas y las estrellas se podía explicar admitiendo el doble movimiento de la Tierra, es decir, la rotación diaria sobre su eje y la traslación anual alrededor del Sol. Con este pensamiento se desmontaban las viejas teorías del astrónomo Claudio Ptolomeo, quien, en el siglo II d. C., estableció que la Tierra era el centro de referencia universal y que todo giraba, incluido el Sol, en torno a nuestro planeta —algo muy parecido a lo planteado por el griego Aristóteles, algunos siglos antes—. Esta última hipótesis era la oficialmente admitida por la Iglesia católica, por lo que no es de extrañar que los defensores de Copérnico, en su casi totalidad protestantes, fueran considerados herejes de la ciencia impuesta y admitida. No obstante, el que pasó a la historia como inquebrantable defensor de las teorías copernicanas fue Galileo Galilei, un italiano nacido en 1564 con la vocación de ser físico y astrónomo en sus vertientes más heterodoxas, lo que le acarreó constantes enfrentamientos con la Iglesia. Ya desde la aparición en 1610 de su libro *El mensajero sideral*, donde se apuntaban las virtudes copernicanas, el Vaticano intentó desacreditarle como astrónomo, llegando a formular contra él una acusación de hereje en 1615. Un año más tarde sus investigaciones eran ampliamente criticadas desde los púlpitos eclesiales, a lo que él contestó con una extensa carta en la que solicitaba que la Biblia se acomodara a los descubrimientos científicos de la modernidad. Esto supuso un nuevo escándalo y la reprobación más encendida desde las clases católicas dirigentes. El proceso culminó con una seria advertencia hacia Galileo en la que le conminaban a no seguir difundiendo las erróneas teorías de su maestro polaco. Ante esto el físico pareció callar convencido de la inutilidad que suponía seguir combatiendo, prácticamente en solitario, frente al muro de la incomprensión oficial. Pero él había visto con su telescopio primigenio las manchas del Sol, las montañas de la Luna, cuatro satélites de Júpiter y las fases crecientes y menguantes de Venus, y todos estos descubrimientos asombrosos lo convirtieron en un testigo privilegiado de lo intuido por Copérnico. ¿Quién podría ocultar semejantes hallazgos? Con lo que volvió a importunar en 1623,

El mundo actual tiene una deuda inmensa con hombres como Galileo (en la imagen durante su juicio), que pagaron con su vida por aportar luz y conocimientos a nuestra civilización.

cuando publicó *El ensayador*, una obra muy aplaudida por toda Europa en la que revelaba buena parte de sus ideas con respecto a las matemáticas como genuino lenguaje de la naturaleza y, de paso, aprovechó para cargar las tintas sobre Horacio Grassi, un influyente jesuita considerado su peor enemigo. Nueve años más tarde, el religioso de la Compañía cobraría venganza alentando a los tribunales que juzgaban a Galilei por su *Diálogo sobre los dos máximos sistemas del mundo*. En realidad, el papa Urbano VIII había dado permiso para la publicación de la obra confiado por las explicaciones de Galileo, quien se comprometió a no seguir encendiendo la hoguera de la controversia en este asunto tan delicado para Roma y para su milicia intelectual, encarnada por entonces en la Compañía de Jesús. Sin embargo, nuestro personaje, muy comprometido con la verdad, no quiso eludir su responsabilidad científica y utilizó el texto a conciencia para denunciar el inmovilismo de los estamentos sociales dominantes en aquel periodo histórico. El proceso fue sinuoso y tremendamente injusto con el acusado. La presión sobre él se incrementó hasta tal punto que no tuvo más remedio que abjurar de sus creencias a fin de evitar una más que segura condena capital. La retracción efectuada sobre sus creencias salvo su vida a cambio de una cadena perpetua que, más tarde, quedó en simple arresto domiciliario. Galileo tenía sesenta y ocho años, estaba hastiado de tanta batalla científica, diezmado por la enfermedad y casi ciego y sordo; tan sólo ansiaba terminar con aquello y retirarse a reposar sus últimos años en la modesta casa que poseía en Arcetri, un pueblo cercano a Florencia.

En 1639 publicó *Discursos y demostraciones matemáticas en torno a dos nuevas ciencias,* un libro que iluminó a Isaac Newton para afinar su teoría sobre la gravitación universal.

Tres años más tarde, Galileo falleció sin que el Vaticano hubiese corregido su lamentable error. En 1870 se publicó toda la documentación sobre este célebre juicio de la historia, y gracias a ello se pudo comprobar que no sólo la iglesia fue culpable en el dictamen, sino también los filósofos que asesoraron en aquel trance.

Según cuenta la leyenda, cuando se encontraba firmando su abjuración, Galileo masculló entre dientes: «Y sin embargo se mueve». Un buen epitafio para un genio inconformista abanderado de la verdadera y única ciencia.

En 1992 el papa Juan Pablo II pidió perdón por las tropelías cometidas en la figura del célebre físico y matemático. Quizá este justo pronunciamiento llegó un poco tarde.

Miguel Servet, el teólogo contestatario

Este singular hereje del siglo XVI fue, sin pretenderlo, un destacado representante del erasmismo científico. Sus trabajos, ideas y conclusiones recibieron la más furibunda crítica desde todos los ámbitos religiosos del cristianismo. Un mérito poco extendido en aquella Europa dividida por diferentes formas de entender el mensaje cristiano. Aun así, el injusto juicio al que fue sometido y su innegable aportación al avance médico gracias a su descubrimiento sobre la circulación sanguínea pulmonar le hacen merecedor de un lugar de privilegio en la galería de personajes ilustres de la humanidad.

Nació en 1511 en Villanueva de Sigena, un pequeño pueblo de Huesca, donde su padre ejercía el noble oficio de notario. La formación del pequeño Miguel fue bastante completa, pues cuando abandonó con trece años su lugar de origen rumbo a Lleida y Barcelona, ya hablaba perfectamente latín, griego y hebreo. Con apenas quince años consiguió ser discípulo protegido de fray José de Quintana, quien, a la postre, se convertiría en confesor personal del emperador Carlos V. Precisamente, Miguel en compañía de su maestro asistió a la coronación imperial celebrada en Bolonia en 1529. A decir verdad, sus años adolescentes le marcaron decisivamente a la hora de emprender sus constantes retos teológicos y científicos. Su formación académica quedó resuelta en sus estancias por tierras francesas, donde se impregnó de los aires intelectuales reformistas que circulaban por aquellos lares. Estas tendencias conjugaron a la perfección con su talante obstinado e independiente, dando rienda suelta a su pensamiento libre y rebelde. Con diecinueve años fue acusado de hereje por formular algunas hipótesis sobre la supuesta falsedad trinitaria de Dios. En 1531 publicó su primera obra, cuyo título no invitaba al engaño: *De Trinitatis Erroribus*. Planteamiento que quedó reforzado un año más tarde con la publicación de *Dialogorum de trinitate libri duo*, y *De iustitia regni Christi capitula quattuor*. Estos textos le procuraron encendidos ataques de protestantes y católicos. La Santa Inquisición condenó sus trabajos y ya nunca pudo regresar a su patria por temor a ser juzgado y quemado en la hoguera.

Servet, fiel a su espíritu y a sus postulados analíticos sobre la religión, inició desde entonces un peregrinaje por algunos territorios europeos. De Alemania pasó a Francia, donde conoció al reformista Calvino, con quien, por supuesto, terminó discutiendo acaloradamente. Una vez más, el incómodo aragonés tuvo que huir, y en esta ocasión salió de París con destino a Lyon, ciudad en la que trabó relación profesional con unos impresores, los cuales le encargaron tres ediciones de la Biblia y dos sobre las obras de Ptolomeo. Fueron unos años de relativa paz en los que hizo amistad con el médico Champier, quien inculcó a Servet su amor por la medicina. Gracias a ello decidió inscribirse en la Universidad de París dispuesto a ser galeno, oficio que practicó desde entonces con cierta notoriedad por algunos pueblos y ciudades de Francia, afincándose finalmente en la localidad de Vienne, donde permaneció como médico personal del obispo local hasta 1553, año en el que sus publicaciones, discrepancias y rebeldías le condujeron a la cárcel por hereje. Hasta ese momento, Miguel Servet había ya publicado abundante material, no sólo sobre teología, sino también sobre la disciplina médica. Y, en ese sentido, debemos hablar de su principal obra, titulada *Christianismi Restitutio*, esbozada durante años y publicada en enero de 1553. En el texto se explicaba en un apartado, a modo de sencilla digresión, nada menos que la circulación sanguínea pulmonar, hecho observado minuciosamente por él en su época de galeno y desconocido para el resto de los mortales. Lo curioso de esta historia radica en que el científico aragonés no incluyó el hallazgo en ninguna obra dedicada a la fisiología y sí lo hizo, en cambio, en un texto teológico. La explicación a esta incógnita es clara, pues Servet pensaba que el alma humana estaba confortablemente instalada en la sangre, de ahí su interés por averiguar cómo transitaba el líquido vital por el cuerpo humano. El escándalo fue mayúsculo y, aunque logró escapar de su encierro inicial en Vienne, al final fue capturado mientras asistía camuflado a un sermón de Calvino en Ginebra. El implacable dictador religioso no quiso escuchar las peticiones de clemencia del aragonés y, sin dilación, preparó un juicio sumarísimo en el que se le negó abogado defensor al sufrido provocador. La sentencia se dictó casi de inmediato y aquí transcribimos su parte final:

«Contra Miguel Servet en el Reino de Aragón, en España: porque su libro llama a la Trinidad demonio y monstruo de tres cabezas; porque contraría a las escrituras decir que Jesús Cristo es un hijo de David; y por decir que el bautismo de los pequeños infantes es una obra de la brujería, y por muchos otros puntos y artículos y execrables blasfemias con las que el libro está así dirigido contra Dios y la sagrada doctrina evangélica —Restitución del cristianismo—, para seducir y defraudar a los pobres ignorantes. Por estas y otras razones te condenamos, Miguel Servet, a que te aten y lleven al lugar de Champel, que allí te sujeten a una estaca y te quemen vivo junto a tu libro manuscrito e impreso, hasta que tu cuerpo quede reducido a cenizas y así termines tus días para que quedes como ejemplo para otros que quieran cometer lo mismo».

Al día siguiente Miguel Servet fue conducido a Champel, lugar donde se celebró su ejecución, utilizándose leña verde para que la agonía fuera lenta. Tenía cuarenta y dos años y había conseguido polemizar con todos los sectores recalcitrantes del cristianismo. Sin duda, este mártir del librepensamiento merece nuestro respeto.

El juicio de Juana de Arco

El caso que dio con el frágil cuerpo de esta heroína francesa en una pira inquisitorial se convirtió en paradigma de mártires cristianos sometidos a la injusticia y el oprobio de intereses eclesiales corruptos. Nacida en enero de 1412 en el pueblo de Donrèmy, sintió a los trece años como unas voces que ella entendió sobrenaturales le indicaban la manera de ayudar a Francia en aquel momento acuciante por el que atravesaba la guerra de los Cien Años. En ese peligroso capítulo de confusión, ingleses y borgoñones asolaban el territorio galo. Todo hacía ver que el conflicto se decantaría por el bando aliado frente a la facción que defendía la legitimidad del delfín Carlos VII. Sin entrar en pormenores, la aparición fulgurante de Juana consiguió dar un giro espectacular a los acontecimientos y, tras demostrar sus dones adivinatorios ante Carlos, dirigió a las tropas que liberaron Orleans del asedio inglés. Empero, su aureola casi mesiánica se tornó en su contra, siendo el propio delfín, más bien por desidia que por inquina, el que permitió su captura impune y posterior juicio a manos de sus enemigos.

El apresamiento de la doncella se produjo en mayo de 1430, cuando ésta y quinientos hombres defendían la plaza de Compiègne, que finalmente cayó en manos del borgoñés Juan de Luxemburgo, un distinguido militar, el cual accedió previo pago a entregar a los ingleses a esa muchacha que tantas humillaciones les había procurado. Sin embargo, los ingleses no podían juzgarla por las derrotas sufridas y buscaron la tan socorrida argucia de condenarla por herejía.

Todo estaba preparado para uno de los juicios más humillantes de la historia, sin que Carlos VII —rey coronado por Juana— quisiera hacer nada por impedirlo. Ése fue el agradecimiento mostrado hacia la mujer que posibilitó su reinado. Seguramente, la doncella de Orleans se había convertido en un elemento demasiado perturbador para ese infeliz sujeto. Así pues, nadie movió un dedo a fin de evitar que nuestra protagonista fuera internada en el castillo de Rouen —capital de Normandía—, desde donde esperó resignada su suerte. Las condiciones de vida en una fortaleza del siglo XV no eran las más optimas para una joven virgen de diecinueve años. Juana solicitó ser recluida en las dependencias de una iglesia, donde pudiera ser asistida por mujeres. Esta posibilidad le fue negada y la mantuvieron en una celda custodiada por ingleses. En enero de 1431, comenzaron las sesiones preparatorias para el juicio y el 21 de febrero Juana apareció ante sus jueces. Una vez más, la doncella demostró que la pureza era su virtud más poderosa, dejando a los inquisidores más que asombrados ante las respuestas ofrecidas. A pesar de esto, le negaron toda clase de derechos, como el de tener un abogado defensor, así como el de no poder asistir a misa, ni recibir la comunión. En esos días la muchacha tuvo que soportar su confinamiento en una jaula de hierro, encadenada por el cuello, manos y pies, y temerosa siempre de una más que posible violación a cargo de la soldadesca inglesa. En aquellos tiempos, se pensaba que Satán nunca entraba en el cuerpo de una virgen y, durante el juicio, los inquisidores intentaron demostrar que la doncella había perdido su flor, aunque no lo consiguieron. Las sesiones se tornaron virulentas cuando los inquisidores intentaron verificar el origen demoníaco de aquellas voces que acompañaban a Juana, y lo cierto es que ya nada se pudo hacer ante unos individuos dispuestos a la prevaricación con el fin de servir a los intereses de quienes les pagaban.

El 23 de mayo de 1431, cuarenta y dos jueces, de un total de cuarenta y siete, dictaron la sentencia final para la doncella de Orleans. Ésta no era otra sino la de morir entre llamas por una acusación de herejía, apostasía e idolatría. Aún tuvo la farsa un último trance, cuando intentaron que la muchacha se retractara de su actitud diabólica. Pero Juana les respondió que Dios mandaba en ella, y que tan sólo lo haría bajo su indicación. Después de esto, treinta y siete de aquellos confabulados enviaron a la prisionera al cauce civil. Y así, el 30 de mayo de 1431 quedó como fecha fijada para la consumación de la pena capital. Rouen era el sitio elegido y en el centro de su plaza vieja se apilaron numerosos troncos de madera sobre los que se levantaba una estaca.

A Juana le comunicaron su penoso destino esa misma mañana, aceptándole una última confesión y posterior comunión. Después fue conducida al improvisado patíbulo, donde le esperaba una multitud expectante y apesadumbrada. Antes de ser atada al madero, solicitó poder abrazar una cruz, que quedó situada frente a ella. Sin descomponer su dulce gesto, la doncella comenzó a recitar el nombre de Jesucristo, mientras los verdugos ponían fuego sobre una leña que se resistía a la quema. Inexorablemente, el humo y las llamas cubrieron el rostro angelical de la doncella de Francia. Sus enormes ojos azules se llenaron de lágrimas ante la visión de la cruz, sin dejar de pronunciar el nombre de Jesús. Todos quedaron estremecidos ante la pureza de la joven, e incluso sus más fieros enemigos no pudieron evitar el llanto. En pocos minutos concluyó aquel acto macabro, y las cenizas de Juana de Arco fueron esparcidas por el río Sena.

En 1455 se inició un proceso de rehabilitación bajo los auspicios de la Santa Sede, que tras muchas investigaciones declara ilegal el juicio anterior, reprochando la actitud del rey de Francia y de su Iglesia. En los siglos siguientes Juana pasó de ser una bruja a todo lo contrario. En 1869, la causa de Juana de Arco fue defendida ante Roma por monseñor Dupanloup, obispo de Orleans. Tras los trámites necesarios y confirmados los requeridos milagros, el 11 de abril de 1909 era beatificada por Pío X. El capítulo final de esta historia se halla en 1920, cuando Benedicto XV canonizó a Juana de Arco, quien desde entonces sería la santa patrona de Francia.

Nostradamus, un científico y profeta aún incomprendido

Decir con cierto aire de superioridad y desprecio que Nostradamus era un visionario alocado queda muy bien en los tiempos actuales. Es como si decir eso fuera una suerte de carta de presentación de cultura y sobriedad intelectual. Pero a quien esté dispuesto a seguir la corriente a toda esa banda de falsos escépticos quizá haya que contarle que Michel de Notredame no sólo fue un profeta, sino que se trató de uno de los hombres de ciencia más destacados de su tiempo.

Y si por algo fue conocido en su época este tipo vigoroso, taciturno y poco hablador era por haber recorrido en la primera mitad del siglo XVI las regiones de Francia más atacadas por la peste para aplicar sus remedios médicos basados en la profilaxis antiséptica. Sin su buen hacer como médico, la peste podría haber provocado un cataclismo en la Europa de entonces y, quién sabe, quizá el resto de la historia del Viejo Continente hubiera sido distinta.

En cambio, hoy es conocido especialmente por sus 1.174 profecías escritas en poemillas difícilmente descifrables. Pero también sería un error despreciar el carácter visionario de los textos que

CORBIS

Ningún profeta o adivino ha gozado históricamente de la fama de Nostradamus. Sus centurias son en ocasiones tan sencillas de entender y situar en un contexto histórico que provocan una sensación sobrecogedora en el lector.

escribió en sus viajes en el tiempo. Hacerlo es una forma de volver a demostrar desconocimiento e ignorancia, algo que muy a menudo hacen quienes pregonan escepticismo cuando en realidad sólo hacen gala de una soberana falta de recursos neuronales. Deberían saber que ya en vida se significó por ser capaz de predecir hechos futuros. Predijo, por ejemplo, la muerte del rey Enrique II durante los festejos de la boda de la hija del monarca. Una desgracia que aconteció cuando al conde de Montgomery —y eso que todo era un juego de exhibición— se le partió la lanza que portaba en un combate a caballo y se incrustó en el cráneo del rey tras penetrar por sus ojos a través del visor de su casco.

«Maldito sea el adivino que predijo tanto mal tan bien», dijo el conde. Y es que Nostradamus había escrito con anterioridad respecto al futuro que le aguardaba a Enrique II: «El joven león al viejo ha de vencer en campo bélico y en duelo singular. En jaula de oro, sus ojos saltarán y morirá cruelmente».

Independientemente de interpretaciones politizadas y tendenciosas, lo cierto es que las cuartetas de Nostradamus parecen anticipar los grandes acontecimientos que se han vivido en los últimos siglos. En ellas encontramos referencias que difícilmente no pueden atribuirse a hechos históricos como las conquistas de Napoleón, las dos guerras mundiales o la Revolución francesa. Incluso en dichas cuartetas parece adivinarse algo que parece escrito para ser interpretado en nuestro tiempo. Porque dejó escrito que Mesopotamia sufriría varias guerras en las cuales se dirimiría el futuro de la humanidad. Más de uno de sus textos parecen estar en sintonía profética con los conflictos bélicos que han tenido lugar en Irak en los últimos años y que a nadie escapa que tienen una trascendencia fundamental de cara al futuro del mundo.

Lo que cada vez parece más claro y evidente es que Nostradamus estuvo vinculado a ciertas sociedades secretas de su época. Bien parece que formaba parte de un linaje «especial», el de la tribu de Isacar, en la cual algunos de sus hombres heredaban de sus ancestros capacidad para percibir el futuro.

Al margen de esto, sus textos están profundamente cargados de simbología esotérica que no ha sido bien asimilada por sus intérpretes, razón por la cual muchas de sus cuartetas han sido muy mal traducidas. A este propósito resultan extremadamente interesantes las aportaciones del investigador galo Jean Robin, quien en su libro *Respuesta de Nostradamus a Fontbrune* explica como las líneas maestras de las profecías de Nostradamus son básicamente las mismas de otros textos anunciadores previos. Todos ellos parecen influidos por las mismas corrientes herméticas; tanto es así que Robin llegó a plantearse que, amén de sus dotes psíquicas, las obras de Nostradamus hay que interpretarlas en el contexto de estar dirigidas a una suerte de iniciados que podían leer el mensaje oculto de sus textos e ¡incluso cumplir a modo de orden lo que en ellos quedó escrito!

Con su trabajo, Robin dejaba en evidencia las interpretaciones simplistas efectuadas por Jean-Charles de Fontbrune, autor de *Nostradamus, historiador y profeta*, obra que vio la luz en 1980 y que vendió más de un millón de ejemplares. En ese trabajo, Fontbrune ve en los textos de su tocayo alusiones a una Tercera Guerra Mundial. Pero al no haber tenido en cuenta el sentido oculto del lenguaje enrevesado empleado por Nostradamus, sus traducciones deben quedar en cuarentena. Por desgracia, aún está por llegar el investigador que encuentre la llave maestra para descifrar por completo el contenido de esos más de mil poemillas, que podrían esconder claves para entender el pasado, presente y futuro de la humanidad.

Nicolás Flamel

El más grande de los alquimistas, hombre culto y notable, muy famoso en vida y de quien se dice que alcanzó a descubrir la piedra filosofal, nació, posiblemente, en Pontoise, aunque hay muchas dudas al respecto, en torno al año 1330. Era de familia humilde, con lo que eso significaba en la Europa del siglo XIV, pero de alguna manera se las arregló no sólo para aprender a leer y escribir, sino para hacer de ello su profesión, pues el primer trabajo que se le conoce fue el de escritor público, una actividad necesaria en una época de analfabetismo masivo. En estos años, duros para Francia, sumida en el caos de sus terribles derrotas ante los ingleses en las primeras décadas de la guerra de los Cien Años y arruinado el campo por la devastadora peste negra, sabemos que Nicolás Flamel se instaló en París, en la calle de Saint Jacques, y llegó a ejercer como librero jurado, desarrollando su trabajo con habilidad y maestría.

Cuentan que una noche, mientras dormía, se le apareció un ángel en sueños que sostenía un libro con unos extraños caracteres en la portada que no supo descifrar. A los pocos días, en una mañana del año 1357, entró en su tienda un hombre extraño con un libro, un grimorio, del que quería deshacerse por necesitar con urgencia dinero. La obra se titulaba *El libro de Abraham el judío*, y Flamel reparó en que el rostro del hombre era el del ángel que se le había aparecido en sueños. Sin dudar adquirió el libro. Sospechaba que en él encontraría respuesta a los más ocultos secretos de la naturaleza, del destino y del mundo. A partir de ese momento, con algo menos de treinta años, su vida iba a cambiar para siempre.

Sin embargo, Flamel no tenía los conocimientos precisos para poder entender el libro; de hecho, ni siquiera podía leerlo. Sin dudar y haciendo acopio del escaso dinero del que disponía, decidió aprender todo lo necesario para poder resolver el enigma de la extraña obra del judío y a este fin consagró su vida. Tras viajar a España, donde intentó aprender hebreo, marchó luego a Italia y se estableció un tiempo en Bolonia, en donde aprendió los rudimentos del arte de la mano del maestro Canches, convirtiéndose en un notable alquimista, hasta conseguir, el 17 de enero de 1382, transformar media libra de mercurio en plata, y hay quien afirma que fue capaz unos meses más tarde, el 25 de abril, de transformar otra media libra de mercurio en oro.

Lo que sí es cierto es que tras tener unos difíciles comienzos como escribiente en una notaría, pasó más tarde a ser librero jurado, pero también poeta, pintor, matemático y alquimista, cambio esencial en su vida, pues a partir de ese momento su fortuna comenzó a subir, hasta disponer de una gran riqueza, impropia de un simple comerciante. Tanto él como su mujer Perenelle aparecen en varios documentos que demuestran que gastaron considerables sumas en hacer el bien, pues edificaron hospitales y ayudaron a los pobres y a la Iglesia, si bien su ego debió de crecer tanto como su riqueza, pues también es cierto que repartió por doquier retratos suyos y unas curiosas estatuas acompañadas de un escudo o de una mano, con un escritorio en forma de armario. En una de sus obras, *El libro de las Figuras Jeroglíficas,* se esconde oculto el enigmático proceso que permite lograr la Gran Obra, pues se afirma que llegó a lograr descubrir la piedra filosofal.

No hay duda de que el rey Carlos VI de Francia le contrató

para suministrar oro a la reserva monetaria del reino, algo que no sólo no puso nervioso al gran Flamel, sino que aceptó encantado. Para entonces era ya un personaje muy popular y respetado en París y disponía —con independencia de que lograse la transmutación de la materia— de una notable fortuna.

Murió el 22 de marzo de 1418 y fue enterrado en la iglesia de Saint-Jacques-La Boucherie, aunque su entierro, meticulosamente preparado, está envuelto en el misterio. J. Sadoul, un escritor que se ocupó de la vida de Flamel, dice que en el siglo XVII, un viajero francés llamado Paul Lucas, escribió en la crónica de sus aventuras por Asia lo siguiente:

En Barnus-Bachi sostuve una conversación con el devis de los uzbecos sobre filosofía hermética. Este levantino me dijo que los verdaderos filósofos conocían el secreto de guardar mil años su existencia y preservarse de todas las enfermedades. Por último yo le hablé del ilustre Flamel y le hice observar que el hombre había muerto a despecho de la piedra filosofal. Apenas cité este nombre, se echó a reír de mi simplicidad. Comoquiera que yo le había dado crédito a cuanto había dicho, me asombró extraordinariamente su actitud dubitativa ante mis palabras. Al advertir mi sorpresa, me preguntó con el mismo tono si era tan ingenuo como para creer que Flamel había muerto. Y agregó:

—No, no. Usted se equivoca. Flamel vive todavía; ni él ni su mujer saben aún lo que es la muerte. Hace tres años escasos los dejé a ambos en la India; es uno de mis mejores amigos.

Vlad Tepes, el hijo del diablo

En 1899, el escritor irlandés Bram Stoker concibió *Drácula*, su obra inmortal basada en la figura histórica de Vlad Draculea, un paladín de la cristiandad que opuso una férrea resistencia desde su tierra valaca a los invasores turcos. Stoker, desde luego, dio tal rienda suelta a su imaginación que aquel héroe del siglo XV acabó convirtiéndose en todo un príncipe de las tinieblas, vampiro sobrenatural y seductor de apetitosas jovencitas que no sentían ningún pudor a la hora de ofrecer sus níveos cuellos. Son las licencias que en ocasiones nos permitimos los contadores de historias. Sin embargo, la vida de *El Empalador*, como así se le empezó a denominar un siglo más tarde de su muerte, no estuvo exenta de fuertes emociones ni de sangre derramada en estacas castigadoras.

Nacido en 1428 en Sighisoara, lugar sito en la Transilvania rumana, fue primogénito y heredero de Vlad, un príncipe rumano de cruel condición que, al parecer, había sido iniciado en una hermandad secreta llamada «del dragón». De ahí, el apelativo *dracul*, que luego heredaría su hijo de idéntico nombre. Otros investigadores opinan que el sobrenombre le fue impuesto por los habitantes de sus dominios, muy acostumbrados a las acciones terribles de su amo. En consecuencia, le habrían llamado de esa manera al significar en lengua vernácula rumana 'diablo'. Y como el sufijo *ea* significa 'hijo de', nuestro protagonista fue un perfecto hijo del diablo. En 1448 ocupó el trono de Valaquia tras la ejecución sangrienta de su padre a manos de sus enemigos políticos y, desde entonces, propagó un mensaje de terror despiadado que, por otra parte, no era disonante con otras monarquías cristianas o musulmanas de la época. Lo que verdaderamente hace que este personaje trascienda a su propia historia es, sin duda, su batallar contra los otomanos, los cuales amenazaban con un peligro más que real la propia existencia de toda Europa central.

Al poderoso sultán otomano Muhammad II no le tembló el pulso a la hora de tomar Constantinopla en 1453; con ello se puso fin al Imperio Bizantino y de paso a la Edad Media. No obstante, la fuerza militar de la «Sublime Puerta» topó bruscamente con la leyenda del príncipe Vlad Draculea.

El castillo de Brasov se yergue todavía desafiante en las estribaciones de los Cárpatos. Vlad Tepes sólo pasó algunas jornadas en él, pero su aspecto imponente lo ha convertido en el símbolo de la Transilvania misteriosa.

Vlad fomentó la afición a ensartar en un palo afilado a todos sus oponentes, bien fueran cristianos o de la media luna; en eso no hizo distingos. Primero actuó dentro de las fronteras de su reino ajusticiando a todos aquellos que habían participado en la conjura contra su padre, luego se cebó con los desafectos a su causa y, finalmente, con cualquier hijo de vecino que no le cayera en gracia. Su ira misántropa se canalizó después hacia los atacantes turcos, convirtiéndose en un incontenible ariete contra ellos. Aunque bien es cierto que en su afán por conservar el poder no tuvo escrúpulos a la hora de aliarse con unos y otros siempre que el acuerdo le pudiese beneficiar. En todo caso, se mostró reacio a pagar los tributos impuestos por el sultán Muhammad II, planteándole una guerra de guerrillas que estuvo a punto de sojuzgar el ánimo otomano por las reiteradas derrotas sufridas y por la crueldad extrema del caudillo militar valaco con los prisioneros capturados. El propio gobernante musulmán retiró sus tropas de aquel escenario macabro, afirmando: «No se puede combatir en el infierno». En ese sentido, famosos fueron sus bosques de empalados, de los que llegó a presumir en una carta enviada al rey húngaro Matías Cervino y en la que le explicaba que los cuerpos de veinticuatro mil enemigos habían sido clavados en afiladas puntas de madera, eso sin contar innumerables víctimas quemadas por sus hombres en sus propias casas. La bravura demostrada por Draculea llegó a amenazar la flamante Estambul, ciudad de la que huyeron miles de habitantes por miedo a verse en manos del sanguinario guerrero. Su táctica guerrillera acabó desquiciando a los musulmanes, los cuales, aunque varias veces superiores, no fueron capaces de derrotarle durante interminables meses. Finalmente, las argucias del líder turco consiguieron que Tepes diera con sus huesos en cárceles cristianas durante más de doce años. Desde 1462 a 1475, distrajo su tiempo a la sombra empalando ratones y pajarillos, mientras que su hermano Randu *el Hermoso* se convertía en un gobernante títere de Valaquia al servicio de los otomanos. El 10 de enero de 1475, Vlad había recuperado la libertad y se le pudo ver luchando al lado del príncipe transilvano Esteban Bathory en la célebre batalla de Vaslui, librada contra los turcos. Con el tiempo, obtuvo crédito suficiente para volver a ocupar el trono que por legitimidad le pertenecía. Ocurrió en noviembre de 1476, aunque semanas más tarde sufrió una emboscada turca, muriendo en ella junto a doscientos hombres de su guardia personal. La cabeza de Vlad Draculea fue llevada a Estambul, donde quedó expuesta en sus murallas para tranquilidad de los trémulos ciudadanos. Nunca sabremos si probó la sangre humana, lo único cierto es que una de sus mayores distracciones era la de cenar frente a centenares de agonizantes empalados, así como teñir las murallas de sus castillos con el líquido vital de los oponentes. De ahí, posiblemente, vino la terrible aureola vampírica y su presunto desapego de la fe cristiana en beneficio de viejas prácticas paganas. Pero eso es sólo una supersticiosa leyenda. ¿O usted no lo cree así?

El conde de Saint Germain

«Es el hombre que nunca muere y que todo lo sabe.» Así le definía Voltaire en una carta dirigida a Federico el Grande.

Se estaba refiriendo al conde de Saint Germain, que dejó asombrados a todos aquellos que le conocieron en el siglo XVIII. ¿O habría que hablar también de otros siglos?

La primera referencia a un personaje con ese nombre procede de Viena, a mediados del siglo XVIII, en concreto en 1758. Los que le vieron le describen como un hombre que rondaba la treintena y visitaba los salones más elegantes de la ciudad. Claro que esto no se corresponde con su fecha de nacimiento oficial, puesto que si nació un 26 de mayo de 1696, como aseguran algunos de sus biógrafos, por esta época debía de tener unos 62 años. Algo no cuadra.

Antes de esa fecha parece que está en Escocia, en Alemania, en Austria y hasta en la India, donde iría para estudiar alquimia. Los nombres que elegía eran de lo más variopintos: marqués de Mont-ferrat, marqués de Aymar, conde Bellamare, caballero de Schoening, Zanonni...

En Viena, ya con el nombre de conde de Saint Germain, se encontró con el mariscal francés de Belle Isle, al que curó ciertas dolencias y contó mil y un proyectos que tenía en mente. Fue más que suficiente para que fuera su mecenas y se lo llevara consigo a París, donde puso a su disposición un completo laboratorio para que realizara sus experimentos alquímicos.

Tuvo un encuentro con la condesa de B., a la que Saint Germain dijo que la había conocido de niña. La condesa mostró su extrañeza diciendo que si el conde decía la verdad ahora debería tener unos cien años y no los cuarenta que aparentaba. El conde salió con una de sus frasecitas diciéndole que tal circunstancia no era imposible y se marchó del salón sin mediar más palabra. Este tipo de anécdotas son las que acrecentaban su fama de enigmático. Siempre comía solo. Poseía también reputación de curandero: además de curar al mariscal de Belle Isle, revivió a una joven amiga de Madame de Pompadour, cuando un envenenamiento causado por setas casi la lleva a la tumba. Sin olvidarnos de su brillante conversación, en la que intercalaba frases donde afirmaba que era inmortal y que existía desde hacía dos mil años gracias a un elixir de su propia invención. Y llegaba más lejos al decir a sus amigos que había conocido a la Sagrada Familia, que había estado presente como testigo en las bodas de Caná y que «siempre supo que Jesucristo tendría un mal final». Es de imaginar las bocas abiertas y los rostros ensimismados de sus contertulios. Hasta insistía en que él mismo, con otro nombre, se empeñó en canonizar a Ana, la madre de la Virgen, durante el siglo IV.

Conseguía lo que pretendía: que se hablara de él, que fascinara con su cultura, que se le criticara por los pasillos. El escritor Horace Walpole hace referencia a Saint Germain en una carta dirigida a sir Horace Mann, donde le dice que es un músico maravilloso, aunque éste no es su verdadero nombre y que estaba loco.

A través de Madame de Pompadour conoce al rey Luis XV. Empezó a desgranar sus dotes artísticas (pintaba cuadros, tocaba el piano y el violín) y diplomáticas (hablaba más de quince idiomas, incluido el español). La confianza llegó a tanto que en 1760 el monarca encomendó a Saint Germain la misión de viajar a La Haya para negociar un empréstito destinado a sufragar los gastos militares del país. Allí se encontró con Casanova, con el que tuvo algún que otro problema. Por ejemplo, el incidente de la moneda de doce centavos. Saint Germain la expuso a una llama y cuando se enfrió se la dio a Casanova, para que éste comprobara que era de oro puro. Éste manifestó sus dudas y le acusó de haber dado el cambiazo. El conde entonces contestó: «El que duda de mis conocimientos no merece hablar conmigo», y le mostró la puerta de salida. Y no menos virulentos fueron sus encontronazos con el duque de Choisel, quien le acusó de servir a sus propios intereses en lugar de a los de la corona.

Tras recalar en Inglaterra, fija su residencia en Holanda, adoptando el nombre de conde de Surmont, de oficio alquimista con una renta de cien mil florines, toda una fortuna para la época. Su manía por viajar y por cambiar de nombre, aunque no de personalidad, fue constante. En Bélgica será el marqués de Monferrat y en Rusia, adonde llega en 1768 para permanecer dos años, se hará llamar general Welldone, nombre extravagante que significa 'bien hecho' en inglés. Lo de conde, duque o general le debía de parecer poco, así que en Nuremberg aparecerá bajo el nombre de príncipe Rakoczy, de donde tuvo que huir en 1776.

Se presentó en Leipzig ante el príncipe Federico Augusto de Brunswick declarando que era francmasón de cuarto grado. Lo malo es que Federico Augusto era gran maestre de las logias masónicas de Prusia y comprobó que Saint Germain no era quien decía ser. En su peregrinaje llega en 1779 a Eckenförde, en Prusia, situado en Schlewig, un minúsculo Estado alemán. Tenía entonces más de setenta años (aunque esto de la edad es muy relativo) y convence al príncipe Carlos de Hesse-Cassel para que le contrate en su laboratorio, en Silesia. Una jubilación o una tapadera, hasta que el 27 de febrero de 1784 fallece, oficialmente, en la residencia del príncipe. Éste quema todos sus papeles y allí es sepultado bajo un epitafio que dice: «Aquel que se hizo llamar conde de Saint Germain y Welldone, y sobre el que no existen otras informaciones, ha sido enterrado en esta iglesia».

¿Murió realmente? Como se pueden imaginar, no todos están de acuerdo. De él se dijo que asistió a la batalla de las Pirámides en 1798 contra los mamelucos, acompañando a Napoleón con el nombre de señor Hompesh, sin que ni una bala lo alcanzara. Muchos grupos espirituales de la Nueva Era creen que el conde de Saint Germain se ha convertido en un Maestro Ascendido, al lado de los maestros Morya o Kut Humi, que de vez en cuando se dejan ver por este plano, y que dicta libros de iniciación como el famoso *Libro de Oro de Saint Germain*.

La Sociedad Teosófica, en el siglo XIX, lanzó un comunicado en el que decía: «El Maestro que se ocupa del futuro desarrollo de Europa y América es el maestro Rakoczy. En la Logia Blanca se le llama Conde de Saint Germain y en América actúa como Administrador de los países cósmicos llevando al plano físico los planes de Cristo». En 1945 se constituyó la Hermandad Saint Germain, que la venezolana Conny Méndez se encargó de propagar. En 1990 cambió de nombre por sugerencia de él mismo y desde entonces se llama Metafísica Renovada Ray Sol.

Visto lo visto, Voltaire tal vez supiera más de lo que parece al decir lo que dijo...

¿Quién fue el conde de Cagliostro?

Alessandro, conde de Cagliostro, se llamaba en realidad Giuseppe Balsamo. Nació en Sicilia, en Palermo, en 1743, y falleció en el castillo de San León, en Urbino, en 1795. Sobre su figura, enigmática y misteriosa, se ha tejido una gran leyenda, pues entre los rosacruces es una figura mítica, existiendo grupos que incluso se niegan a identificar a ambos nombres, sosteniendo, en contra de todas las evidencias, que el conde de Cagliostro y Giuseppe Balsamo son personas diferentes y que este último fue en realidad un embaucador contratado por los jesuitas para dañar la figura de su maestro.

La leyenda no por ser conocida es menos enigmática. Balsamo había nacido en el seno de una familia muy humilde, su padre era un modesto tendero, a pesar de lo cual, y en contra de algunas biografías que dicen que el pequeño Giuseppe prácticamente se crió en la calle, lo cierto es que a los doce años fue admitido en seminario. De éste fue expulsado al poco tiempo, por causa de una serie de hurtos, casi con toda seguridad realizados para provocar su expulsión. A pesar de estos hechos, su padre logró que fuese admitido como ayudante del boticario de un convento. No pudo haber tomado mejor decisión. Es curioso y despierto, y allí Giuseppe descubrirá un mundo nuevo entre ungüentos y pócimas. Por primera vez en su vida se dedicará con ahínco y esfuerzo al estudio de la farmacopea y la química. Sin embargo, su carácter rebelde le traerá de nuevo un disgusto, pues los monjes también le expulsaron, al descubrir que recitaba las oraciones sustituyendo los nombres de las santas por los de prostitutas famosas. A partir de entonces no tuvo más remedio que buscarse la vida por su cuenta. En principio siguió en Palermo, pero poco después se trasladó a la capital del reino, Nápoles, donde desempeñó los oficios más diversos: fue pintor, falsificador de cuadros y de documentos e incluso proxeneta. No obstante, en esos años destacó por su habilidad en los trucos de magia, convirtiéndose en un buen prestidigitador, principalmente porque incorporó a sus trucos sus conocimientos de química, logrando espectaculares resultados, aunque las iras de un espectador suyo, que se sintió estafado, provocaran su huida a Roma, ciudad en la que iba a iniciar una nueva vida.

Durante un tiempo se dedicó a lo mismo que en Palermo y Nápoles, pero un encuentro casual le transformó. Conoció a una hermosa joven, Lorenza Feliciani, hija de un honrado y modesto artesano, ambiciosa y lista, que descubrió en el joven Balsamo a un diamante en bruto. En 1768 se casaron y Lorenza decidió transformar a su marido en otra persona, el conde de Cagliostro, un personaje enigmático y sabio, en tanto que ella será en adelante Serafina. Tras invertir todo lo que tenían en dinero y lujosas ropas, parten los dos hacia España, buscando hacer fortuna en un lugar en el que nadie les conocía y en donde desembarcan en 1770. En Barcelona y Madrid la pareja de timadores se dedicó a su especialidad: el engaño y la estafa. Ya entonces Giuseppe se hacía llamar el Gran Copto y afirmaba tener conocimientos esotéricos de alto nivel. Bajo el falso título de marqués de Pellegrini —un monte de Palermo—, él y Lorenza, que no vacilaba en entrar en el lecho del primer poderoso que se pusiese al alcance para lograr sus fines, siguieron así durante algún tiempo, pero los devaneos de Giuseppe con conversos «marranos», que seguían fieles al judaísmo en Lavapiés, y sus prácticas de magia, pusieron en alerta a la Inquisición, que le vigiló de cerca. Un siciliano que les conoce les denuncia, obligándoles a huir a Lisboa, desde donde embarcaron rumbo a Inglaterra, a finales de 1771.

Convertidos ya en dos timadores de altura, se desplazan a Londres, donde, tras seducir Serafina a un viejo lord, consiguieron escapar con parte de su fortuna, pero un incidente en una fracasada sesión de satanismo acaba con los huesos de Balsamo en la cárcel. Recorrieron otras muchas ciudades de toda Europa, desde Berlín a Ámsterdam, pero finalmente deciden ir a París, donde su éxito fue absoluto, pues al poco tiempo de llegar la astuta y bella Serafina consiguió atraer a su lecho al poderoso cardenal Rohan, logrando que los nobles de la corte se sintiesen cada vez más atraídos por la original pareja. Sin embargo, ambos se habían dado cuenta de que cada vez les resultaba más difícil mantener en secreto sus andanzas por las capitales de media Europa, por lo que el conde de Cagliostro decidió adentrarse en el mundo de la alquimia y del esoterismo.

A partir de entonces se autoproclama Gran Copto de Asia y Europa y afirma ser el hijo del rey de Tresbisonda, que había sido recogido de niño por el califa de La Meca, quien le había iniciado en varias sociedades secretas de la India y Persia, e instruido en alquimia en Damasco, así como en ocultos y misteriosos laboratorios de la orden de Malta. A pesar de lo estrambótico de sus declaraciones y la forma grandilocuente en la que Cagliostro las presenta en sociedad, su éxito es inmenso. Se convierte en el hombre de moda. Va a fiestas y recepciones y es invitado a reuniones secretas de aquellos que buscan cambiar el orden establecido. Durante estos años el pícaro Balsamo no sólo parece integrarse en su fingido papel, sino que acomete profundos estudios esotéricos. Con el apoyo de dos colaboradores de Lyon, Saint-Costard y Magneval, crea todo un rito nuevo: la masonería egipcia. Hay desde hace mucho tiempo un gran debate en torno a si Balsamo trabajaba para preparar un gran timo o, si por el contrario, llegó a tomarse en serio su trabajo. En cualquier caso, su obra de ese periodo tiene un profundo efecto entre los seguidores de la masonería y logra un gran triunfo. A mediados de la década de los ochenta, con poco más de cuarenta años, nada queda ya del pequeño rufián de Palermo; ahora es el conde de Cagliostro y ha encontrado su momento de gloria.

Sin embargo, cuando vivía sus mejores días, y a pesar de su amistad con el cardenal Luis de Rohan, su conocida atracción por las piedras preciosas hizo que se viese envuelto, en 1786, en el archifamoso escándalo del collar de María Antonieta, lo que le hizo acabar en la Bastilla y, aunque fue exculpado en sólo diez días, pasó casi un año encarcelado, lo que le convirtió en uno de los símbolos de la arbitrariedad del absolutismo y del despotismo real. Tras su liberación recibió una orden de expulsión de Francia, nación que debía abandonar en sólo dos semanas. Su estrella en esos años parece languidecer. Acosado por la Iglesia, que le consideraba peligroso por sus inclinaciones a la magia y su relación con grupos masones opuestos al orden social establecido, vivió unos años perseguido y cada vez más desacreditado. Traicionado por Serafina, que le denunció ante el Santo Oficio, acusándole de tener tratos con Satanás, fue detenido por la Inquisición en 1791, y acusado de ateo y masón, permaneció en prisión en las mazmorras del castillo de San León hasta su muerte, en 1795.

Embaucador, charlatán y estafador, fue también un hombre culto, que en sus investigaciones en el campo del esoterismo alcanzó notables logros, no debiendo olvidarse que la masonería de rito egipcio, de la cual es el fundador, se sigue hoy en día practicando.

Capítulo VII

Las grandes tumbas perdidas

La tumba de Alejandro Magno

Fue el más grande conquistador de todos los tiempos. En una campaña de tan sólo once años, llevó la helenización a buena parte de Asia y sus consecuencias aún perduran en nuestros días. Tenía treinta y dos años y había explorado o conquistado casi cuatro millones de kilómetros cuadrados, sus dominios se extendían por los actuales países de Grecia, Bulgaria, Turquía, Irán, Irak, Líbano, Siria, Israel, Jordania, Uzbekistán, Turkmenistán, norte de la India, Afganistán, Pakistán occidental, Libia y, por supuesto, Egipto.

En el año 323 a. C., Alejandro Magno preparaba la invasión y colonización de Arabia cuando una repentina enfermedad acabó con su vida el 10 de junio. Según diferentes investigadores, son varias las causas que pudieron acabar con la vida de este indomable líder. Entre ellas, la propia conjura de sus oficiales, los cuales, hartos de las excentricidades de su jefe, lo habrían envenenado. Otros piensan que sufrió leucemia, aunque lo más fiable es que falleciera víctima de la malaria. Cuentan que, postrado en el lecho mortuorio, recibió la visita de sus generales, quienes, preocupados por el futuro del imperio, le preguntaron sobre el reparto de su presunto patrimonio. Alejandro, con sonrisa lánguida, les dijo: «Todo mi tesoro se encuentra repartido en las bolsas de mis amigos». Finalmente, acertó a pronunciar una frase que sembró el desconcierto entre sus hombres:

«Dejo mi imperio al más digno, pero me parece que mis funerales serán sangrientos». Lo cierto es que el rey no dejó dicho quién era el más digno, por tanto la distribución de la herencia territorial planteó algunos problemas entre los notables macedonios, quienes, a fin de evitar males mayores, resolvieron desmembrar lo conseguido por Alejandro en tres grandes zonas: Macedonia y Grecia quedaban bajo el dominio de Antípatros, Persia fue asignada a Seleuco, mientras que Egipto era entregado a Ptolomeo, quien fundó una dinastía vigente durante los tres siglos posteriores.

La muerte de Alejandro llenó de dolor a todos sus súbditos, incluida la madre de Darío III, quien en un sentido gesto de homenaje se quitó la vida para rendir honores a la figura de aquel al que tanto quiso. Pero todavía faltaba cumplimentar el último capítulo del Magno, su entierro.

A lo largo de dos años sus compañeros se empeñaron en construir un mausoleo de dimensiones casi bíblicas; todo parecía insuficiente a la hora de rendir tributo a uno de los personajes más amados e idolatrados de la historia. En ese tiempo se emplearon ingentes recursos económicos hasta que, por fin, la obra quedó terminada; el resultado no podía ser mejor: el sarcófago era de oro macizo y mostraba la figura en relieve del Magno; en el palio de púrpura bordada estaban expuestos el casco, la armadura y las armas de Alejandro. El conjunto era dominado en sus extremos por columnas jónicas de oro y a los lados quedaban representadas diferentes escenas de la vida de Alejandro. El impresionante mausoleo, una vez terminado, fue transportado desde Babilonia hasta Alejandría por sesenta y cuatro mulas que completaron un recorrido de mil quinientos kilómetros a través de Asia.

Mucho se ha elucubrado sobre la ubicación definitiva de la tumba alejandrina, unos afirman que se encuentra en el santuario de Shiwa, lugar donde fue proclamado faraón de Egipto; otros aseguran que el líder macedonio fue enterrado en un enclave secreto de Alejandría. Según esta última historia, el sepulcro del Magno fue custodiado por los ptolomeos hasta que la reina Cleopatra VII Philopator

El mosaico de Pompeya, reproducción de un original contemporáneo de Alejandro, es la representación más fiable del caudillo macedonio. Todavía hoy impresiona su realismo y composición.

fundió el oro del mausoleo para financiar la guerra contra su enemigo el romano Octavio Augusto. El cuerpo de Alejandro, desprovisto de las riquezas que le escoltaban, fue, siguiendo esta hipótesis, reubicado en el sarcófago de un faraón. Aunque el planteamiento carece de cierto rigor, no debemos obviar que la pista de Alejandro se pierde en el siglo IV d. C., y que al parecer el propio Napoleón Bonaparte pudo contemplar la momia del mejor general de la historia. Y es aquí donde surge la última apuesta sobre dónde se encuentran los restos del Magno. En 2005, el historiador británico Andrew Chugg ofreció una arriesgada versión a este respecto, manifestando que el cadáver del rey macedonio se salvó a fines del siglo IV de una más que posible destrucción, todo gracias a una conspiración de mercaderes venecianos. Éstos robaron el cuerpo, supuestamente atribuido a san Marcos, y que sin embargo, según Chugg, no sería otro que el de Alejandro, previamente disfrazado con los ropajes del santo. Acaso con la complicidad del patriarca cristiano en Alejandría, temeroso de perder aquel cuerpo en grave peligro por una insurrección cristiana. De esta guisa le condujeron a Venecia, donde se levantó una basílica dispuesta para venerar los restos del ilustre evangelista. Nunca sabremos si aquellos comerciantes robaron el cadáver pensando que era san Marcos o ya sabiendo que el engaño trataba de preservar el cuerpo del mítico guerrero griego. Sea como fuere, lo ofrecido hasta ahora por Chugg no deja de ser una especulación histórica muy criticada por sectores ortodoxos. Lo realmente cierto es que la última morada de Alejandro Magno sigue siendo hoy en día una verdadera incógnita para los historiadores de medio mundo.

La tumba de Alarico

En uno de los capítulos fundamentales del mundo antiguo, los godos occidentales quedaron unificados en el año 395 d. C. bajo el mando del joven rey Alarico, un líder de apenas veinticinco años dotado del empuje y la inteligencia suficientes como para asediar a la potencia más importante de aquel tiempo brumoso y decadente. Los godos mantuvieron una relación difícil con los orgullosos romanos, y lo que empezó siendo alianza para eventuales guerras, acabó convirtiéndose en un terrible enfrentamiento entre ambos pueblos.

En agosto de 410 d. C., los visigodos pusieron en jaque la supremacía del Imperio Romano en Occidente. El asalto y posterior rapiña de Roma a cargo de Alarico y sus ejércitos hizo pensar que el germano sería el primer emperador bárbaro de la historia romana. Fue una semana de terrible recuerdo para los latinos, ya que no sólo sufrieron la humillación de ser vapuleados por el emergente poder extranjero, sino que también tuvieron que resignarse con la pérdida de incalculables riquezas como la famosa Mesa del rey Salomón o el menorhat, el candelabro judío de siete brazos, ambas reliquias expoliadas del legendario templo de Jerusalén por las legiones de Tito en el siglo I d. C.

Alarico, crecido por su éxito, mantuvo una incontestable ofensiva sobre el sur peninsular italiano. El ejército visigodo fue devastando todos los territorios que encontraba a su paso, Campania, Apulia y Calabria son ejemplos de la crueldad con la que se emplearon los bárbaros. Pronto llegaron a Cosenza, ciudad que como otras no supondría el más mínimo problema para los atacantes, pero cuando ya habían sitiado la ciudad, la fatalidad visitó el campamento godo. Alarico en esos días estaba nervioso y alterado, sus propósitos de invadir África se habían truncado por una tremenda tempestad que había desarbolado y hundido casi toda la flota que, a tal fin, se encontraba anclada en Sicilia.

Quiso el destino que Cosenza fuera la ciudad que viera morir al gran caudillo visigodo. Muchas fueron las leyendas que circularon tras su fallecimiento: unas dirían que murió ahogado en medio de una tempestad cuando se dirigía al norte de África, otras que, temeroso de la revancha romana sobre su pueblo, fingió su muerte con el propósito de salvar a los suyos. Lo cierto es que al carismático líder lo único que pudo derribarle fue la enfermedad y ésta llegó en forma de malaria. En medio de fiebres y convulsiones murió el primer monarca del linaje balto y héroe eterno de los visigodos. Aquella tribu que inició su camino siglos antes siguiendo a una pléyade de linajes más o menos nobles, ahora rendía culto y lloraba por el único rey al que habían sido capaces de seguir. No le fallarían en su último momento. Sus generales decidieron que el cadáver no debería caer en manos del enemigo y para ello idearon un plan destinado a ocultar para siempre la tumba de su jefe. Miles de esclavos fueron conducidos al cauce del río Busento. Allí trabajaron durante varias semanas hasta que consiguieron desviar su curso mediante una enorme obra hidráulica, consistente en la construcción de un canal y su consiguiente muro. Una vez terminado el trabajo, comenzaron los rituales mortuorios. Los obreros cavaron una profunda fosa en el lecho del río. Dentro del sepulcro situaron el cadáver del rey acompañado por lo que la leyenda estima un inmenso tesoro que nadie intentó cuantificar. Finalizada la operación, los generales visigodos ordenaron derribar el muro de contención para que el Busento ocupara nuevamente su cauce natural. La escena debió de ser muy impactante, casi bíblica. El acto terminó cuando los soldados asesinaron a todos los esclavos que habían participado en la obra para que nadie jamás pudiera desvelar el sitio exacto donde descansaba el cuerpo de Alarico.

Hoy en día si visitamos la ciudad de Cosenza podemos encontrar un recuerdo material del episodio: el puente de Alarico suspendido sobre el río Busento entre las iglesias de San Domenico y San Francesco de Paola, en el punto preciso donde se cree que yacen cuerpo y tesoro.

Miles de visigodos se vieron privados de su rey y esa noticia les desmoralizó, sobre todo si pensamos que en el norte los romanos se estaban organizando para dar respuesta vengadora de tanta tropelía cometida por los invasores. Tenían que tomar una decisión, la supervivencia de su pueblo estaba en juego, lejos quedaba el sueño imperial. Fue entonces cuando los guerreros volvieron su mirada sobre alguien que había acompañado al caudillo desde el primer momento. Éste no era otro sino el príncipe Ataúlfo, cuñado y casi hermano de Alarico. Cumpliendo con la costumbre germana, los hombres golpearon sus armas contra los escudos mientras gritaban el nombre del elegido. Todo fue muy rápido, pues la historia de los godos así lo demandaba. Nunca sabremos si el botín capturado en Roma realizó el viaje junto al pueblo visigodo en su transitar hacia las Galias o, más bien, se quedó acompañando el sueño eterno de aquel que logró unificar al pueblo más civilizado de los bárbaros.

La tumba de Atila

A principios del siglo V d. C., los hunos, un pueblo escita de origen asiático, provocaron la consternación y el miedo por los campos de Europa occidental. En ese tiempo, el Imperio Romano se había fracturado en sus mitades oriental y occidental y ambas recibían la inclemencia de los bárbaros. Los augures pronosticaban el fin de los tiempos y, a estos presagios, se sumaron catástrofes naturales como terremotos, inundaciones y sequías prolongadas. Todo parecía abocado al cataclismo y, para más saña del destino, surgió la figura de Atila. Nacido en la Panonia rumana en 395 y elevado a la categoría de emperador de su pueblo en 440 d. C., su ferocidad y conocimientos estratégicos fueron un arma implacable para sus enemigos, los cuales le denominaron *el azote de Dios*. Sus hordas llegaron a plantarse ante las puertas de Roma y sólo el botín y la superstición salvaron a la ciudad eterna de ser destruida. Atila parecía llamado a poner punto y final al imperio más poderoso del mundo antiguo. Sin embargo, la enfermedad y los excesos de una vida disoluta frenaron bruscamente sus ansias de poder. Y todo fue a suceder en la noche de bodas junto a su flamante esposa, una princesa bactriana de inmensa belleza que, por capricho del destino, se convirtió en testigo privilegiado de la muerte de uno de los líderes más terroríficos de la historia

Atila se preparaba con ilusión para las nupcias. Ildico, mientras tanto, lloraba amargamente la muerte de su padre y hermanos por la espada de los hunos, temerosa ante el incierto horizonte que se le planteaba. Era el 15 de marzo del año 453.

Ildico fue vestida para la ocasión y esperó resignada el momento de la culminación del matrimonio. Atila entró en la tienda real dispuesto para cobrar una presa más en su vida de cazador, pero, en ese momento, la enfermedad y una larga lista de excesos hicieron del predador una víctima. La joven contempló horrorizada como de la nariz y boca de su esposo comenzaban a manar abundantes ríos de sangre, haciendo retorcer al que, minutos antes, era un orgulloso y altivo emperador. Finalmente, tras unos minutos de agonía, murió ahogado en su propia sangre. Un episodio que, por cierto, no era la primera vez que se producía, lo que motivó que, al día siguiente, Ildico no muriera a manos de los lugartenientes de Atila, conocedores del mal que aquejaba a su líder.

Sobrecogidos por el dolor, los hunos comenzaron los preparativos para despedir al que había sido el personaje más temido de su tiempo. Cuenta la leyenda que el cuerpo de Atila fue enterrado en tres ataúdes: uno de hierro, otro de plata y el último de oro puro. Algunos guerreros de su guardia personal se ofrecieron voluntarios para buscar un lugar seguro en el afán de que nadie descubriera jamás la tumba de Atila. Estos fieles custodios, junto a sus mejores generales, se suicidaron gustosos para que no se desvelara el misterio. El sepulcro de Atila, como el de tantos otros líderes de la Antigüedad, todavía no se ha descubierto, aunque son muchos los investigadores que andan involucrados en el empeño. Según estas averiguaciones, podemos deducir que la última morada del bárbaro bien pudo ubicarse en algún lugar entre Rumania y Bulgaria, siguiendo la costumbre de los viejos pueblos nómadas asiáticos, por la cual los cadáveres pertenecientes a los notables de la tribu debían regresar a sus territorios ancestrales.

La noticia sobre el fallecimiento inesperado de Atila recorrió como la espuma pueblos y ciudades de la desolada Europa. Por fin el diablo había sido destruido y la hierba volvería a crecer con fuerza para ver cómo el Imperio Romano de Occidente consumaba su decadencia con la tragedia de la desaparición. En Roma y en Constantinopla, las campanas tocaron como signo de alegría y agradecimiento a Dios. Sin embargo, en el campo de los feroces guerreros hunos, el desconcierto hizo presa entre los otrora temibles demonios y, con más prisa que pausa, éstos no tardaron en desarbolar el imperio que había permanecido vigente trece años, gracias al empuje de su fundador.

El testamento de Atila no fue cumplido, sus hijos pronto se enzarzaron en disputas y guerras y los aliados deshicieron pactos anteriormente firmados bajo el temor de Atila. Los hunos ni siquiera fueron capaces, ante la falta de un líder claro, de permanecer como entidad étnica, entroncándose con las diferentes tribus germánicas y eslavas. Hoy en día es prácticamente imposible encontrar un solo vestigio, por pequeño que sea, del imperio más odiado y temido de todos los tiempos.

Don Rodrigo

Entre el 19 y el 26 de julio del año 711, se libró una de las batallas decisivas de la Historia de España. Tras varias jornadas de lucha, el ejército visigodo, formado por los espartarios y gardingos del rey Rodrigo, sus nobles y sus siervos armados, combatió sin descanso contra los extraños guerreros de piel atezada que apenas unos meses antes habían desembarcado en la Bética.

La mayor parte de los historiadores está de acuerdo en que en un momento dado de la batalla los partidarios de los hijos de Witiza abandonaron la lucha o se pasaron al enemigo, desestabilizando y hundiendo la línea de batalla visigoda. Al desconcierto siguió el desmoronamiento de las defensas del ejército de don Rodrigo, que desapareció en la batalla mientras su ejército se desperdigaba. No obstante, una parte considerable logró retirarse en relativo orden y pudo presentar de nuevo batalla a Tariq en Écija pocas semanas después, donde los desmoralizados visigodos sufrieron una derrota definitiva, aunque en esta ocasión infligieron graves pérdidas a los guerreros árabes y bereberes. En cuanto a los hijos de Witiza y sus partidarios, su traición no les dio la corona que ambicionaban, y un miserable pago en tierras fue el premio recibido. Probablemente vivieron bien, rodeados de todo lo que el dinero puede comprar, pero es poco probable que olvidasen que por su culpa y la ambición de los nobles que les apoyaban se perdió para siempre el reino de sus antepasados.

Sobre el rey Rodrigo se tejieron de inmediato todo tipo de leyendas que pasaron a la tradición mozárabe y a la de los cristianos que resistían en las montañas de Asturias y Cantabria. Para muchos Rodrigo falleció en la batalla y jamás fue hallado su cuerpo, aunque sí algunos restos de sus ricas ropas. Dicen que fue visto por última vez montado en su caballo luchando ferozmente y que, desmontado y tal vez herido, murió ahogado en un río en el momento culminante de la batalla. Las dudas sobre su muerte provocaron el nacimiento de toda clase de leyendas sobre cómo falleció y el lugar en el que fue enterrado.

Una de las más conocidas se encuentra en la provincia de Huelva, en una pequeña aldea minera, Sotiel Coronada, en el término municipal de Calañas, en Andévalo. En la margen derecha del río Odiel hay restos de explotaciones mineras al menos desde la época romana. No muy lejos del río hay dos pequeñas ermitas en una bonita zona llena de pinos y eucaliptos. Una de ellas guarda una imagen de Nuestra Señora Coronada, patrona de Calañas, en tanto que la otra la tiene de la Virgen de España, a la que los vecinos de Beas, un pequeño pueblo de la zona, le dedican una romería en mayo, asegurando que se alza sobre el lugar en el que se refugió y murió, como resultado de las heridas de la batalla del Guadalete, Rodrigo, el último rey de los godos.

Sin embargo, la más conocida de las leyendas cuenta que don Rodrigo logró escapar con vida del Guadalete y que llegó hasta Mérida, desde donde partió con rumbo a Astorga siguiendo el cauce del río Alagón por Las Hurdes, todo muy cerca de la Sierra de la Peña de Francia, siendo alcanzado por los invasores en Segoyuela de los Cornejos, donde libró la que iba a ser su última batalla, pues en ella encontró la muerte. Una versión de esta historia afirma que fue enterrado en la propia Sierra de Francia, en tanto que otras aseguran que fue enterrado en Viseo, lo que enlaza con una vieja tradición recogida en las antiguas crónicas del reino de León, en las que se afirma que cuando Viseo fue repoblada en el año 868, tras haber sido arrancada de manos de los musulmanes, se encontró una lápida que decía «Aquí yace Rodrigo rey de los godos» (*Hic requiescit rodericus rex gothorum*).

Para historiadores como Sánchez Albornoz, que niegan que se librara batalla alguna en Segoyuela de los Cornejos, es sin embargo posible que el rey Rodrigo fuese enterrado en Viseo, tal vez su lugar de nacimiento, y a donde habría sido llevado su cadáver por sus *fideles* al término de la batalla del Guadalete. Esta costumbre estaba al parecer bastante extendida entre los nobles visigodos y cita el ejemplo de un guerrero caído en combate contra los vascones en el siglo VII y llevado a enterrar por sus hombres a Villafranca, en Córdoba, de donde al parecer era originario.

Sin embargo, a pesar de la existencia de diversas versiones sobre su muerte, nunca hubo en España un sebastianismo como el portugués, ni con la muerte de Rodrigo se tejió una leyenda similar a la de Arturo. Jamás esperaron los descendientes de los visigodos que su rey perdido regresase para restaurar el orden de la monarquía de Toledo. La casi fanática fidelidad de los cristianos de las primeras décadas de la Reconquista fue consagrada al reino de los godos, a *Spania*, a la tierra que había que arrancar de manos de los *caldeos*, pero nunca a su perdido soberano. Para los witizianos, masivamente convertidos al islam, Rodrigo fue un traidor que usurpó el reino y trajo su ruina; para los mozárabes, el culpable de la pérdida de España y de la llegada de una era de penurias y oscuridad; y para los cristianos de las ásperas montañas del norte, un rey acosado por el infortunio, dueño de un nombre maldito que jamás debería llevar un rey cristiano de ningún reino de las *Españas* hasta que llegase el fin de los tiempos —así ha sido hasta ahora—. Todo esto cambiará cuando en el incierto y remoto futuro se recuerde la vieja leyenda de los guerreros castellanos recogida en los *carmina maiorum*, los cantos de batalla entonados por los descendientes de los visigodos en los feroces y sombríos primeros siglos de la Reconquista, que decían: «Un Rodrigo perdió España, otro la salvará...».

La tumba de Almanzor

Dos de las ciudades reales más importantes de Al-Andalus, Medina-Zahara (936) y Medina-Zahira (978), se debieron a las personalidades más influyentes de la España musulmana: Abderramán III y Almanzor.

Este último se convierte en el año 981 en dictador único de Al-Andalus. Tenía en sus manos todo el poder y la ambición de un caudillo cordobés, amante de las letras y de la guerra. A partir de ese momento fue la «bestia negra» de las tropas cristianas. Realizó innumerables campañas en las que sus cronistas le atribuyen cincuenta y dos victorias (otros hablan de cincuenta y seis), asolando las ciudades de Ávila, León, Zamora y Santiago de Compostela. En pleno apogeo de su poder personal, sufre una extraña enfermedad y es enterrado en Medinaceli (Soria), a la vuelta de una expedición a La Rioja. La ubicación hoy de su tumba es una leyenda como lo es la batalla de Calatañazor.

A mediados del siglo XIII se desconocía la realidad histórica de esta batalla. Las crónicas El Tudense y El Toledano, que fueron origen de esta leyenda, se consideran como anacrónicas en su triple aspecto histórico, geográfico y cronológico, sin más valor que el puramente legendario. Sin embargo, casi nadie desconoce la mítica sentencia de que «en Calatañazor perdió Almanzor su tambor», lo que dio origen a una batalla que la tradición oral conservó durante siglos. Todo indica que el mito se fraguó a raíz de su última gran victoria, la que obtiene *in extremis* sobre los cristianos en Cervera de Pisuerga en el emblemático año 1000. Pero los juglares dieron la vuelta a la historia y empezaron a decir que fue ganada por las tropas cristianas para que la moral no decayera. Eso, unido a que murió dos años después de una manera rápida, fue más que suficiente para que se propagara el rumor de que sufrió graves heridas en una hipotética batalla de Calatañazor (localidad también soriana), de la que casi ningún historiador tiene constancia, y donde perdió el tambor, su prestigio, su fama de invencible y la vida misma.

Se sabe que la última campaña que realizó Almanzor es conocida como *la de Canales* (de la Sierra) *y el Monasterio* (San Millán de la Cogolla). Según fuentes históricas musulmanas, el itinerario de la misma sería, tomando como base de partida Medinaceli, dirigirse a Salas de los Infantes, remontar el cauce del río Pedroso, dirigirse luego a la villa condal de Canales de la Sierra y de ahí al monasterio de San Millán de la Cogolla (de Suso), que arrasó e incendió, como era su costumbre. En el trayecto no hubo oposición cristiana.

Almanzor inició su campaña con síntomas de enfermedad. El empeoramiento de su salud le obligó a ordenar la retirada de sus tropas siguiendo un itinerario más dificultoso, posiblemente para ocultar su enfermedad y alcanzar lo antes posible la capital fronteriza de Medinaceli. Por el puerto de Santa Inés (oeste de Sierra Cebollera) y en dirección sur por Vinuesa, Abejar, Calatañazor, La Muela y por el Portillo de Andaluz, vadearon el río Duero, continuando por Caltojar y Barahona hasta Medinaceli.

La retirada duró catorce días y en el trayecto hacia Córdoba muere Almanzor. Todas las crónicas, desde la *General* hasta la de Rodrigo Jiménez de Rada, apuntan a que alcanzó la muerte en la localidad de Bordecorex (Soria) el día 27 de Ramadán del año 392 de la Hégira, que equivale a la noche del 9 de agosto del 1002, cuando contaba sesenta y cuatro años de edad. Estaban presentes sus hijos Abd-al-Malik y Abd-al-Rahman (más conocido como Sanchuelo). El primero es al que nombra su legítimo heredero. Éste no quiso que el cuerpo de su padre Almanzor se enterrara en esta localidad al considerarla poco fortificada, de manera que se trasladó más al sur, a Medinaceli, donde se le dio sepultura con toda la fastuosidad de un caudillo andalusí, en un lugar llamado Cerrillo Cuarto o bien en el patio del alcázar, con todos sus vestidos y armas. Al pasar los siglos, su memoria iba disminuyendo a la par que su tumba se iba desvaneciendo, y no sería por su falta de búsqueda.

La última campaña del todopoderoso al-Mansur la contempla con todo lujo de detalles la obra *Dikr bilad al-Andalus,* que es una recopilación histórico-geográfica que recoge las cincuenta y seis campañas de al-Mansur. En esta crónica de autor anónimo se nos dice que como sudario le sirvió la tierra que había recogido en cada una de sus victoriosas campañas:

> La quincuagesimosexta, la de B.t.r.yus, en la que falleció. Salió de Córdoba estando ya enfermo, el jueves, seis de... del 392 (1002 de la era cristiana), e hizo botín... la enfermedad, por lo que emprendió regreso hacia Córdoba, pero murió... y fue enterrado en la frontera, en Medinaceli, el veintisiete del ramadán de ese año (9 al 10 de agosto del 1002). Fue enterrado bajo el polvo que había recogido en sus campañas, pues, cada vez que salía de

expedición, sacudía todas las tardes sus ropas sobre un tapete de cuero e iba reuniendo todo el polvo que caía. Cuando murió lo cubrieron con ese polvo. Sobre su tumba se escribió:

> Sus hazañas te informarán sobre él
> Como si con tus propios ojos lo estuvieras viendo,
> ¡Por Allah!, nunca volverá a dar el mundo nadie como él
> ni defenderá las fronteras otro que se le pueda comparar.

Ésta es la versión que nos da el anónimo compilador musulmán, en traducción del profesor Molina, que seguidamente nos añade: «Ibn al-Jatib (historiador musulmán) llama a esta campaña *de Canales y el Monasterio*, que tradicionalmente se identifica con el monasterio de San Millán de la Cogolla. El nombre que le da nuestro autor (B.t.r.yus) puede ponerse en relación con el del río Pedroso, que corre muy cerca de la zona de Canales de la Sierra (villa riojana al sur de la provincia, en la vertiente meridional de la Sierra de la Demanda y al suroeste del monasterio de Valvanera)».

El sabio orientalista Lèvi Provençal, en su *Historia de la España musulmana*, nos aporta algún dato más sobre su muerte y su lugar de enterramiento:

La campaña tuvo lugar en el verano del 1002, contra el territorio de La Rioja, dependencia del Condado de Castilla... todo lo que sabemos es que el ejército musulmán avanzó hasta Canales (de la Sierra), a unos cincuenta kilómetros al suroeste de Nájera, alcanzando el monasterio de San Millán de la Cogolla, que fue saqueado. Al regreso de esta campaña, la muerte vino a poner fin a la prodigiosa carrera del dictador cordobés... el regreso a Medinaceli lo realizó en litera durante catorce días de trayecto. Por recomendación suya, quedó enterrado en el patio del alcázar de Medinaceli... En su lápida se grabó una sencilla inscripción...

En una nota adicional añade:

El historiador musulmán Ibn al-Jatib, siendo primer ministro del reino nazarí de Granada, envió un negociador a Castilla (hacia 1365), pero le encargó pasase previamente por Medinaceli, para informarle si existía la tumba de Almanzor. Enseñaron la tumba al enviado granadino, pero la lápida sepulcral no contenía ninguna inscripción ni histórica ni poética.

Esto indica que en el siglo XIV se tenía constancia de una tumba atribuida a Almanzor, en la que ya no había ningún nombre escrito que acreditara que era, efectivamente, la suya, lo que no fue obstáculo para que fuera un lugar de peregrinación hasta el siglo XV, incluso cuando esta villa ya estaba en manos cristianas.

El profesor Ramón Menéndez Pidal ha conjugado la leyenda con la realidad de forma clara y precisa al decirnos:

Almanzor hizo la última expedición de su vida, dirigiéndose a través de Castilla, hacia San Millán; fue una expedición victoriosa como todas, pero tuvo que retirarse al sentirse muy enfermo. Se hacía llevar en litera... agobiado por crueles dolores... repasó la frontera y llegó a Medinaceli, primera plaza de armas musulmana; murió el 10 de agosto del 1002. Por débil que hubiese sido la resistencia del conde Sancho... es de suponer que los caballeros castellanos molestasen esa retirada de un ejército cuyo caudillo iba moribundo... y bien se pudo creer que Almanzor muere huyendo del conde Sancho.

Tres siglos antes, en la villa de Medinaceli, la ciudad de los cien nombres, cuenta una leyenda que llega Tariq preguntando por el paradero de la Mesa de Salomón, que no llega a encontrar. Antes de irse bautiza la ciudad con un curioso nombre: Medina Talmeida («Ciudad de la Mesa») o bien Medina al Shelim («Ciudad de Salomón»). Sea como fuere, la Ocilis celtíbera y romana o la Medinaceli («Ciudad del Cielo»), rebautizada así por los cristianos, fue una más que digna tumba para el caudillo hispano musulmán, para el gran saqueador califal.

El problema es que aún, en pleno siglo XXI, no sabemos dónde están sus huesos.

La tumba de Gengis Khan

Su verdadero nombre era Temujin, que significa 'forjador de hierro'. El término Gengis Khan fue utilizado por el pueblo mongol para designar a su máximo representante, aquel que fue elegido como señor de todos los océanos. Y es que este pueblo nómada de Asia consideraba que el mundo era una inmensa llanura rodeada por mares insondables. Gengis fue proclamado el personaje más importante del segundo milenio por rigurosos investigadores históricos consultados a su vez por el prestigioso diario *Washington Post*. Y, aunque sabemos casi todo sobre él, todavía hoy los arqueólogos no han sido capaces de descubrir el que se supone es uno de los sepulcros más impresionantes de todos los tiempos.

Nacido en 1167, consiguió unificar bajo un solo mando a las más de treinta tribus que transitaban el territorio de Mongolia. Con estas magníficas hordas levantó el imperio más poderoso de la Edad Media, llegando incluso a amenazar a Europa oriental. Sus dominios eran inabarcables, extendiéndose desde el Tíbet hasta los confines de la taiga siberiana y desde las inmediaciones del Danubio hasta la península coreana. Creó líneas de comunicación tan seguras que, según se decía, una doncella cargada de perlas podía caminar sola por ellas sin temer peligro alguno. Lo cierto es que en esos años se potenció la Ruta de la Seda, auténtico cauce comercial del Medievo y por el cual dos mundos que hasta entonces casi se habían ignorado aprendieron a relacionarse y a necesitarse. Gengis Khan fue sin duda artífice de este esplendor. Empero, cuando se encon-

Las representaciones gráficas de los bárbaros asiáticos, como esta de Gengis Khan, como una especie de monstruos semihumanos se debe a la influencia de los escritores medievales, que los consideraban heraldos del Mal.

traba en el cenit de su poder, soñando con la total anexión de China, le visitó la muerte, impidiéndole culminar su ambición.

La realidad nos dice que el supremo jefe mongol murió el 18 de agosto de 1227, postrado en la cama de su *yurta*, posiblemente afectado por el tifus y rodeado por sus apesadumbrados hijos. Falleció cuando tenía sesenta años, pero con su muerte no terminó la historia de los mongoles, sino que, por el contrario, sus herederos fueron dignos continuadores de la obra emprendida veinte años antes.

Gengis había hecho testamento dejando a sus cuatro hijos todo el imperio, repartido de esta manera: al primogénito Yuri le correspondieron las estepas del Aral y del Caspio (muerto antes que su padre, sus territorios los heredó su hijo Batu); para Yagatay fue la región entre Samarkanda y Tufán; al tercero, Ogoday —el que sería proclamado en 1229 gran Khan—, le correspondió la región situada al este del lago Baikal; y, finalmente, a su cuarto hijo, Tuli, le tocó asumir el gobierno de los ancestrales territorios mongoles, incluido el lugar natal de la familia, cerca del río Onón.

Antes de fallecer, tuvo la oportunidad de hablar con su hijo Ogoday, transmitiéndole las últimas órdenes para la invasión del reino traidor de Ningxia, que años antes le negó tropas para el ataque a Karhezm. Casi a punto de espirar, consumó su último acto de venganza. Ogoday cumplió la orden y masacró a los ningxios.

Existe mucha controversia sobre la posición exacta de la tumba de Gengis Khan, según cuenta *La historia secreta de los mongoles* —libro escrito en 1240 para ensalzar la obra de Gengis—, el emperador fue enterrado en un lugar secreto supuestamente cercano al monte Altay. En su viaje final le acompañaron cuarenta doncellas vírgenes que fueron sacrificadas junto a sus cuarenta mejores caballos. Además, muchos guerreros mongoles, conocedores de la ubicación, se suicidaron gustosos junto a su jefe, y más de mil jinetes galoparon sobre la tumba varias veces, hasta que el lugar quedó irreconocible.

La ubicación exacta de la tumba de Gengis Khan sigue siendo un misterio, aunque recientes investigaciones a cargo de arqueólogos chinos nos hablan sobre la posibilidad de que ese sepulcro se encuentre cercano al lugar de nacimiento de Temujin, como era costumbre en el pueblo mongol.

El siglo XIII fue de dominio mongol. A Gengis le sucedió su hijo Ogoday, que prosiguió sus exitosas campañas, y a la muerte de éste otros Khanes del linaje mantuvieron vivo el sueño del emperador, hasta que Kublai Khan, hijo de Tuli y nieto de Gengis, cumplió con el viejo sueño de su abuelo, la conquista de China, creando la dinastía Yuan. Sin embargo, tras aquel siglo inicial, el poder mongol se fue diluyendo en varios kanatos, que pronto se enfrentaron entre sí, hasta perderse la idea original de su fundador.

En la actualidad, por paradojas del destino, Mongolia vive prácticamente dentro de los mismos límites geográficos que vieron nacer a Temujin. Más de un millón y medio de kilómetros cuadrados con unos dos millones seiscientos mil pobladores (casi los mismos que en el siglo XIII). Curiosamente, si el emperador levantara la cabeza, vería preocupado la precariedad por la que atraviesa su tribu. Hasta hace bien poco, Mongolia se encontraba unida a los intereses rusos y siempre vigilada por los anteriormente conquistados chinos. Para colmo, el señor de todos los océanos no tendría ni un solo metro de costa donde poder disfrutar del mar.

Afortunadamente, desde el año 1992 los mongoles eligieron el cauce democrático. Esa opción ha permitido que jóvenes generaciones establecidas en la taiga, la estepa y el desierto puedan conocer y reivindicar la figura del hombre más importante de su país. Hoy en día, la imagen de Gengis Khan puede contemplarse sin temor a la represión por las calles y comercios de la capital, Ulan Bator, o de cualquier ciudad mongol. También puede verse sobreimpresionada en el papel moneda.

Lejos de la prohibición impuesta por soviéticos, chinos y gobiernos mongoles afines, el viejo guerrero resurge poderoso para proclamar el orgullo y el afán de independencia de la etnia que le vio nacer y morir como héroe.

La tumba secreta de Moisés

Sin la figura de Moisés no podría comprenderse la historia de las civilizaciones. Fue decisivo para el judaísmo y el posterior cristianismo. Pero respecto a él todo está rodeado de misterio. A propósito de su nacimiento sólo sabemos que apareció siendo un bebé en una balsilla sobre el Nilo. Se sospecha que podría haber sido hijo de alguien importante, si bien algunos estudiosos van más allá y aseguran que su figura no es otra más que la del faraón hereje Amenofis IV, más conocido como Akhenaton. Éste proclamó que existía un único Dios en unos tiempos en los que el politeísmo no era discutido por nadie. Para investigadores como Amed Osman, Akhenaton y Moisés fueron la misma persona...

Pero al margen de quién fuera en realidad, su vida está coronada de sucesos mágicos de todo calibre. En los relatos bíblicos se le describe como el libertador de los judíos en el Éxodo, al tiempo que se relatan sus espectaculares encuentros con Yahvé. De hecho, se convierte en la única persona capaz de verlo, en la cumbre del Sinaí, sobre la cual se situaba esa «nube» en la que se desplazaba el iracundo Dios de los judíos.

Su sospechosa forma de morir ha despertado todo tipo de incógnitas. Según relata el Deuteronomio, al concluir el Éxodo, Moisés se encaminó en solitario a la cumbre del monte Nebo, que alcanza una altura de 835 metros. Desde allí contempló la tierra prometida, la tierra con la que habían soñado Abraham e Isaac. Allí mismo murió, pero aunque la Biblia indica que fue enterrado en las inmediaciones, nadie vio su cuerpo ni sabe exactamente dónde se encuentra su tumba. La ubicación de la misma ha sido siempre un gigantesco misterio...

El problema del que partimos es, en parte, la localización del citado monte Nebo. Casi nadie ha dudado nunca identificarlo con el pico Abarim, que se encuentra en Oriente Próximo. Sin embargo, el Nebo es sólo una de las cumbres del Abarim. Además, en los mismos relatos bíblicos se citan otras ubicaciones próximas que son difíciles de identificar en la región en la que se encuentra dicha montaña. ¿Acaso estaba el Nebo en otro lugar? Así podría ser...

Sin embargo, en la violenta región de Cachemira, en la frontera entre Pakistán y la India, lugar en el cual convergen varios cultos religiosos, existe un monte que tiene por nombre... ¡Nebo! Pero no acaba aquí la cosa, porque determinados libros que narran la historia de esta región sitúan allí la tumba de Moisés. Y no se trata de libros de reciente manufactura, sino de obras cuyo autor no conocía lo que se relata en la Biblia. Por ejemplo, en el *Hashmat-i-Kashmir* podemos leer lo siguiente: «Moisés llegó a Cachemira y la gente lo escuchó. Unos continuaron creyendo en él; otros no. Murió y fue enterrado aquí. La gente de Cachemira llama a su tumba "el santuario del Profeta del Libro"».

Moisés siempre permanecerá como leyenda. Los milenios que nos separan y la convulsa historia del pueblo judío nos dejan muy pocas pistas sobre su vida y el lugar en que yace.

A finales de los años setenta, el investigador Andreas Faber-Kaiser viajó a Cachemira con objeto de comprobar una serie de informaciones sorprendentes. Una de ellas situaba a Jesús de Nazaret en aquella tierra durante los años perdidos (entre los doce y los treinta años, periodo de su vida sobre el cual no informan los Evangelios) e incluso la tradición —relatada en libros igual de antiguos— hace alusión a que sobrevivió a la crucifixión, tras lo cual regresó a esta región, en la que habría fallecido a una avanzada edad.

Faber-Kaiser descubrió allí una tumba que es venerada con pasión como la auténtica sepultura de Jesús de Nazaret, ya que según la tradición también divulgó su mensaje cuando estuvo en este lugar. Curiosamente, muy cerca de la ubicación de la tumba de Jesús se encuentra otra que es atribuida a Moisés. Está en lo alto del monte Nebo, a más de tres mil metros de altura, y es adorada sin ningún tipo de conflicto junto a otras tumbas de personajes importantes para el islam. Para la tradición católica es difícil aceptar que Moisés esté sepultado en una tierra infiel, pero ciertamente no existe otro lugar en donde se ubique una tumba atribuida a él.

La tumba de Cervantes

A veces damos por sentados ciertos acontecimientos históricos sin preocuparnos de indagar un poco en su posible veracidad.

De Cervantes se cuestiona casi todo, empezando por el año, el día de su nacimiento y el lugar de su bautismo (muchos son los que dudan de que haya nacido en Alcalá de Henares). Sus manuscritos, tanto de las obras publicadas o representadas como de las inacabadas, se perdieron en su casi totalidad y no se conserva ninguna imagen gráfica auténtica de nuestro autor. Ahora le toca el turno no tanto al lugar de su fallecimiento, que fue Madrid, sino a su fecha y al sitio en el que estarían enterrados sus huesos.

Por los datos existentes, sabemos que murió a la edad de sesenta y ocho años de hidropesía, que fue amortajado con el hábito de San Francisco y que fue enterrado «de pobre», sin pompas ni ceremonias, con la cara descubierta y llevado desde la calle León al convento de las Trinitarias por sus hermanos de la Orden Tercera de San Francisco (en la que profesó el día 2 de abril), donde fue sepultado el 23 de abril. El hecho de que se eligiera esta ubicación se debe a que cuando estuvo preso en Argel, donde sufrió cinco años de cautiverio, Cervantes quedó libre después de que unos frailes trinitarios pagaran por él un rescate, el 19 de septiembre de 1580.

Hay argumentos que avalan que el día de su muerte pudo ser el 23 de abril, como un libro de difuntos de la iglesia parroquial de San Sebastián, dado a conocer en 1749 por el crítico Blas Nasarre: «El 23 de abril de 1616 años murió Miguel de Cervantes Saavedra, casado con doña Catalina de Salazar, calle de León. Recibió los Santos Sacramentos de mano del Licenciado Francisco López. Mandose enterrar en las Monjas Trinitarias». Por entonces, esta calle se llamaba de Cantarranas. Hoy, lo que son las cosas, se desconoce la localización exacta de su tumba.

Uno de los mejores especialistas en Cervantes, Luis Astrana Marín (1889-1959), siempre sostuvo que se trata de una equivocación tener el 23 de abril por la fecha de su fallecimiento, pues ese día es el de la inhumación. La costumbre en aquella época —y la de ahora— es que se dejase pasar al menos un día desde la muerte hasta el sepelio, velando el cadáver durante la noche. Por consiguiente, si Cervantes fue sepultado el 23 de abril, como coinciden en afirmar muchos de los historiadores, tuvo que haber muerto en la víspera, y así lo testifican los propios franciscanos, que fueron, en definitiva, los que le enterraron. De ser cierto esto, resulta que estamos celebrando el Día Mundial del Libro (elegido por la Unesco) en un día equivocado, un día después de cuando se debería hacerlo, porque ni Cervantes ni Shakespeare (el calendario gregoriano aún no había entrado en vigor en Inglaterra en esa fecha) murieron un 23 de abril de 1616. Y ya puestos, tampoco Garcilaso de la Vega, *el Inca*, otro de nuestros insignes escritores del Siglo de Oro, al que se le atribuye esa misma fecha de defunción, cuando realmente falleció el 22 de abril, como así figura inscrito en la lápida de la Capilla de Ánimas de la catedral de Córdoba.

¿Dónde está actualmente enterrado Cervantes? No hay duda de que está en el convento de las Trinitarias Descalzas, ubicado en la calle Lope de Vega de Madrid. Una placa de mármol en la fachada, con su efigie, nos lo recuerda: «Miguel de Cervantes Saavedra que por su última voluntad yace en este convento de la orden trinitaria a la cual debió principalmente su rescate». Pero ¿en qué lugar exacto están sus restos mortales? ¿Acaso se han perdido? El encogerse de hombros sería una respuesta, porque desde hace unos cuantos siglos no se sabe en qué lugar preciso del convento se encuentran los restos del manco de Lepanto. Astrana Marín, curándose en salud, dijo que todo el convento «es un gran cenotafio a Cervantes».

No deja de ser curioso —y hasta paradójico— que el principal adversario de Cervantes y su eterno rival fuera Lope de Vega, cuyos restos también han desaparecido, en este caso de la iglesia de San Sebastián, donde fue enterrado en 1635. Esta iglesia tiene solera literaria, ya que fue testigo de la boda de Gustavo Adolfo Bécquer, y se conservan en ella muchos de los certificados de defunción de famosos escritores como el de Miguel de Cervantes y el de Lope de Vega. Una vez más, juntos por el destino. Por otra parte, la casa donde vivió Lope de Vega, hoy convertida en museo, está ubicada en el número 11 de la calle Cervantes. Y, para colmo, a Cervantes le entierran en la calle Lope de Vega...

No es el único caso de cadáver desaparecido. Es una mala costumbre que tiene Madrid la de extraviar a sus hombres ilustres. Otro tanto le pasa a Calderón de la Barca o a Velázquez, cuyos restos mortuorios los historiadores no han sido capaces de ubicar, por diferentes causas, en una tumba concreta, señalizada y visible que pudiera haber sido así objeto de la colocación de velas, o ante la que aquellos que siempre los han admirado pudieran haber elevado una plegaria.

En el peor de los casos, siempre nos quedarán sus obras.

Capítulo VIII

Fraudes históricos

El hombre de Piltdown

En la historia del conocimiento humano ha habido numerosas meteduras de pata, errores, falsificaciones, mistificaciones, fraudes y timos de todo cuño.

Y han ocurrido en áreas tan variadas como la literatura, la arqueología, el arte, la antropología o la paleontología. El caso más conocido de estas últimas disciplinas ha sido el *hombre de Piltdown*, un auténtico serial de principios del siglo XX. El genial falsificador de este supuesto «eslabón perdido» tomó el pelo a más de un sesudo experto en paleoantropología. No está de más recordar esta clase de sucesos porque demuestran que en la historia de la ciencia no todos son aciertos y que el buen camino se consigue con tropiezos y alguna que otra pérdida de reputación.

Piltdown es la página negra de antropología, página que muchos quisieran borrar de un plumazo porque su implicación en los sucesos no les hizo ningún favor, sino todo lo contrario. No es para menos. Hasta hace muy pocos años el llamado *hombre de Piltdown* era la prueba definitiva de que la evolución del cerebro precedió a la del resto del cuerpo, desencadenando las transformaciones que conducirían al *homo sapiens*.

Pero hagamos un poco de historia para darnos cuenta de la auténtica dimensión del fraude. Un abogado rural de Sussex y agente de la propiedad aficionado a la antropología, Charles Dawson, hizo un descubrimiento en las proximidades de Piltdown, Inglaterra, considerado por la prensa como «sensacional».

Había estado excavando en unas terrazas fluviales cercanas a su casa y allí localizó, en 1908, un fragmento de parietal humano. Dos años después la fortuna le volvió a sonreír y esta vez encontró un hueso frontal. Pero ahí no quedó la cosa. Pasan los años y, dada la poca trascendencia que han obtenido sus descubrimientos, prepara el aldabonazo definitivo. En 1912, en presencia del geólogo Arthur Smith Woodward, conservador del Museo Británico, Dawson desenterró una mandíbula enorme y simiesca que encajó a la perfección en el cráneo de un hombre descubierto poco después.

El asombroso cráneo, presentado al mundo entero por el paleontólogo del British Museum, el 18 de noviembre de 1912, combinaba un gran volumen cerebral con una poderosa e inconfundible mandíbula simiesca. Se le bautizó como *Eoanthropus Dawsoni* (en honor de su descubridor, que se puso muy orgulloso), aunque popularmente empezó a ser más conocido como el *hombre de Piltdown* y se le atribuyó una antigüedad de novecientos mil años.

El hecho de haber sido hallado en Inglaterra dio más ínfulas de grandeza a ese país (en definitiva se trataba del «primer inglés»). El estamento científico, y no digamos el vulgo, aceptó sin reparos que ese homínido era a todas luces el «eslabón perdido» que tanto se había buscado y que relegaba a los demás homínidos de Neandertal, encontrados en Asia y sobre todo en África, a simples vías muertas en la prehistoria de la humanidad. Asunto zanjado. El ejemplar que realmente valía la pena analizar era ese extraño *hombre de Piltdown*, que lucía una hermosa dentadura humana sobre un maxilar de simio. Una rareza, sin duda.

Se escribieron no menos de quinientas tesis doctorales sobre la materia y cada uno que lo contemplaba no perdía ocasión de comunicar su docta opinión. El conocido paleontólogo norteamericano Henry Fairfield Osborn, cuando estaba visitando el Museo Británi-

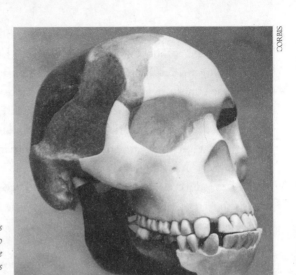

CORBIS

Para la ciencia actual es relativamente sencillo interpretar correctamente los descubrimientos antropológicos, pero a veces se descubren ciertos fraudes...

co en 1935, dijo: «... tenemos que recordar permanentemente que la Naturaleza está llena de paradojas y éste es un asombroso hallazgo referido al hombre primitivo...».

Así estaban las cosas hasta que en 1936 el dentista Alvan T. Marston, al estudiar la morfología del canino, se dio cuenta de que este diente pertenecía a un simio y también advirtió que la mandíbula tenía un color chocolate porque había sido tratada con bicromato de potasio. Tuvieron que pasar unos cuantos años hasta que en 1953 se diera el tiro de gracia al *hombre de Piltdown*: un equipo de investigadores del Museo Británico, dirigido por Kenneth Oakley, Wilfred Le Gros Clark y Joseph Weiner, anunció que se trataba de una burda falsificación. Aunque no sabían a quién atribuírsela.

Frank Spencer, director del Departamento de Antropología de la Universidad de Nueva York, fue quien desenmascaró la falsificación y a su autor, que no era otro que Charles Dawson, el «descubridor» del cráneo anómalo. Con la ayuda de pruebas de datación con fluorina, se determinó que era una mandíbula de orangután unida a un cráneo humano, ambos medievales. En definitiva, el cráneo de Piltdown resultó ser una astuta combinación de dos piezas anatómicas con un siglo de diferencia entre ambas: un cráneo humano y una quijada de orangután convenientemente limada para encajarla en el cráneo y engastarle luego una dentadura humana.

Pero Dawson ya no estaba en este mundo para recibir críticas ni agravios. Se había llevado el secreto a la tumba cuando murió, en 1916, laureado con toda clase de honores. Pocos repararon en que tras su muerte cesaron también los hallazgos de huesos, como si el yacimiento se hubiera volatilizado de pronto.

Entonces, los investigadores buscaron a una segunda persona que ayudara a Dawson a ingeniar la elaborada operación de engaño. La lista de sospechosos era larga. Spencer logró eliminar de la misma a dos personajes muy famosos: el padre jesuita Teilhard de Chardin y sir Arthur Conan Doyle, muy próximos al caso. De hecho, Teilhard había encontrado en Piltdown un colmillo de *Eoanthropus* que, según sus palabras, «tanto práctica como teóricamente se adapta exactamente a la mandíbula y viene a representar una fase de transición en el paso del modo de morder del mono al modo de morder del hombre».

Ese segundo hombre que ayudó a Dawson a pergeñar tan famoso fraude ha resultado ser el prestigioso anatomista sir Arthur Keith, conservador del Museo Hunteriano del Real Colegio de Cirujanos. Al conocerse el engaño, se promovió una moción de censura al British Museum en el Parlamento británico, pero todo quedó en un mero papeleo.

Así se dio por cerrado el caso de la mayor falsificación científica del siglo XX, que mantuvo en jaque a la antropología durante cuarenta largos años. Al final supuso un alivio que se descubriera el fraude, pues, como era lógico, no encajaba con el resto de hallazgos fósiles que se iban realizando en otras partes del mundo.

No todos están de acuerdo con que fuera Dawson el principal culpable de todo. Un estudio de la revista *Nature*, publicado en 1996, se decanta por el conservador del Museo de Historia Natural, Martin A. V. Hinton, quien consideraba a Smith Woodward un pomposo y deseaba ridiculizarle a toda costa, consiguiéndolo de esa manera.

La consecuencia es que un falsificador provisto de conocimientos de los modernos métodos de datación química y radiométrica podría hacer una falsificación difícilmente detectable, por lo cual nada nos garantiza que no haya alguna otra falsificación del tipo de la de Piltdown en uno de los grandes museos del mundo, aguardando a ser denunciada.

Sea como fuere, tan sólo es cuestión de asumir los errores con inteligencia y una buena dosis de humildad y sentido del humor.

El mapa de Vinlandia

«Por el deseo de Dios, después de un viaje largo de la isla de Groenlandia al sur hacia las partes restantes más distantes del mar del océano occidental, navegando hacia el sur entre el hielo, los compañeros Bjarni y Leif Eiriksson descubrieron una nueva tierra, sumamente fecunda y incluso tiene vides, a esa isla la nombraron Vinland. Eric [Henricus], legado del Observador Apostólico y obispo de Groenlandia y las regiones vecinas, llegó a esta verdaderamente inmensa y muy fértil tierra, en el nombre Dios Omnipotente, en el último año de Pascal, nuestro padre más bendito, allí estuvieron mucho tiempo, en invierno y en verano, después navegó hacia el Noreste, hacia Groenlandia y entonces en obediencia más humilde al deseo de su Superior.»

Estas palabras están tomadas del denominado *mapa de Vinland* —la Tierra de las Viñas—, según el cual los vikingos groenlandeses de origen islandés y noruego habrían descubierto América cinco siglos antes de Colón. Aunque hoy en día hay pruebas e indicios muy notables de la llegada de navegantes escandinavos a América, la cuestión del *mapa de Vinland* es distinta, pues obedece a una serie de intereses que se manifiestan de forma recurrente por parte de miembros de las importantísimas colonias de norteamericanos de origen escandinavo obsesionados en demostrar que sus antepasados habían llegado a América antes que los navegantes españoles. Aunque se probase la llegada de marinos nórdicos al Nuevo Continente, este hecho no restaría en absoluto mérito alguno a Colón, pero para muchos el famoso *mapa de Vinland*, custodiado en la prestigiosa Universidad de Yale, podía ser la prueba definitiva de que las historias de viejos y valerosos navegantes vikingos eran ciertas.

La historia del mapa comenzó en 1960, cuando Paul Mellon, el benefactor que da el segundo nombre a la Universidad Carnegie-Mellon, regaló a la Universidad de Yale, una de las más antiguas y prestigiosas de América del Norte, un mapa en el que se veían, muy bien definidos, los contornos de América del Norte. Supuestamente, era una representación detallada de tres territorios: *Helluland* —la Tierra de las piedras planas, posiblemente la isla de Baffin—, *Markland* —la Tierra de los bosques, posiblemente Labrador— y *Vinland* —la Tierra de Viñas, posiblemente Terranova—, en el noroeste del Atlántico. Había un texto que decía que allí se cultivaban viñas, por lo que los navegantes escandinavos le dieron ese nombre. A este mapa se le dio el nombre de *mapa de Vinlandia* y sería la prueba irrefutable de que América había sido descubierta por los islandeses establecidos en Groenlandia, Leif Ericsson y Bjarni Herjolfsson, cinco siglos antes que Colón.

A mediados del siglo X, se dio un calentamiento climático en Canadá, incluyendo Terranova, en el que hoy están de acuerdo la mayor parte de los geofísicos y meteorólogos, lo que permitía el cultivo de viñas y que hizo que Groenlandia recibiese el nombre que aún conserva: *Greenland*, Tierra Verde. A partir del siglo XV, un progresivo enfriamiento hizo que se volviese una tierra fría e inhóspita. Tal vez por causas climáticas, a principios del siglo XV los esquimales atacaron la pequeña colonia escandinava, que fue aniquilada en unos pocos años. De ella sólo quedan hoy restos arqueológicos, aun a pesar de que llegó a tener un obispo y una población próspera y numerosa, de buenos y audaces navegantes, que probablemente llegaron hasta lo que hoy es América, desde sus puertos en la costa occidental de la gran isla helada.

Para analizar el mapa, los investigadores se propusieron emplear el radiocarbono 14. Científicos del Instituto Smithsoniano y de la Universidad de Arizona concluyeron que el mapa era anterior a Cristóbal Colón en cincuenta años, proporcionando la evidencia que faltaba de que los vikingos habían descubierto América y regresado a Europa. En Yale se mostraron encantados con el resultado.

Sin embargo, en 1973 Walter McCrone, un microscopista de reputación mundial, encontró anatasa cristalizada en la tinta. Ese óxido de titanio no se comercializó hasta 1920. Curiosamente, esta investigación no desacredita la anterior, lo que ocurre es que la técnica del carbono-14 se empleó para analizar el pergamino, no la tinta.

Más recientemente se ha hecho un nuevo análisis con un moderno método en el que interviene un láser; se llama espectrografía Raman. Cuando una luz monocromática muy fuerte —por ejemplo un láser— choca con unas moléculas, los fotones pierden energía al excitar vibraciones típicas de las moléculas. Esa pérdida de energía se analiza con el espectrómetro. El resultado es el espectro vibracional Raman, que es único para cada tipo de molécula. Es decir, es la huella de identidad de la molécula. Este moderno sistema ha permitido ver que hay dos tintas, una negra de carbono y otra amarilla que es la que contiene el titanio. Algunos de los defensores de la autenticidad del mapa dicen que el dióxido de titanio podría haber sido natural; pero hay pruebas que demuestran claramente lo contrario. En las tintas del mapa no hay sólo dióxido de titanio. Cuando la tinta es de óxido de hierro suele dejar con el tiempo un reborde amarillento. Ese reborde se da en el *mapa de Vinland* y es en él donde apareció la anatasa. Pero como resulta que la tinta negra no es de óxido de hierro sino de carbono, no debería haber dejado el borde amarillento. Por tanto, parece claro que el falsificador sabía que había que dejar un borde amarillento y lo hizo con el recientemente comercializado óxido de titanio en años posteriores a 1920, lo que finalmente le delató. La conclusión de la investigación fue demoledora para los defensores del mapa: se trata de una falsificación de 1923.

El profesor Robin Clark del University College de Londres, autor del estudio, dice que el falsificador sabía que debía quedar un residuo amarillo y trató de reproducirlo. La tinta negra por encima es de carbono, lo que hace imposible que deje el residuo negro. El informe y las conclusiones británicas se publicaron en un artículo el 31 de julio de 2002 en la revista *Journal Analytical Chemistry.*

A pesar de tan contundentes evidencias, existen investigadores empeñados en la autenticidad del mapa, casi siempre como base para argumentar sus teorías sobre viajes a América anteriores a Colón. El último ha sido Gavin Menzies, dispuesto por cualquier medio a demostrar la llegada a Groenlandia en el siglo XV de navegantes chinos. Muchos de estos investigadores defienden teorías interesantes y atrevidas, pero hacen mal en apoyarse en el mapa de Vinland. Lo sentimos mucho, pero es falso.

La Dama de Elche

La historia de la emblemática Dama de Elche, como de tantas otras piezas artísticas, es también la historia de los tejemanejes políticos y arqueológicos, que han hecho que recaigan sobre ella las sospechas de una estupenda falsificación.

Sus peripecias empiezan el 4 de agosto de 1897, año en que se produce el hallazgo casual de la Dama de Elche en el yacimiento de La Alcudia en una urna de losa, que fue seguido, de forma casi inmediata, de su venta por cuatro mil francos a Pierre Paris, coleccionista que trabajaba para el Museo del Louvre.

La escultura de referencia se dató en el siglo IV a. C. y se trata de un busto de piedra caliza cuya función parecía ser la de urna funeraria, ya que tiene un orificio posterior donde se depositaban

La imagen que tenemos de nuestros antiguos íberos pende de un hilo muy fino. Si la Dama de Elche fuese un fraude, se desmoronaría un importante símbolo de nuestra Antigüedad.

las cenizas del difunto. Muestra el busto de una mujer o divinidad con lujosas joyas y un tocado muy especial: dos enormes rodetes que son como enormes orejeras cuya función se desconoce. Según una hipótesis del profesor Francisco Vives, experto en la escultura y autor del ensayo *La Dama de Elche en el año 2000*, fue una figura de cuerpo entero sentada y con una policromía bien definida de rojos y azules. Posteriormente, se rompería en dos partes para reutilizar la zona del tronco y transformar la parte dorsal de la figura en una incompleta urna funeraria.

227

Como la Ley de Excavaciones y Antigüedades, que prohíbe la venta o exportación de productos arqueológicos, no se promulgó sino hasta 1912, el arqueólogo francés Pierre Paris adquirió la pieza para el Louvre y allí estuvo durante décadas. En 1941 regresó a España gracias a las gestiones de Francisco Franco con el gobierno de Vichy presidido por Petain. Se intercambió por un Velázquez y a España llegó este enigmático busto junto con un cuadro de Murillo. Tras unos años en el Museo del Prado, pasó a presidir la estupenda colección de escultura ibérica del Museo Arqueológico Nacional.

La polvareda la levantó hace unos años un libro del estadounidense John F. Moffitt, docente en The New Mexico State University, en que argumentaba sus dudas acerca de la autenticidad de la escultura. Resultado de veinte años de análisis detectivesco fue su libro *El caso de la Dama de Elche. Crónica de una leyenda* (1995). El profesor Moffitt lanzó un devastador dardo acusatorio sobre una de las obras más bellas y más famosas de la Antigüedad. Según su opinión, la Dama de Elche sería una falsificación de finales del siglo XIX, más concretamente de 1897, la fecha de su descubrimiento. Moffitt llegó incluso a sugerir un nombre para el autor de la falsificación: habría sido obra de un tal Pallàs i Puig.

Frente a la irritación de muchos «defensores» de la antigüedad real de la Dama, Moffitt insistía en reclamar para la famosa pieza una datación mediante el carbono-14 de los únicos elementos susceptibles de dicha prueba, es decir, los restos de policromía que conserva. Nadie le hizo caso salvo una excepción: Juan Antonio Ramírez Domínguez, catedrático de Historia del Arte de la Universidad Autónoma de Madrid, que fue uno de los pocos especialistas que se tomó en serio la aportación de Moffitt, considerando correcta su hipótesis.

Parecía que la pieza no acababa de encajar en los parámetros de lo que se sabía sobre la escultura ibérica que surgió hacia el año 500 a. C. Al hacer un resumen de los numerosos argumentos que en aquel libro se aducen, hay que decir que los primeros de esa relación fueron recogidos por Moffitt de otros autores que también, en su momento, «habían dudado». Recuperó los siguientes reparos formulados por Nicolini o las discordancias que ya habían sido señaladas por el profesor García Bellido. Por ejemplo:

- Circunstancias oscuras del descubrimiento de La Dama de Elche.
- Frecuencia de las falsificaciones ibéricas en aquel tiempo.
- Excelente estado de conservación, altamente sospechoso, de La Dama de Elche.
- Carácter «único» y, además, anacrónico de la pieza, exagerando su «carácter ibérico».
- Se trata de un busto de tamaño natural, un retrato «muy personal», algo anómalo, pues no hay retrato en Hispania hasta la época romana.
- No es un fragmento de una escultura mayor. Hay falta de antecedentes de bustos en la escultura ibera.
- Esta forma de busto con base cuadrada no se halla tampoco en ninguna de las culturas del Mediterráneo occidental durante el periodo clásico.
- El cuidado o atención fisonómicos también son ajenos a la cultura y a la época. No hay sino retratos de héroes y éstos no aparecen hasta Alejandro Magno.
- Adolece de un cierto eclecticismo: aspectos ibéricos, púnicos, etruscos, griegos y romanos, o sea, un completo «pastiche».
- Los rasgos ibéricos de la Dama aparecen en ilustraciones sobre piezas publicadas antes de 1897. Un eventual falsificador pudo disponer, pues, de abundantes modelos para imitar.
- Atribución ibérica automática por haber aparecido en La Alcudia, a pesar del carácter romano de la mayor parte de dicho yacimiento y particularmente de la estratigrafía donde se produjo el hallazgo.

Otras objeciones adicionales que Moffitt aporta, por su cuenta y riesgo, son las siguientes:

- El «aparato» que sostiene el tocado es una invención, puesto que no hay precedente.
- En el lugar del hallazgo, la tierra estaba removida y suelta, cuando el resto del campo la presentaba prieta. Hallándose la pieza a «cosa de un metro» de la superficie del suelo en un predio cultivado, ¿es sostenible que nadie hubiese acertado a dar un solo golpe de azada en aquel punto durante dos mil años?
- Sospechosa «oportunidad» del hallazgo, precisamente cuando hubo de producirse la visita del gran especialista francés Pierre Paris.
- Falta de oxidación de la pieza, pese a haber sido tierra regada habitualmente desde tiempo inmemorial.

Moffitt concluye diciendo que el argumento arqueológico de la integridad de la pieza —que apenas presenta unos desperfectos mínimos, muy accidentales— se hace más firme, si cabe, cuando se tiene en cuenta que Ilici (Elche) fue totalmente destruida y que todos sus restos aparecen por ello despedazados, como observaba el arqueólogo Ramos Fernández. No sólo es inverosímil hallar una pieza intacta, cuando hubo de ser traída, llevada, tirada, etcétera, sino que consta que en ese lugar precisamente se produjo una destrucción total, de la que se han recogido millares de fragmentos mínimos.

Los ilicitanos reaccionan airados cada vez que la Dama de Elche es objeto de críticas y opiniones ofensivas, sintiéndose en la obligación de defender su emblema —*excusatio non petita, accusatio manifesta*— cada vez que se habla de una posible falsificación. Consideran descabelladas esas teorías, puesto que en posteriores congresos internacionales muchos especialistas han aportado argumentos que avalan la autenticidad de la Dama de Elche.

La pena es que aún no se haya hecho, de una vez por todas, la prueba del carbono-14 para disipar cualquier duda que surja, ahora y siempre, sobre la autenticidad de esta rareza de la escultura ibérica.

Los canales de Marte

En el siglo XIX existió un apasionado interés por la astronomía. La mejora constante de la tecnología y el avance de la ciencia hicieron que se estudiase con un interés cada vez mayor el cosmos, en especial los planetas que se encontraban más cerca de la Tierra. De ellos ninguno tuvo un interés mayor que Marte, el inquietante planeta rojo. A comienzos del XIX, el matemático alemán K. F. Gauss propuso dibujar con la vegetación de las estepas de Asia central los elementos del teorema de Pitágoras para que pudiesen ser observados desde el espacio. El astrónomo austríaco Von Nittrow quería escribir una fórmula matemática universal en unos canales llenos de agua en los que flotaría queroseno inflamado, y el francés Charles Cros propuso, en 1869, un sistema de espejos gigantes con el fin de mandar signos en morse a Marte.

Durante esos años, casi todos los astrónomos terminaron por convencerse de que en el sistema solar sólo Marte y Venus tenían posibilidades de abrigar alguna vida inteligente. Venus era difícil de estudiar con los medios disponibles en el siglo XIX, pues era casi imposible apreciar nada bajo su atmósfera de nubes opacas. Marte, por el contrario, facilitaba la observación, con su atmósfera limpia y su tonalidad rojiza. No obstante, aun a pesar de ello, la poca definición de los telescopios y la dificultad de traspasar la barrera formada por la atmósfera de la Tierra, e incluso la débil atmósfera marciana, hicieron muy complicados los intentos de cartografiar nuestro vecino planeta. Esto provocó bastantes discusiones entre los astrónomos, que no se ponían de acuerdo en las conclusiones deducidas de las observaciones.

Pero la moda marciana nació en realidad tras los estudios de un astrónomo italiano, Giovani Schiaparelli (1835-1910), que realizó detalladas observaciones astronómicas de la geografía de Marte, tras las que llegó a la conclusión de que existían una serie de líneas con una longitud de miles de kilómetros. Como resultado de sus análisis, diseñó un mapa de Marte muy diferente a todos los anteriores, que mostraba una red de líneas oscuras y estrechas uniendo puntos más anchos. Los estudios de Schiaparelli eran razonablemente serios y no fueron discutidos en lo esencial por sus contemporáneos, pues en apariencia estaban realizados con meticulosidad y esfuerzo. El astrónomo italiano señaló también que los casquetes polares de Marte diminuían de superficie en el verano marciano y, cuando este fenómeno se producía, las zonas oscuras se ensanchaban como si alguna forma de vegetación se desarrollara allí durante el estío. Schiaparelli denominó a estas líneas canales y les dio el nombre de viejos ríos antiguos o mitológicos. En la prensa sus revelaciones tuvieron un éxito asombroso. Aunque Schiaparelli creía que eran de origen natural, la prensa popular italiana y extranjera usaba siempre el término «canales», dando a entender que eran artificiales. Para la gente, que no daba importancia al hecho de que tenían unas anchuras próximas a los ciento cincuenta kilómetros, no había duda posible: eran la prueba de que Marte era el hogar de una civilización tecnológica y avanzada que construyó los canales para conservar el agua, la cual empezaba a escasear en su planeta, por causa del débil campo gravitacional. Los libros sobre el tema proliferaron y alcanzaron un notable éxito, algunos firmados por nombres importantes, como Camille Flammarion, un ardiente partidario de la existencia de la vida extraterrestre.

Sin embargo, fueron los trabajos del astrónomo norteamericano Percival Lowell (1855-1916) los que convirtieron a los canales de Marte en un mito universal.

Lowell había nacido en Boston, Massachusetts, y estudiado en la prestigiosa Universidad de Harvard. Viajó a Japón y Corea desde

1877 hasta 1893 y posteriormente escribió libros sobre Asia oriental. En 1894 fundó y fue director del Observatorio Lowell en Flagstaff, Arizona. Lowell examinó con cuidado Marte y analizó las extrañas líneas documentadas por Schiaparelli. Durante quince años de estudio tomó miles de fotografías. Gracias a su trabajo, el número de «canales» pasó de cuarenta a más de quinientos. Éstos representaban, según él, un sistema de regadío que atravesaba las bandas sombrías visibles desde la Tierra y marcaba zonas de cultivo. Para él, Marte, más alejado del Sol y más pequeño que la Tierra, estaba secándose, y la civilización que lo habitaba luchaba por sobrevivir. A Lowell le dieron igual las numerosas críticas de los escépticos, publicó libros sobre el tema, y aunque sus teorías fueron consideradas bastante fantásticas por la mayoría de los científicos de la época, no impidieron su éxito popular.

Además, Lowell no era ningún fantasioso ni ningún farsante. Desde 1902 hasta su muerte, impartió clases de astronomía como profesor no residente en el Instituto de Tecnología de Massachusetts. También se dedicó al análisis del movimiento de los dos planetas extremos conocidos: Urano y Neptuno. De la irregularidad de sus órbitas dedujo que debía de haber un noveno planeta. Lo buscó ansiosamente desde su observatorio, pero sin resultado. Entre sus obras se encuentran *Mars and Its Canals* (*Marte y sus canales*, 1906) y *The Genesis of the Planets* (*La génesis de los planetas*, 1916). Catorce años después de la muerte de Lowell, el planeta fue descubierto por Clyde Tombaugh, en el mismo observatorio que Lowell había fundado y dirigido. Sin embargo, su masa es tan pequeña que no podía provocar las presuntas perturbaciones observadas por Lowell, por lo que hoy se considera que el descubrimiento de Plutón ha de atribuirse más a la casualidad que a una previsión científica.

En cuanto a Marte, antes de su muerte, en 1916, las observaciones realizadas con la ayuda de telescopios más potentes que el suyo mostraron que los «canales» eran ilusiones ópticas y errores de interpretación. A pesar de ello, la creencia de la existencia de una vida inteligente en Marte duró hasta 1964, año en que la sonda norteamericana *Mariner* 4 envió a la Tierra veintiún imágenes de un suelo desértico parecido al de la Luna.

El tesoro de Schliemann

Año 1184 a. C., tropas griegas dirigidas por el rey Agamenón de Esparta consiguen, mediante una eficaz treta, expugnar las defensas de Ilión (Troya), la gran ciudad cercana a Helesponto bajo el gobierno del rey Príamo. La plaza es destruida y entregada al olvido histórico.

Cinco siglos más tarde, un poeta llamado Homero recoge la epopeya en dos obras desde entonces eternas: han nacido *La Iliada* y *La Odisea*. Durante centurias todos elogiaron aquellas composiciones sin llegar a creer en la autenticidad histórica de la narración. Sin embargo, en el siglo XIX, un heterodoxo cuyo nombre era Heinrich Julius Schliemann sí creyó en esos textos y, gracias a su tesón, consiguió demostrar que aquellas míticas aventuras tenían mucho de cierto, aunque el tesoro encontrado por este soñador sea uno de los más cuestionados en toda la historia de la arqueología.

Nacido el 6 de enero de 1822 en Neubukow, un pequeño pueblo de Alemania cercano a la frontera con Polonia, era miembro de una modesta pero culta familia numerosa. Pronto destacó por su inusual inteligencia, virtud que su padre, un pastor protestante, supo fomentar leyéndole narraciones apasionadas sobre historia antigua. El joven Heinrich decidió unir su destino al de la Grecia clásica; empero, este camino en común debería esperar algunos años por la precariedad económica que atravesaba el clan. Sin embargo, en sus años mozos hizo fortuna trabajando como agente comercial y su don para los idiomas —de los que llegó a estudiar dieciocho— le catapultó a San Petersburgo, ciudad en la que siguió incrementando su ya considerable patrimonio.

No hay manera de desmitificar a Schliemann, el único hombre que por su intuición ha logrado dar vida tangible a la hasta ahora «leyenda» de Homero sobre la guerra de Troya.

En 1868 se divorció de su mujer rusa, Catheryna, para casarse con su ideal femenino, y así, tras una escrupulosa selección, eligió a la griega Sofía Engastrómenos, una joven de diecisiete años que había superado a la perfección el examen sobre Homero y su obra, requisito indispensable para gozar del respeto de un Schliemann cada vez más obsesionado por verificar la exactitud histórica planteada por el autor heleno.

En 1870 comenzaban las excavaciones arqueológicas en la península de Anatolia. No sin esfuerzo, consiguió los permisos necesarios de las autoridades turcas, y con minuciosidad fue descartando posibles ubicaciones para su Troya anhelada. Finalmente, se fijó en la colina de Hirssarlik, sita a unos cinco kilómetros del estrecho de los Dardanelos, lugar que cumplía geográficamente con lo descrito por Homero en la *Iliada*. Schliemann no poseía conocimientos técnicos para iniciar una prospección de esa envergadura, no obstante su ilusión lo empujó a excavar con frenesí día tras día ayudado por un centenar de auxiliares autóctonos. Por fin, el 30 de mayo de 1873, él mismo se topó con un cajón metálico en el que encontró, supuestamente, más de ocho mil piezas de oro. Cegado por la emoción, no tuvo el menor inconveniente a la hora de calificar el magnífico descubrimiento como el tesoro perdido del rey Príamo de Troya. El hallazgo se dio a conocer a una clase científica que dudó desde el primer momento de la autenticidad del tesoro descubierto por Schliemann. En efecto, en estudios posteriores se confirmó que las piezas halladas por el alemán databan de épocas anteriores a lo que se dijo, llegando a estipularse que Schliemann se había hecho con la valija en diferentes compras realizadas a anticuarios griegos y turcos. A pesar de todo, el aventurero siguió fiel a su idea y sacó a escondidas el tesoro de Turquía para entregarlo al Museo de Berlín, lugar donde quedó depositado hasta su expolio posterior a cargo de las tropas soviéticas en 1945.

Haciendo caso omiso de las encendidas críticas, Schliemann mantuvo sus trabajos de excavación y con los meses fueron apareciendo varios estratos pertenecientes a diversas Troyas, localizándose cuatro. Uno de sus ayudantes, Wilhelm Dörpfeld, descubriría, años más tarde, otras cinco, constatando de ese modo que la Troya de Homero era la situada en los niveles VI y VII y no en el II, como creía el propio Schliemann.

Las aportaciones al conocimiento de la Grecia arcaica efectuadas por este ilustre alemán son indiscutibles. En sus años de labor, no sólo descubrió Troya, sino que también fue fundamental en el hallazgo de las tumbas del círculo A de la mítica ciudad de Micenas, así como en la localización de las murallas ciclópeas de Tirinto. Puede que sus peculiares formas de investigación no fueran las más ortodoxas e impecables del oficio arqueológico y que su obsesión por Homero le impidiera analizar correctamente lo que estaba haciendo en los diferentes yacimientos que destapaba. Es cierto que destruyó —por ignorancia— muchas piezas de valor incalculable y que nunca sabremos si el tesoro de Príamo fue encontrado en el lugar que él dijo. Pero si hoy sabemos que Troya existió, es debido a que un día un joven de imaginación portentosa soñó con hacer realidad las historias leídas en el libro de su vida.

El 26 de diciembre de 1890 fallecía víctima de un colapso mientras paseaba por las calles de Nápoles. Sea cual fuere la procedencia de los tesoros hallados por él, nadie osa discutir que este obstinado buscador de quimeras nos ofreció una de las páginas más brillantes de toda la arqueología universal.

El regimiento Norfolk

Mes de agosto de 1915, frente de los Dardanelos en la costa turca. Desde el mes de marzo fuerzas del Imperio Británico y de Francia intentaban apoderarse del vital punto estratégico que guarda las comunicaciones entre el mar Negro y el Mediterráneo. Era una apuesta arriesgada. Si tenían éxito, podrían eliminar de la alineación de las potencias del Eje al Imperio Otomano, un peligroso enemigo. Por el contrario, si fracasaban, se encontrarían dentro de una trampa mortal a miles de kilómetros de sus bases más próximas. Durante meses la cabeza de puente aliada estuvo formada por un pequeño enclave sometido a constantes bombardeos, en tanto que la flota franco-británica, dueña del mar, proveía a los expedicionarios de provisiones, refuerzos y municiones. Desde un principio la resistencia turca, con apoyo alemán, fue firme, y los progresos aliados fueron mínimos. Se inició entonces, como en el frente occidental, una guerra de trincheras, que produjo una verdadera carnicería que no terminó hasta el mes de diciembre, cuando tras perder a cuarenta y seis mil hombres, los aliados se retiraron.

Una parte importante de las tropas expedicionarias aliadas estaba formada por regimientos y unidades del Imperio Británico, agrupadas en el CUANZ —Comando Unificado de Australia y Nueva

Zelanda—, cuyas tropas lanzaron un violento ataque contra posiciones enemigas en la denominada cota 60 el 21 de agosto de 1915. Ese día, veintidós soldados neozelandeses de una compañía de ingenieros afirmaron haber visto al 4.° regimiento de Norfolk —en realidad un batallón de doscientos sesenta y siete hombres— avanzar para apoyar el asalto al sur de la bahía de Suvla. Cuando los soldados atravesaban el lecho seco de un río, penetraron en una extraña nube que parecía flotar sobre el suelo. Cuando todos habían entrado en la nube, ésta se elevó, sin que al verse de nuevo el valle hubiese en él ningún ser humano. En cuanto a los turcos, afirmaron no haber capturado ningún prisionero en el sector. ¿Qué extraño suceso había ocurrido allí? Toda esta historia, divulgada gracias a los libros de Jacques Bergier y Peter Kolosimo, nació como consecuencia de una reunión conmemorativa de la campaña de los Dardanelos celebrada en 1965, cincuenta años después de los hechos, y en la que tres soldados neozelandeses de la 3.ª sección, 1.ª compañía de ingenieros, hicieron estas sorprendentes declaraciones, con la esperanza de que hubiese algún testigo más de aquel extraño suceso acontecido en el lejano verano del año 15. La verdad es que su testimonio es realmente impactante:

Se pudo ver que, a pesar de un viento sur que soplaba con una velocidad de seis a ocho kilómetros por hora, esas nubes no cambiaban ni de lugar ni de forma. Con respecto a nuestro punto de observación, de 150 metros de altura, planeaban con cerca de 60° de elevación (1.200 metros de altura). Bajo ese grupo y en situación estacionaria sobre el suelo, se encontraba otra nube parecida en cuanto a su forma, que medía cerca de doscientos cincuenta metros de largo, sesenta y cinco metros de alto y sesenta metros de ancho. Esa nube era extremadamente densa, hasta el punto de parecer sólida (...). Se vio entonces que un regimiento inglés compuesto de varios centenares de hombres, el cuarto de Norfolk, remontaba ese camino o lecho de río hacia la cota 60. Cuando llegaron hasta la nube, penetraron en ella sin vacilar. Cerca de una hora más tarde, una vez que el último soldado hubo desaparecido en su interior, la nube se elevó muy discretamente del suelo y, como cualquier nube o neblina, subió lentamente hasta juntarse con las otras nubes...

Sin embargo, desde el primer momento, hubo una serie de factores que hicieron pensar a los expertos que su declaración no era exacta, aun a pesar de contener detalles muy precisos. Por lo pronto, el 4.° de Norfolk no era un regimiento entero, sino un batallón, y además terminó con bajas, pero intacto, la campaña de los Dardanelos. Los testigos se referían sin duda al 5.° batallón de dicho regimiento, que desapareció en un ataque, pero de acuerdo con los archivos británicos no el 21 de agosto, sino el 12, a unos cinco kilómetros de distancia de donde se encontraban los ingenieros neozelandeses y no en la posición que ellos indican. Lo sorprendente es que hay otro texto que, en lo sustancial, parece coincidir con lo afirmado por los tres camaradas de armas y que consta en los documentos de la Comisión de los Dardanelos. A finales de 1917 esa comisión, creada para evaluar lo sucedido en la desastrosa campaña, terminó su informe definitivo, el cual fue entregado al alto mando aliado. Según se indica en el mismo, una densa bruma que reflejaba los rayos del Sol cubrió la bahía de Suvla el 21 de agosto de 1915 —sí, el 21, como afirman los testigos, no el 12—. Este hecho, que no era en absoluto extraño, pues sucedía de forma habitual en la zona, generó una enorme dificultad a los soldados aliados para poder percibir con exactitud la posición de los blocaos, casamatas y trincheras turcas, al tiempo que permitía a los defensores hacer blanco con mucha más precisión en las densas masas de infantes atacantes. En cualquier caso, lo cierto es que el documento hace referencia a la niebla, la identifica como un fenómeno meteorológico anómalo, pero usual en el cálido verano de la región, e indica que a lo largo de la tarde de dicho día tropas del CUANZ —tres mil hombres en total— se lanzaron al asalto de la cota 60, ataque en el que fueron apoyados por el 4.º batallón del regimiento real de Norfolk. La comparación de la narración de los testigos neozelandeses con lo descrito en el informe oficial es sumamente curiosa, pues parece que los soldados que describen el supuesto fenómeno extraño de la nube separaron dos sucesos reales, la nube y el ataque, como si fuesen algo independiente, cuando en realidad era algo perfectamente conocido por los combatientes aliados al dar comienzo el avance.

Por otra parte, los documentos hablan con claridad de una extensa bruma y no de una nube de doscientos cincuenta metros posada sobre el suelo, tal y como se afirma en los testimonios de los testigos, que describen un fenómeno tan extraño que de haberse producido, sin duda, no hubiese pasado desapercibido a los observadores de ninguno de los bandos, siempre alerta ante cualquier estratagema nueva del enemigo.

Lo cierto es que el 5.º batallón de infantería del regimiento real de Norfolk fue dado por desaparecido ante las trincheras turcas tras los trágicos sucesos del 21 de agosto de 1915. Pero los valientes soldados, que se lanzaron colina arriba contra las trincheras otomanas en apoyo de sus compañeros australianos y neozelandeses que atacaban la cota 60, en medio de las explosiones de las granadas, de la metralla y de los proyectiles de las ametralladoras, nunca fueron a ninguna parte, al menos sus cuerpos, pues a partir del 23 de septiembre de 1919, terminada la guerra, se recuperaron ciento veintidós de sus cadáveres. Los otros ciento cuarenta y cinco restantes quedaron mezclados con la tierra para siempre, deshechos por la metralla, los impactos de la artillería y el calor del verano, que aceleró la putrefacción de los cuerpos, lo mismo que pasó con los cuerpos nunca recuperados de veintisiete mil de los treinta y cuatro mil caídos de las fuerzas aliadas en la terrible batalla. En cuanto a sus almas, esperamos que hayan podido descansar en paz.

El experimento Filadelfia

Probablemente, hay pocas leyendas contemporáneas más arraigadas que la del experimento Filadelfia, según la cual un buque de la US Navy fue utilizado durante la II Guerra Mundial para participar en un experimento de invisibilidad. Novelas, ensayos y películas lo han convertido en un mito.

La historia fue popularizada por Morris Ketchum Jessup, un antiguo vendedor de repuestos de automóviles, que en 1956 se había hecho muy famoso en Estados Unidos con una obra sobre el fenómeno ovni, que se presentaba ante la opinión pública como «doctor Jessup» y que decía ser astrofísico —había estudiado astronomía en la Universidad de Michigan, pero nunca consiguió el doctorado—. Jessup recibió unas cartas en las que un misterioso Carl Allen —que firmaba la segunda de ellas— afirmaba que la US Navy había efectuado una serie de pruebas de propulsión electromagnética siguiendo la teoría del Campo Unificado de Albert Einstein. En una de las cartas, Allen describía los efectos del experimento sobre la tripulación de un barco de la armada norteamericana: un marinero se había vuelto invisible, otro se quedó paralizado, de los cuerpos de algunos marineros salieron llamas y otros desaparecieron para siempre poco tiempo después de volver a casa. Según decía, era marinero del *Andrew Furuseth*, en octubre de 1943; su buque se encontraba cerca del que había sufrido el experimento, pero no daba su nombre.

Cuando Jessup se encontraba escribiendo su segundo libro, el comandante Darrell Ritter de la ONR —Departamento de Investigación Naval— recibió un ejemplar de su primer libro lleno de anotaciones escritas en tres colores distintos: azul, azul-violeta y verde. El contenido de las anotaciones versaba sobre presuntos casos ovni y comentarios sobre detalles de la naturaleza de los ovni que nadie más conocía. El ONR hizo unas cuantas copias del libro a través de una compañía llamada Varo Manufacturing of Garland, Texas, e invitaron a Jessup a viajar a Washington para analizar el libro con ellos e intentar descifrar las anotaciones. Jessup descubrió que algunas habían sido escritas por Allen —la edición anotada del libro es hoy un artículo de coleccionista entre los ufólogos—, lo que le convenció de la realidad del experimento. Buscó la ayuda de dos amigos suyos, el naturalista Ivan T. Sanderson y el zoólogo J. Manson Valentine, para intentar esclarecer las cosas. Por desgracia, Jessup nunca pudo llegar al fondo de la cuestión. La noche del 20 de abril de 1959, fue encontrado en su coche en Dade County Park, cerca de su casa. No hubo autopsia, porque se consideró un caso claro de suicidio.

Tras la muerte de Jessup el asunto pareció olvidarse, pero ganó un gran impulso gracias a un libro de Berlitz y Moore, quienes afirmaron haber conocido al enigmático Carl Allen. Para entonces, el problema principal era determinar quién era Carl Allen. Investigaciones realizadas en los últimos años han aportado mucho sobre él, gracias al investigador Robert A. Goerman, un vecino de la familia Allen. Carl Meredith Allen nació en Springdale, Pennsylvania, el 31 de mayo de 1925. Era el mayor de cinco hermanos. Su padre era inglés y su madre mitad francesa —aunque Allen solía contar que sus padres eran irlandeses o gitanos—. Fue un estudiante brillante, tenía unas dotes especiales para las matemáticas y aprendió a hablar varios idiomas con soltura. Era un bromista y le gustaba engañar a la gente con sus mentiras y juegos extraños. Entró en la Marina en 1942. Luego se unió a la marina mercante y sirvió en el *Andrew Furuseth*. Tras una disputa con el sindicato, en 1952, abandonó la Marina para dedicarse a viajar por Estados Unidos, de un trabajo a otro. Según la historia que contó a Moore, pasó un tiempo en San Altos, México, donde vivió con una pandilla de gitanos, y empezó a llamarse Carlos Miguel Allende. En 1969 confesó que sus comentarios sobre el libro de Jessup habían sido mentiras para desprestigiar al autor, pero diez años después se retractó. Allen dijo que el barco experimental era el DE173, número que correspondía con el *USS Eldridge*. En 1978 se hizo una película de ciencia ficción titulada *Thin Air* (1978), donde se menciona explícitamente el nombre del *USS Eldridge* y se describe el experimento de 1943. Al año siguiente se publicó *The Philadelphia Experiment: Project Invisibility*, la obra de William L. Moore y Charles Berlitz. Este libro también difundió el mito de que el barco se llamaba *USS Eldridge*. En 1984 se produjo otra película, *The Philadelphia Experiment*, que tuvo un fuerte impacto en la opinión pública —aunque no tuvo buenas críticas.

Respecto al *USS Eldridge*, no hay nada que no se sepa. Construido entre 1942 y 1943 por la Federal Shipbuilding and Drydocks, Newark, New Jersey, sirvió de escolta para petroleros y barcos mercantes en el norte de África, el Mediterráneo y en el sur de Europa. Al acabar su servicio en el océano Atlántico fue transferido al Pacífico, donde operó hasta el final de la guerra. Retirado del servicio en 1946, fue vendido a Grecia el 15 de enero de 1951, donde cambiaron su nombre a *Leon*. Su paradero nunca fue un secreto, razón por la cual existen decenas de fotografías suyas.

Finalmente, el 26 de marzo de 1999, el *Philadelphia Inquirer* publicó un artículo titulado «Philadelphia Experiment. Didn't Happen Says Former Crew Members» («El experimento Filadelfia. Nunca ocurrió, según los antiguos miembros de la tripulación»). En este artículo se detallan conversaciones con los marineros que habían servido en el *USS Eldridge* en la época del experimento. Según los testimonios de decenas de veteranos, ni siquiera estuvo en Filadelfia, a pesar de que el barco hizo muchas visitas a puertos de la costa este. Los diarios de a bordo han demostrado que su memoria funciona bien, incluyendo la de Bill Van Allen, capitán del *Eldridge* entre 1943 y 1944.

El investigador inglés Chris Aubeck, autor en España de un artículo sobre esta historia —revista *LRV*, número 6— y buen conocedor del tema, señala respecto a lo afirmado por Allen sobre que el experimento fuera realizado en el otoño de 1943 y que él se encontrara muy cerca, a bordo de *Andrew Furuseth*, que se ha comprobado que sólo coincidieron el 16 de agosto de 1943 y no en otoño. Pero cabe una última posibilidad. En una carta dirigida a Goerman el 2 de agosto del 1979, Allen decía que existían dos DEI73 y en la edición anotada del libro de Moore y Berlitz que Allen envió a casa en Navidades de 1979 escribió que «había dos barcos, DEI73 Y DEI68 —o algún número de identificación así— ... la lógica me decía que era el DEI73. Estaba equivocado...». En su última entrevista, en 1986, dijo otra vez que era el DEI68, numero de identificación del *USS Amick,* que estuvo en las Bermudas en las fechas en que se suponía ocurrió el experimento, siendo empleado para probar nuevos recursos de defensa. ¿En qué consistía el experimento? De momento, no lo sabemos...

Los discos de Baian Kara Ula

En realidad, todo parece una leyenda urbana que fue alimentándose poco a poco sin que nadie realmente profundizara en el origen de las informaciones, que nos remontan al año 1938. En esa fecha, una expedición habría alcanzado la frontera entre China y el Tíbet a la altura de una región llamada Baian Kara Ula. Allí encontraron algunos restos inquietantes. Por un lado, unas supuestas tumbas escondidas en una cueva que albergaban los restos sin vida de unos personajes que para nada parecían humanos. Junto a ellos se localizaron setecientos discos de piedra sobre cuya superficie aparecían grabados unos símbolos —de aspecto rúnico— que en principio nadie fue capaz de descifrar.

Meses después entraron en juego los investigadores de la Universidad de Pekín, que examinaron aquellos símbolos jeroglíficos intentando hallarles sentido. Y lo encontraron: aquella escritura cifrada venía a decir que hace más de diez mil años unos seres del espacio llamados *dropa* llegaron hasta esa región. Además, los investigadores chinos habrían localizado varias leyendas en la región que confirmaban la legendaria visita al lugar de unos personajes de poco más de un metro de altura.

Ésa es la historia, pero la realidad es bien diferente. Gracias al investigador británico Chris Aubeck, se pudo localizar la fuente original de la información. Data del año 1962, cuando la dio a conocer una revista titulada *El universo del vegetarianismo*, que se editaba en Alemania y que era de corte totalmente sensacionalista; podrían contarse con los dedos de una mano las informaciones que publicaron que resultaron ciertas. Por desgracia, nadie se planteó la poca credibilidad de esta revista, y el texto fue copiado posteriormente por la revista germana *UFO* y de ahí saltó a las páginas de la publicación rusa *Sputnik* en el año 1966. Y como esta última sí gozaba de credibilidad, el asunto de los *dropa* comenzó posteriormente a obtener notoriedad y repercusión en todo el mundo.

Como consecuencia de ese salto entre revista y revista, cada vez que se publicaba, la información original sufría nuevos añadidos inventados por los redactores de turno. Así, en el año 1979, varias publicaciones norteamericanas dieron a conocer el caso aderezado por el relato de algunos lugareños de la región tibetana que recordaban como aquellos seres llegados del espacio hace doce mil años procedían de la estrella Sirio, que aparece en infinidad de mitos de pueblos y civilizaciones a lo largo del globo terráqueo.

Esta última versión de la leyenda de los *dropa* fue narrada en un libro por un personaje llamado David Agamon, que dio al relato su forma definitiva. En su trabajo se daban a conocer, por primera vez, las fotografías de algunos de esos discos que contenían los enigmáticos símbolos. En sus páginas decía que dichas imágenes habían sido obtenidas en el Museo de Pekín, pero casi dos décadas después, Agamon confesó la verdad a la revista *Fortean Times*: las imágenes las había falsificado él mismo en su propio domicilio.

Por desgracia, las informaciones sobre los *dropa* y los discos resultaron falsas desde un principio. Eso no ha sido óbice para que infinidad de publicaciones hayan reproducido todo ese mito sin que nadie reparara en la inautenticidad de unas afirmaciones que acabaron por convertirse en una leyenda. Parecía una historia fascinante, pero estamos ante un fraude más.

El broche de Preneste

Un año: 1887.

Una ciudad: Preneste (la actual Palestrina, en Italia).

Un descubrimiento arqueológico: un broche de bronce.

Una inscripción en latín: «*Manios med fhe fhaked Numasioi*» (que sería el equivalente del latín clásico «*Manius me fecit Numasio*», es decir, «Manio me hizo para Numerio»).

He aquí los elementos principales del llamado «broche de Preneste», que pretendía ser la prueba más antigua en latín escrito (siglo VII a. C.).

Y así empieza el misterio de esa extraña fíbula que se pensó que pertenecía a la época etrusca, porque había sido encontrada en una tumba de esta cultura datada en el siglo VII a. C.

Todo esto era asombroso porque venía a demostrar a los lingüistas que el latín escrito era algo común en esa lejana época y, por lo tanto, había que reescribir parte de la historia.

El autor del fabuloso descubrimiento fue Wolfgang Helbig, un conocido científico alemán especialista en arqueología romana, sobre todo en lo referente a las pinturas de Pompeya. Una persona que gozaba de una gran reputación, casado con la princesa Nadina Schakowskoy, y al que nadie osaba contradecir o poner en entredicho sus hallazgos. Y éste de la fíbula era de tal categoría que sirvió para que Helbig ocupara la dirección del Instituto Alemán en Roma, del que había sido vicerrector hasta ese momento.

Pero no todos estaban de acuerdo con este polémico descubrimiento arqueológico y con este nombramiento. Se empezó a analizar el pasado de Helbig y se descubrió que no todo estaba claro en su carrera académica. Por ejemplo, había sospechas de que había traficado con objetos antiguos de los museos para conseguir así un sobresueldo. No obstante, su prestigio era tal por aquella época de finales del siglo XIX y principios del XX que nadie puso en duda sus afirmaciones. Hubo sólo un profesor italiano que empezó a decir que aquello era imposible, que Helbig estaba mintiendo; todo el mundo se echó sobre él, le echaron de la Universidad, y murió solo, amargado y pobre en una buhardilla.

Cuando se inició la Primera Guerra Mundial en 1914, se expulsó de Italia a los súbditos alemanes y, sin embargo, a Helbig se le permitió permanecer en Roma, por expreso deseo de la familia real de Vittorio Emmanuel III.

Helbig muere al año siguiente, en 1915, cargado de reconocimientos y honores, y con el broche expuesto en las vitrinas de los museos de la ciudad eterna. Tuvo que pasar más de medio siglo para que su falsificación fuese demostrada, gracias a la investigación de la famosa fíbula de Preneste que realizó la profesora italiana Margarita Guarducci, quien fue directora nacional de Arqueología en Italia. Sus conclusiones se recogen en su obra *La Cosidetta Fibula Prenestina: Antiquari, Eruditi e Falsari nella Roma dell'Ottocento* (Roma, 1980).

Guarducci es conocida como la *arqueóloga de San Pedro*. Tenía noventa y siete años cuando murió en 1999, y su prestigioso nombre ya era conocido por sus estudios sobre la basílica de San Pedro, a los que dedicó toda su vida. A ella se debe de modo especial la confirmación de la existencia de la tumba del apóstol Pedro bajo el altar mayor de la Confesión, la identificación de las reliquias del apóstol en 1965, y el desciframiento de numerosas inscripciones como la de Preneste. De esta manera, sabemos que el broche fue en realidad una burda falsificación hecha por dos personas.

Una de ellas era el comerciante sin escrúpulos Francesco Martinetti, un antiguo restaurador y anticuario enriquecido con el tráfico de obras de arte clásicas, y la otra era el propio Helbig, que fue quien le añadió a la aguja del broche etrusco la arcaica inscripción latina que lo haría famoso. Dejar la fíbula en una tumba etrusca y lanzar el descubrimiento a bombo y platillo, aprovechando la credibilidad que tenía Helbig, fue todo uno. Reconstruyendo los hechos, existían tres elementos importantes en esta operación, de los cuales dos eran auténticos: el broche y la tumba. El tercero, la inscripción, era la pata que no encajaba en este elaborado y falsificado banco arqueológico.

Martinetti murió ocho años después del supuesto descubrimiento, en 1895, dejando a su familia cargada de pleitos y de deudas con una singular herencia: la «casa de los milagros», llamada así porque con los años fueron apareciendo, ocultos en los muros, suelos y muebles, objetos de lo más variopintos, monedas de oro y joyas. El último tesoro y el más valioso surgió en 1933, cuando se demolió todo el edificio. La falsa inscripción supuso un nuevo jarro de agua fría para la arqueología y la lingüística.

Habrá que esperar a otra prueba más sólida para demostrar que el latín escrito se utilizaba de manera asidua en el siglo VII a. C., porque el broche de Preneste ha pasado a formar parte de las falsificaciones arqueológicas más sonadas de la historia. Descartada la fíbula, tres pueden ser los documentos más vetustos con alfabeto latino: la inscripción de Duenos (o *Vaso de Duenos*, especie de vasija con una fórmula de encantamiento mágico, escrita en latín arcaico del siglo IV a. C.), el *Lapis Niger* y el *Lapis Satricanum* (siglo VI a. C.).

El fraude y la falsificación de objetos y obras etruscas fue una moda en el siglo XIX y XX, tal es así que en ese mismo año de 1933 se expusieron al público, en el Museo Metropolitano de Nueva York, tres estatuas de guerreros de terracota en un lugar de honor de la Sala Etrusca.

El Museo estaba orgulloso de esta exposición hasta que se demostró que también eran más falsos que un euro de corcho...

Capítulo IX

Grandes conspiraciones de la historia

¿Quién mató a Kennedy?

A día de hoy, todavía resulta imposible responder a esta pregunta. Sin embargo, de algo puede estar seguro el lector: no fue Oswald o, al menos, no fue sólo él quien acabó con la vida del carismático presidente norteamericano...

Pese a ello, los abrazafarolas del poder siguen empeñándose en hacer comulgar con ruedas de molino a la humanidad. Lo decimos a propósito de un reciente estudio científico publicado en Estados Unidos, según el cual se confirma que Oswald fue el único responsable de la muerte de John Fiztgerald Kennedy, ya que certifican la existencia de la «bala mágica» que acabó con el presidente. Sin embargo, las incógnitas sobre su muerte siguen todavía vigentes. Así lo vamos a comprobar muy rápidamente...

Los responsables de la citada investigación son Kenneth Rahn y Larry Sturdivan, quienes efectuaron un análisis balístico y químico del proyectil que acabó con la vida de Kennedy aquel 22 de noviembre de 1963. Tras su trabajo concluyeron que la versión oficial que lleva cuatro décadas provocando polémica y discusión responde a la realidad de lo ocurrido aquel trágico día en Dallas.

Cuando ocurrió aquello, el carismático presidente recibía los agasajos de la multitud durante su trayecto en coche por la ciudad. En el vehículo oficial viajaban su esposa Jacqueline y el gobernador de Texas, John Connaly. Todo ocurrió a gran velocidad: varios disparos cortaron de raíz la vida de JFK y paralizaron al mundo entero. Todavía se busca a los culpables, por mucho que algunos quieran hacernos creer lo contrario.

Aparentemente, tres balas fueron las que disparó Lee Harvey Oswald para consumar el magnicidio. La primera hirió en el cuello a Kennedy, la segunda alcanzó levemente al gobernador Connaly, mientras la tercera impactó directamente en la cabeza del presidente. Pero, desde un principio, la tesis de triple disparo de Oswald planteó un serio inconveniente: el rifle que utilizó el presunto asesino, un Mannlicher-Carcano de 6,5 mm, sólo era capaz de disparar una vez cada 2,3 segundos. Sin embargo, la escena completa del crimen duró 4,8 segundos. Por tanto, Oswald sólo tuvo tiempo para disparar dos veces, razón por la cual se alimenta la posible existencia de un segundo francotirador que abre la puerta a infinidad de sospechas.

La conocida Comisión Warren, nombrada oficialmente para esclarecer el magnicidio, solucionó el problema al asegurar que, en realidad, Oswald sólo efectuó dos disparos. El segundo habría sido el que destrozó el cráneo de Kennedy, mientras que el primero le entró al presidente por la base de la cabeza en su parte trasera; salió por la parte frontal superior; descendió y avanzó hacia el asiento delantero para entrar por detrás del hombro izquierdo de Connaly; salió por el pecho; entró en su mano por la parte superior; salió por la inferior y se elevó para acabar alojándose en el muslo izquierdo. Lógicamente, tras la versión de la Comisión Warren se conoció a tan prodigioso proyectil como la «bala mágica». Y es que, según esa versión oficial, el proyectil efectuó siete impactos sin perder velocidad y realizando sorprendentes cambios de dirección durante el trayecto.

El reciente informe científico de Rahn y Sturdivan ha vuelto a reavivar una polémica que late desde hace décadas. Sin embargo, la sorprendente propuesta que efectúan entra en clara confrontación con otros trabajos. Por ejemplo, con el que en 2003 fue dado a conocer por Dave Conklin, en el que calcula la dirección de la bala que tuvo

Kennedy saludaba sonriente a miles de simpatizantes por las calles de Dallas cuando tres o cuatro disparos (el asesino oficial sólo pudo disparar dos veces) acabaron con su vida. Él dejó de sonreír, pero en las altas esferas del poder algunos no pudieron evitar seguir haciéndolo...

que disparar Oswald desde el sexto piso del edificio Texas School Bokk, en donde se encontraba el francotirador. Tras un estudio completo y exhaustivo no encontró un modelo, por muy rocambolesco que fuera, que explicara cómo se produjo todo.

La existencia de un segundo francotirador no sólo se sustenta en la incoherencia de la «bala mágica». De hecho, varios testigos presenciales relataron haber oído tres disparos, e incluso en las grabaciones de la secuencia los análisis han logrado identificar hasta cuatro. ¿De dónde procedían aquellos disparos? Casi todos los investigadores señalan en dirección opuesta a donde se encontraba Oswald, más exactamente a un montículo situado en la Dealey Plaza de Dallas. La razón fundamental es que el disparo que provoca la muerte de Kennedy genera un balanceo en su cabeza que sólo puede explicarse si procedía de ese punto situado a unas decenas de metros por delante del coche presidencial. Y es que el edificio en el que se encontraba Oswald agazapado estaba en dirección opuesta. No pudo ser él quien disparó la bala mortal. Su testimonio hubiera sido fundamental para aclarar si hubo o no conspiración para acabar con Kennedy. Pero a las pocas horas de ser detenido, un «loco» acabó con la vida de Oswald... ¿No suena a que aquello fue una forma de acabar con la única persona que podría revelar la verdad? No nos engañemos, porque los servicios secretos siempre han actuado así.

Además, un reciente escrito elaborado por el fiscal Frank A. Cellura demuestra que los informes oficiales relativos al registro de la habitación del edificio desde donde Oswald disparó contra Kennedy estaban manipulados. Cellura comparó los informes del registro que se hicieron a las pocas horas del crimen con los que se efectuaron después, en los que aparecieron más cartuchos y restos de balas. Sin duda, hubo alguien que intentó por todos los medios incriminar a Oswald haciéndonos creer que fue un lobo solitario...

Poco antes de fallecer en tan extrañas circunstancias, Kennedy había criticado el modelo económico imperante, gracias al cual se permitía que unos pocos manejaran fortunas incalculables, mientras la gran mayoría los convertía en millonarios sin que pudiera escapar a su pobre destino. Casualmente, los sustitutos de Kennedy y su equipo fueron mucho más permisivos con el gran capital y los dueños de esas inmensas fortunas... ¿O no fue casualidad?

¿Llegó el hombre a la Luna?

El 20 de julio de 1969, millones de telespectadores en la Tierra contemplaron atónitos el mayor acontecimiento tecnológico provocado por el hombre durante el siglo XX. Los astronautas norteamericanos Neil Armstrong, Michael Collins y Edwin *Buzz* Aldrin culminaban con éxito su llegada a la Luna, iniciando así su conquista.

En los últimos años, Internet ha servido para difundir la teoría de que el hombre no llegó a la Luna. Quien quiera creerlo así, que lo crea, pero que explique de dónde proceden los más de 300 kilos de rocas lunares que se trajeron los astronautas desde la bella Selene.

Era una misión para la que se habían preparando a conciencia durante largo tiempo y cuya piedra angular estaba asentada en el proyecto espacial Apolo. Las fotografías de las sondas estadounidenses Rangers 7, 8 y 9 y Lunar Orbiter 1 y 2 de 1964 y 1966 allanaron el camino de la magna empresa, confirmando los orígenes geológicos de la Luna, además de establecer los lugares idóneos en los que se podría alunizar con el menor riesgo posible. En la década de los sesenta, diversas tripulaciones se entrenaron minuciosamente con el fin de pilotar artefactos capaces de realizar el viaje más grande jamás soñado. Algunos de ellos murieron en el intento, como por ejemplo la terna de astronautas que falleció el 27 de mayo de 1967 al incendiarse su nave. Empero, estos infortunios no detuvieron la carrera espacial norteamericana, muy comprometida en un logro que, entre otras circunstancias, debía contribuir a garantizar la supremacía estadounidense ante los evidentes progresos espaciales que estaba consiguiendo el bloque soviético. En 1959, la sonda rusa Luna 3 había desvelado los misterios de la cara oculta de la Luna, lo que incitó a pensar que los comunistas conquistarían el satélite mucho antes que los norteamericanos, asunto que provocó la aceleración de los trabajos, mientras se incrementaba notablemente el presupuesto de la carrera espacial norteamericana. El presidente John Fitzgerald Kennedy prometió a sus compatriotas que ellos serían los primeros en llegar a la Luna. Y este vaticinio, bien fundamentado, se cumplió siete años más tarde, cuando el 16 de julio de 1969 la nave *Apolo 11* portadora del módulo lunar Eagle despegaba con la propulsión de un cohete Saturno 5. Su destino era el único satélite de nuestro planeta, estudiado constantemente por los telescopios desde el siglo XIX y del que conocíamos tan sólo imágenes visibles en los observatorios terrestres. Cuando cuatro días más tarde el comandante Armstrong, de treinta y nueve años de edad, bajó los nueve peldaños del Eagle tras haber alunizado de forma manual en la Luna, la emoción se tornó en indescriptible en el centro operativo de la NASA en Houston. El momento álgido de aquel acontecimiento tuvo lugar al posar el veterano piloto su pie izquierdo en la superficie lunar pronunciando una frase que pasaría a los anales de la historia: «Éste es un pequeño paso para el hombre, pero un salto gigantesco para la humanidad». Más tarde le acompañaría en la hazaña el capitán Aldrin, quien también tuvo palabras para la posteridad: «¡Qué magnífica desolación!». Durante dos horas, los hombres de la NASA recogieron unos veinte kilos de muestras rocosas lunares. Asimismo situaron aparatos destinados a medir diferentes parámetros, como la velocidad del viento solar, la temperatura o la actividad sísmica del satélite. Tras esto regresaron a casa amerizando en el océano Pacífico y pasando unas tres semanas de cuarentena a fin de evitar supuestos peligros biológicos traídos del exterior.

En cambio, no tardó en generarse una polémica en torno a esta gesta sin precedentes, elevándose varias hipótesis conspiranoicas. Una de ellas afirmaba que la expedición del *Apolo 11* había sido vigilada muy de cerca por ovnis celosos del descubrimiento que los astronautas pudieran efectuar sobre unas supuestas construcciones extraterrestres en la Luna. Por otra parte, se defendió que la misión había sido un éxito, si bien muchos detalles como filmaciones, fotografías o banderas ondeantes, no eran más que un simple montaje efectista realizado en platos terráqueos a modo de propaganda oficial. Sin embargo, lejos de aspectos conspiranoicos, no cabe duda de que el hecho fue más que cierto y quedó constatado gracias a las pruebas de alto calado que se ofrecieron en años sucesivos. Aunque se me antoja que la prueba más auténtica sobre la veracidad de este suceso nos la ofrece el KGB soviético, con su sonoro silencio, dado que a nadie se le escapa que, en ese difícil momento de la guerra fría, los servicios secretos del Kremlin no hubiesen tenido mayor dificultad en enterarse del supuesto fraude cometido por su ancestral enemigo, poniendo rápidamente en circulación la verdadera historia para desacreditar a sus competidores a la par que les infligían una humillación tan demoledora que aún hoy en día resonarían sus ecos. Además, no podemos obviar que tras el *Apolo 11* otras cinco naves consiguieron el alunizaje hasta 1972. Son demasiados viajes y demasiados testimonios como para pretender que la llegada del hombre a la Luna fue una treta perpetrada por los norteamericanos. En total, las tripulaciones de los *Apolo 11, 12, 14, 15, 16* y *17* trajeron a la Tierra trescientos ochenta y cuatro kilos de material lunar. En la última misión viajó por primera vez un geólogo, Harrison Schmitt, quien recorrió en un vehículo lunar más de treinta y cinco kilómetros por el valle de Taurus-Littrow. Todo un hito que se espera repetir en las futuras misiones que, según el gobierno de George W. Bush, se reactivarán en próximos años. En 1996 se comenzó a especular con la posibilidad más que real sobre la existencia de hielo lunar. Este asunto dio alas a los que soñaban con instalar en la Luna una estación permanente habitada por humanos. La base constituiría una perfecta lanzadera hacia la conquista de Marte, el siguiente objetivo para la exploración de nuestro sistema solar. Si bien a estas alturas todavía no se ha constatado la presencia de agua helada en el satélite terráqueo, los especialistas dudan cada vez menos de esa variable, y es más que posible que nuestra generación vuelva a emocionarse con una narración televisiva similar a la que ofreció para España el célebre Jesús Hermida. Por tanto, ya falta poco para que podamos asistir a un nuevo salto gigantesco para la humanidad.

¿Qué pasó con los nazis huidos tras la II Guerra Mundial?

Mayo de 1945. En una Europa en ruinas, los nazis vencidos y sus aliados ven con angustia como su futuro se presenta muy negro. En todo el mundo crecía el clamor contra las atrocidades descubiertas de los campos de exterminio y la humanidad se horrorizaba al ver la magnitud del Holocausto. Sin embargo, muchos de ellos llevaban ya años preparando un posible lugar de refugio, en países lejanos que no hubiesen estado en guerra con Alemania o que hubiesen entrado en ella por consideraciones políticas transitorias, y en los que hubiese importantes colonias de emigrantes de origen alemán. Argentina fue la nación preferida. Aunque había entrado en guerra en los últimos días de la contienda, el gobierno del general Perón, de corte autoritario, era proclive a atraer a científicos y especialistas cualificados y más en una época en la que su nación era una de las naciones más avanzadas del mundo y demandaba técnicos de alto nivel. Chile, nación neutral, con grandes colonias de descendientes de alemanes en los profundos bosques del sur, y Paraguay, aislado del mundo y gobernado por un dictador de origen alemán —Stroessner—, les siguieron en importancia. Otros refugios idóneos fueron también Uruguay, nación tranquila, y Brasil, país aliado, cuyas tropas combatieron en el frente de Italia, pero con dos Estados sureños, Río Grande y Santa Catarina, habitados por centenares de miles de alemanes.

La emigración que se dirigió a América del Sur no estaba formada sólo por generales y altos oficiales de las SS o de la Wermacht, había también capataces de campos de concentración, jefes de la Gestapo, banqueros, servidores civiles o militares del III Reich, ejecutores del genocidio judío, tripulaciones de buques de guerra germanos que navegaban por el Río de la Plata cuando se consumó la derrota alemana y otros muchos que eligieron un mundo nuevo en el que vivir y empezar de nuevo. Todos, o al menos eso se pensaba, huyeron con lo puesto o poco más. Sin embargo, la facilidad con la que se situaron en sus nuevos países, en ocasiones con el más absoluto descaro, demuestra que hubo redes de acogida, probablemente preparadas desde finales o mediados de 1943, y que contaron, además, con un absoluto apoyo gubernamental, al menos en los casos argentino y paraguayo, y una notable indiferencia en los de Uruguay, Brasil y Chile.

Carlota Jackisch, de la Fundación Conrad Adenauer en Buenos Aires, autora de una obra titulada *El nazismo y los refugiados alemanes en la Argentina*, efectuó una lista de refugiados nacionalsocialistas dentro de sus trabajos en el marco de la comisión por el esclarecimiento de las actividades de los nazis en Argentina, creada por el presidente Carlos Menem en 1997 y presidida por el ministro argentino de Relaciones Exteriores, Guido Di Tella. Esta comisión comprendía historiadores de renombre internacional, pertenecientes a numerosos países, que tenían por fin sacar a la luz todo sobre la presencia nazi en Argentina, incluyendo los bienes que los alemanes hubieran podido robar a sus víctimas. Con ello se respondía a una voluntad oficial de saldar un pasado rodeado de embarazosas connivencias, con culpables complicidades. El cálculo realizado tras la apertura del Banco Central para cotejar listas y rastrear el oro que pudo haber entrado en Argentina en los años cuarenta y cincuenta se ha estimado en más de trescientos millones de dólares —cuarenta y tres mil quinientos millones de pesetas de la época—, según datos oficiales estadounidenses, aproximadamente el 15 por ciento de los activos nazis en el exterior. El investigador Jorge Camarasa, en su libro *Odessa al Sur*, sostiene que el tesoro camuflado décadas atrás en la región incluyó lingotes de oro, millones de dólares, acciones de empresas y piedras preciosas, y también obras de arte robadas de los museos y las colecciones europeas por el mariscal Hermann Goering.

Lo que conviene recordar es que nadie debe engañarse con conjeturas sobre enigmáticos planes de evasión o preparadísimos refugios elaborados con años de antelación. Eso sólo sirvió para los grandes jerarcas. Según el periodista argentino Uki Goñi, autor del libro *La auténtica Odessa*, que realizó una vasta investigación en archivos de Estados Unidos y de varios países europeos, existió a mediados de los cuarenta una red de escape montada por los servicios de inteligencia nazis y por el gobierno del entonces presidente argentino, Juan Domingo Perón, para facilitar la huida de criminales de guerra con pasaportes falsos. La coordinación contó también con la ayuda del Vaticano.

Pero la mayor parte de los nazis huyeron con absoluta facilidad, muchos a través de la España franquista, pero la mayoría como emigrantes legales, y fueron bien recibidos, bien tratados e integrados perfectamente en la opulenta sociedad argentina de la época. No hay certeza sobre las cifras de aquella inmigración, pero se calcula que, sólo en Argentina, entraron en torno a los ochenta mil alemanes, austríacos y croatas legalmente documentados, de los que unos ochocientos eran altos mandos nazis y ustachas y cerca de doscientos, criminales de guerra. Pedro Bianchi, abogado defensor del capitán de las SS Erich Priebke hasta su extradición a Italia hace unos años como responsable de la masacre de las fosas ardentinas en Roma, cifró en ocho mil las células de identidad y en dos mil los pasaportes argentinos repartidos por Perón entre los nazis. Recibidos por una comunidad alemana poderosa desde el final de la Primera Guerra Mundial, amablemente acogidos por un régimen peronista influenciado por los fascismos europeos, tan antiamericano como anticomunista, los fugitivos del III Reich incluso recrearon en miniatura las ciudades y villas de su país natal. Se instalaron principalmente en el norte de Argentina, no muy lejos de las fronteras con Paraguay y Uruguay, en la región de Córdoba, donde viven numerosos marinos del *Graf Spee*, el acorazado hundido en diciembre de 1939 en la desembocadura del Río de la Plata, o bien al pie de la cordillera de los Andes, cerca de la frontera con Chile. Muchos de ellos apreciaron en especial San Carlos de Bariloche, sobre los contrafuertes andinos al borde de un lago, un lugar de veraneo que recuerda, con sus chalés, sus montañas y sus aguas claras, a un bonito rincón de Baviera. Aquí fue donde en 1954 se estableció el citado Erich Priebke. El antiguo piloto de la Luftwaffe, Hans Ulrich Rudel, uno de los padres de la Fuerza Aérea argentina, participaba en los torneos de esquí del Club Andino. El banquero Ludwig Freude, amigo de Perón, tenía allí una finca; Friedrich Lantschner, antiguo gobernador nazi del Tirol austríaco, fundó una empresa de construcción. También vivían en Bariloche un agente de los servicios de la armada alemana, Juan Mahler; el banquero Carlos Fuldner y miembros de las SS como Max Naumann, Ernest Hamann o Winfried Schroppe. Todos bebían cada tarde la cerveza del Deutsche Klub y festejaban el cumpleaños de Adolf Hitler en el último piso del hotel Colonial.

También se refugiaron en Argentina Adolf Eichmann —ejecutado en Israel— o el líder ustaca Ante Pavelic, pero en las naciones vecinas sucedió lo mismo. Klaus Barbie, *el Carnicero de Lyon*, vivió en Bolivia; Julius Rauff, el primero al que se le ocurrió matar con los gases del motor de los camiones, vivió en Chile y fue asesor de la policía política de la dictadura de Augusto Pinochet; el colaborador de la Gestapo en Francia, Auguste Ricord, se instaló en Paraguay; Herber Cuckurs, uno de los verdugos del gueto de Riga, lo hizo en Uruguay y destacados nazis como Franz Stangl, Franz Wagner o el terrible Josef Menguele vivieron en Brasil.

¿Se realizó una autopsia a un alien en Roswell?

Decir que sí o que no es una temeridad. Queda muy bien afirmar que fue un fraude la filmación que recorrió el mundo en junio de 1995, en la que se observaba a varios forenses efectuando la autopsia de un humanoide con aspecto alienígena (al menos, así nos los imaginábamos). Con toda seguridad, cualquiera que nos lea en este momento y que responda a esta pregunta, a buen seguro que responderá esto: «Quedó demostrado que aquello fue un fraude, un muñeco de látex que hicieron pasar por un extraterrestre». Por mor de cómo actúa la sociedad actual, a buen seguro que muy pocos piensan lo contrario. Sin embargo, hay algo muy importante que señalar: nadie pudo demostrar que aquella filmación fuera un fraude.

Esta historia comenzó el 27 de marzo de 1995, cuando las agencias de noticias ANSA y AFP dan a conocer una información encabezada así: «Una película ultrasecreta tomada hace cincuenta años por militares norteamericanos y que muestra a un "extraterrestre muerto" será proyectada este verano en Gran Bretaña durante una reunión internacional de apasionados por el enigma ovni. Un ex cámara norteamericano, ahora de ochenta y dos años, habría hecho una copia de la película y después se la habría vendido a Ray Santilli, un productor inglés de documentales».

Apenas dos meses después, antes de lo previsto inicialmente, la filmación fue proyectada en secreto a un grupo de escogidos por un destacado investigador británico, Philip Manttle, durante un congreso ufológico financiado por el gobierno de San Marino. En la cinta, de noventa minutos, se observa a una serie de «doctores» que rodean una camilla en la cual yace un extraño personaje de aspecto humanoide pero con rasgos verdaderamente diferentes a los nuestros. Aparentemente, se trataba de uno de los tripulantes que aparecieron sin vida en el interior de un extraño artefacto volante que se habría estrellado en julio de 1947 en Roswell, Nuevo México (Estados Unidos). La caída de aquel objeto habría provocado una fulgu-

Las primeras imágenes de los restos del extraño artefacto caído en Roswell. Podría parecer cualquier cosa, pero el papel que porta el militar —al ser examinado con técnicas digitales— revela la naturaleza desconocida del objeto siniestrado.

rante actuación de las Fuerzas Aéreas de los Estados Unidos con objeto de recuperar los restos y mantenerlos a buen recaudo. Como parte de aquella operación, el ejército habría solicitado al oficial Jack Barnett que registrara en vídeo todo el proceso. Fue Barnett, quien, cincuenta años después, habría decidido romper el sello del secreto y dar a conocer aquella parte de la cinta que estaba en su poder.

Semanas después de aquella primera proyección privada, la grabación fue remitida a las televisiones de diferentes partes del mundo. Su emisión levantó una enorme polvareda, convirtiéndose en la gran noticia ufológica de la década de los noventa. Pero todo hay que decirlo: la reacción general fue de escepticismo. Muchos pensaron que aquel extraño ser no podía ser real y que más bien parecía un muñeco de látex. Pero claro, de haber sido un auténtico ser de otro mundo, ¿acaso hubiera provocado una reacción diferente como consecuencia de la forma en que fue divulgada? Además, a las pocas semanas de la eclosión informativa apareció otra filmación elaborada por una productora, Morgana Productions, que pretendió imitar la cinta original utilizando un muñeco de látex. Y efectivamente lo lograron, ¡pero es que cualquier cosa puede reproducirse gracias a técnicas cinematográficas! Sirva señalar además que el muñeco que utilizaron para su dramatización se modeló meses después de que la filmación original apareciera en los medios de comunicación, con lo que pierde crédito la sospecha infundida con cierta prepotencia por algunos periodistas asegurando que el «extraterrestre» de Morgana era el de la cinta de Santilli.

El hecho es que nadie pudo demostrar que la filmación fuera un fraude. Por mucho que la mayor parte de los analistas sospecháramos de su falsedad, nuestra honestidad debe obligarnos a aceptar que no disponemos de evidencias para demostrar quién, cómo y por qué elaboró aquella escena. Además, aparecieron varios análisis científicos ciertamente inquietantes. Por un lado, la empresa Kodak examinó el celuloide de la cinta sobre la que está grabada la autopsia y —sorprendentemente— tenía cincuenta años de antigüedad, si bien la compañía mostró su queja por no haber dispuesto de más cantidad de material para comprobar de forma rotunda el año de fabricación del celuloide. También hubo forenses que certificaron el comportamiento adecuado y correcto de los médicos que aparecen examinando al humanoide en la cinta de vídeo. Además, se comprobó que el cámara que había grabado la cinta fue, efectivamente, un oficial de la USAF en los tiempos del accidente de Roswell. Del mismo modo, las etiquetas que sellaban los rollos de cinta empleados para grabar al humanoide resultaron ser de 1947, si bien presentan algunas características diferentes a las de los habitualmente utilizados en Roswell por aquellas fechas. Por si fuera poco, algunos elementos físicos que aparecen en el lugar de la escena —un reloj, por ejemplo— también parecen datados en el año que nos ocupa.

Dicho todo esto, el análisis racional de los hechos nos sitúa en un cruce de caminos al que llegan dos vías de interpretación diferentes.

Primero: podríamos admitir que la filmación es un fraude, pero sería banal y falso asegurar que fue un «burdo montaje». En primer lugar, porque nadie ha logrado demostrarlo y, en segundo término, porque aun habiendo transcurrido diez años desde el descubrimiento de la cinta, no ha aparecido nadie (ni cámaras, ni actores, ni productores, ni maquilladores, ni iluminadores, etc.) que haya sugerido haber participado en tamaña producción. Y, de haber aparecido, a buen seguro que se hubiera llevado un buen dividendo a modo de exclusiva. Quien participara en ello por alguna razón se mantiene callado. Además, el dinero que obtuvo el productor Ray Santilli por la venta de su cinta no alcanzó, ni mucho menos, el montante que debería haber supuesto la grabación.

Y segundo: dicho lo anterior, no nos queda más remedio que pensar que el autor intelectual del presunto fraude utilizó recursos muy importantes y sofisticados para confundir a los investigadores de ovnis. Supo mantener durante un tiempo la tensión en la sociedad respecto al caso Roswell, permitiendo a la opinión pública asistir a un debate entre «creyentes» y «escépticos», al final del cual los segundos tenían todas las de vencer, habida cuenta de la sensación que transmitía la filmación y de lo atrevido que resultaba sostener que aquel ser era un verdadero alienígena.

Lo cierto es que cuando la filmación apareció ante la opinión pública, las investigaciones sobre el caso Roswell estaban ofreciendo resultados muy positivos. Se vivía con interés la proximidad del cincuenta aniversario del evento, ante la perspectiva de la obligación legal que tenía el gobierno de Estados Unidos de desclasificar toda la información que tuviese sobre el hecho. Se habían conocido, por ejemplo, los rastreos positivos efectuados por los estudiosos estadounidenses Kevin Randle y Donnald Schmitt, que recogieron durante años hasta doscientos testimonios de testigos que aseguraban haber asistido, de un modo u otro, a la recuperación de algo extraño en las inmediaciones de Roswell, a primeros de julio de 1947.

Sin embargo, la filmación del «marciano» provocó en última instancia una oleada de incredulidad entre la opinión pública. Más cuando en ese mismo verano de 1995 se dio a conocer una auditoría de la GAO (Oficina General de Cuentas), efectuada a partir de archivos del Departamento de Defensa a petición de un senador que exigía la verdad sobre el caso Roswell. En el informe se «revelaba» la existencia de un proyecto secreto llevado a cabo en 1947 mediante el lanzamiento de globos denominados Mogul. Según el texto gubernamental, uno de esos globos había provocado el incidente de Roswell. No importaba que aquel globo hubiera caído el 4 de junio en vez del 4 de julio, que es la fecha en la que ocurrió el suceso que nos ocupa…

Aquello dejó el camino despejado para «rematar» la operación cuando llegara el quincuagésimo aniversario del caso. En principio, para lavarse las manos, el gobierno aseguró que parte de la información que según la ley debía desclasificarse se quemó en un incendio fortuito. Finalmente, el 24 de junio de 1997 las Fuerzas Aéreas convocaron un rueda de prensa para dar a conocer otro informe en donde aseguraban que los humanoides capturados en Roswell no eran sino *dummies*, muñecos de pruebas para impactos que habían sido lanzados a varios kilómetros de altura durante unos experimentos militares. Dichos ensayos se realizaron en la década de los cincuenta, pero según el Pentágono, los testigos del caso Roswell habían confundido la fecha del caso. Según esta versión, en los años cincuenta algunos vieron a los globos Mogul caer y otros a los *dummies* estrellarse contra el suelo, creyendo que el suceso había ocurrido antes. Sin embargo, el Pentágono no quiso recordar que el 8 de julio de 1947 —y ahí están las hemerotecas— el diario vespertino *Daily Record Roswell* publicó en primera plana una noticia titulada así: «Las Fuerzas Aéreas capturan un platillo volante». Y es que, sin duda, estaban reflejando la realidad, fuera cual fuera su origen.

Sea como fuere, entre la aparición de la filmación del humanoide en 1995 y la explicación oficial de 1997, la credibilidad del caso Roswell quedó completamente herida y la opinión pública pasó a confundir el suceso con una «leyenda urbana». Pese a ello, dudar de que algo extraño cayó en aquella localidad de Nuevo México el 4 de julio de 1947 no es sino un ejercicio de autonegación de la realidad.

El proyecto HAARP

A mediados de marzo de 2005, se supo que los científicos y militares que lideraban el programa HAARP habían logrado, de forma accidental, crear una aurora boreal de forma artificial. Los teletipos y las agencias de noticias de todo el mundo se hicieron eco tímidamente de lo que en realidad era una noticia muy importante: la muestra del inmenso poder del calentador ionosférico que constituye uno de los grandes proyectos científico-militares de la nación más poderosa del planeta. Pero ¿qué es HAARP?

En Gakona, una remota localidad de Alaska, se eleva un majestuoso bosque de antenas levantadas por las Fuerzas Armadas de

Estados Unidos y por una serie de corporaciones y compañías que trabajan para ellas. Corresponden al programa de Investigación de la Aurora Activa de Alta Frecuencia, más conocido por sus siglas en inglés como HAARP —High Frequency Active Aural Research Program—. Según el gobierno de Estados Unidos, sus funciones son muy claras: reemplazar el antiguo sistema ROTHR, mejorar las comunicaciones con la flota de submarinos nucleares de la US Navy más allá del horizonte, bloquear las comunicaciones del enemigo y realizar funciones de termografía para detectar armas nucleares y minerales varios kilómetros bajo el suelo. Serviría también para sustituir el efecto del impulso electromagnético de las bombas nucleares explosionadas en la atmósfera y sería también una herramienta eficaz de disuasión que obligaría a revisar buena parte de los acuerdos de paz y de no proliferación de armas nucleares, así como un medio ideal para la prospección de yacimientos de petróleo, gas natural y minerales. Y, entre otras cosas, supondría también un instrumento válido para detectar posibles ataques de aviones o misiles en vuelo rasante, algo muy complicado para los radares actuales. Sabemos que de las doce patentes que —aparentemente— forman parte del núcleo de HAARP, la número 4.686.605, del físico texano Bernard Eastlund, hace referencia a «un método y un equipo para cambiar una región de la atmósfera, ionosfera y/o magnetosfera», y estuvo clasificada por orden expresa del gobierno de Estados Unidos durante todo un año. En realidad, el calentador ionosférico de Eastlund es diferente a otros conocidos hasta la fecha: la radiación de radiofrecuencias (RF) se concentra y enfoca en un punto de la ionosfera, consiguiendo proyectar una cantidad de energía sin precedentes.

HAARP es comparable con el viejo sistema ROTHR en varios aspectos. HAARP y ROTHR son sistemas de comunicación que funcionan de forma similar, aunque ROTHR usaba tecnología de los años ochenta hoy ya superada. Los dos sistemas consisten básicamente en grupos de antenas receptoras y transmisoras que son capaces de lanzar potentes ondas electromagnéticas de alta frecuencia, usando la ionosfera como espejo para hacer llegar sus ondas más allá del horizonte y poder comunicarse con submarinos nucleares portadores de vectores estratégicos ICBM. Lo sorprendente es que detrás de estas capacidades militares orientadas a las comunicaciones avanzadas hay algo más, y es que tiene capacidad de ser usado con otros fines no declarados que el Departamento de Defensa de Estados Unidos se ha obstinado en negar. También se ha afirmado con claridad, desde principios de los años noventa del siglo pasado, que HAARP constituye uno de los pilares esenciales de la futura defensa de los intereses geoestratégicos del Pentágono, y que es capaz de controlar procesos ionosféricos. Su transmisor consiste en trescientas sesenta antenas de veintidós metros de alto, que pueden emitir poderosas cargas electromagnéticas hacia la ionosfera logrando su calentamiento hasta producir un agujero no menor de cincuenta kilómetros de diámetro en la misma. HAARP cuenta, además, con apoyos poderosos. El más importante es el inmenso complejo militar industrial en el que decenas de empresas viven de los contratos de las Fuerzas Armadas, pero también de la Universidad de Alaska. Si el proyecto sale bien, el ejército de Estados Unidos lograría dotarse de un escudo defensivo relativamente barato, mientras que la Universidad lograría un avance decisivo en la manipulación geofísica más avanzada que jamás haya tenido lugar desde la bomba atómica.

Para defenderse de las acusaciones que han empezado a sacudir la prensa norteamericana, los militares presentan de forma habitual en los periódicos artículos que comparan las antenas de HAARP con otros calentadores ionosféricos que hay en otras partes del mundo, como las de Arecibo en Puerto Rico o el EISCAT de Noruega, pero no engañan ya a nadie. Si tenemos en cuenta que la ionosfera es la capa del planeta eléctricamente cargada que nos protege de las radiaciones cósmicas y de los rayos ultravioleta, X y gamma, que son nocivos para la salud, las intenciones del Departamento de Defensa de perturbar la ionosfera para estudiar cómo ésta responde y cómo se recupera plantean un grave problema: que los experimentos de HAARP puedan causar efectos no conocidos en todo el mundo. Tal es así que el doctor Richard Williams, de la Sociedad Americana de Física, lo ha calificado como «un acto irresponsable de vandalismo global». En una carta publicada el 20 de noviembre de 1994 en *Anchorage Daily News*, un diario de la capital de Alaska, se aludía a peligrosas investigaciones militares —relacionadas con un invento de Nikola Tesla— en el transcurso de las cuales se habrían estado enviando haces de partículas desde la superficie de la Tierra hacia la ionosfera. El proyecto al que se hacía referencia no era otro que HAARP y su objetivo: modificar las condiciones de la ionosfera introduciendo cambios químicos en su composición —lo que llevaría consigo un cambio climático—, o bien bloquear las comunicaciones mundiales.

Aquella información impactó al científico Nick Begich, quien junto a la periodista Jeanne Manning se puso inmediatamente manos a la obra para realizar una profunda investigación al respecto. Fruto de la misma vio la luz el libro *Angels don't play this harp* (*Los ángeles no tocan este arpa*), en el que ambos autores plantean inquietantes hipótesis. Una de ellas, por ejemplo, es que, de ponerse en marcha, el proyecto HAARP podría tener peores consecuencias para nuestro planeta que las pruebas nucleares. Begich y Manning están convencidos de que a través del proyecto HAARP se estaría enviando hacia la ionosfera un haz de partículas electromagnéticas orientadas y enfocadas que estarían contribuyendo a su calentamiento.

El proyecto HAARP ha sido presentado a la opinión pública como un programa de investigación científica y académica, pero de acuerdo con la doctora Rosalie Bertell, HAARP forma parte de un sistema integrado de armamento, que tiene consecuencias ecológicas potencialmente devastadoras, que está relacionado con varias décadas de programas para comprender y controlar la atmósfera superior. Las implicaciones militares de la combinación de estos proyectos son alarmantes, pues además de la manipulación climática, HAARP tiene una serie de otros usos relacionados y «podría contribuir a cambiar el clima bombardeando intensivamente la atmósfera con rayos de alta frecuencia. Convirtiendo las ondas de baja frecuencia en alta intensidad podría también afectar a los cerebros humanos, y no se puede excluir que tenga efectos tectónicos».

¿Qué es la red Echelon?

Hace décadas, en la reciente prehistoria de las comunicaciones, si alguien quería vigilar lo que decíamos por teléfono o mediante carta, debía recurrir al espía tradicional. Es decir, a ese agente secreto oculto bajo unas gafas de sol que vigila y persigue día y noche a su objetivo de la forma más discreta posible. Si deseaba pinchar el teléfono, el servicio secreto de turno debía disfrazar a sus espías para hacerlos pasar por operarios de la compañía de teléfonos. Con una escalera y dos pinzas eléctricas que clavaban en nuestros cables de teléfono en el exterior del edificio, lograban «pinchar» el teléfono. A continuación, los espías debían situarse cerca de nosotros, escondidos en una furgoneta con lunas tintadas en la que se ocultaba un equipo de comunicación de lo más sofisticado. Allí se colocaban sus cascos y nos escuchaban. Algo parecido ocurría con nuestras cartas, pero en la sociedad actual ya no son necesarios tales métodos. Ni siquiera es necesario el uso del espía de carne y hueso. Basta un ordenador cuya red esté conectada a satélites y proveedores de tecnología informática. Ese ordenador tiene unas pautas que despiertan mecanismos de alarma. Por ejemplo, si en nuestras conversaciones telefónicas, en nuestros faxes o en nuestros correos electrónicos empleamos las expresiones «bomba» o «atentado», el sistema Echelon captará quién lo está haciendo y para qué. Sin lugar a dudas, la historia ha cambiado y el Gran Hermano vigilante y que todo lo sabe, imaginado por George Orwell en su libro 1984, monitoriza casi todos nuestros actos desde una esfera de control casi invisible para los indefensos ciudadanos.

Durante años, el gobierno de Estados Unidos negó por activa y pasiva la existencia de Echelon. Decían en las altas esferas que todo era un mito más de la teoría de la conspiración. Sin embargo, recientes documentos desclasificados por el Departamento de Defensa de Estados Unidos confirman la existencia del proyecto Echelon, algo que, por si quedaba alguna duda, fue refrendado por el Parlamento Europeo el 5 de septiembre de 2001, en un informe crítico con el sistema de espionaje, pero que, lejos de suponer una presión a los «autores intelectuales» de tan siniestro mecanismo, concluyó que habrían de ser los ciudadanos los que debían encriptar sus comunicaciones privadas.

Las raíces de Echelon se hunden en los primeros tiempos de la guerra fría, cuando los gobiernos de Estados Unidos y del Reino Unido firmaron en 1948 un acuerdo denominado UKUSA, que tenía por objeto articular mecanismos de defensa y espionaje conjuntos para protegerse del enemigo común de ambos, es decir, de la Unión Soviética. A este proyecto se sumaron posteriormente Canadá, Nueva Zelanda y Australia. Todos estos países dispondrían de mecanismos conjuntos formados por satélites y antenas distribuidas por todo el mundo que habría convertido a nuestro espacio próximo en una red en donde cualquier cosa queda atrapada y sujeta a vigilancia.

Pese a la desaparición del Muro y la desintegración de la URSS, el proyecto Echelon —o como lo queramos llamar— continuó espiando las comunicaciones privadas, lo que sin lugar a dudas empezaba a gestar la sospecha de que, más que vigilar a un enemigo bélico, lo que se buscaba era una forma de mantener bajo control a la sociedad. Sin embargo, a consecuencia de los atentados del 11-S, la red Echelon sufrió un nuevo impulso y cierto amparo legal gracias a la imposición de nuevas leyes antiterroristas que permiten el control de las comunicaciones privadas si con ello se fortalece la lucha contra el nuevo enemigo, encarnado ahora en el terrorismo islámico.

Durante los últimos años, con objeto de justificar medidas para abordar la intimidad de los ciudadanos, se han divulgado noticias sobre el extraordinario manejo que de las tecnologías informáticas tendrían los miembros de Al Qaeda. La amenaza del ciberterrorismo se ha convertido en uno de los argumentos del poder político para justificar el programa Echelon. Sin embargo, resulta difícil imaginar a los islamistas de Lavapiés que teóricamente atentaron el 11-M en Madrid manejando superordenadores con mensajes encriptados o a Bin Laden escondido en una cueva de Pakistán conectado a un teléfono por satélite y utilizando una línea de internet de banda ancha dispuesto a soltar virus cibernéticos para colapsar la forma de vida de Occidente. Por el momento, lo único que se ha descubierto es que los presuntos miembros de las redes islamistas utilizan —a lo sumo— cibercafés y servidores de comunicación muy inseguros, como pueden ser los proveedores de direcciones *webmail* Hotmail o Yahoo, fácilmente violables por un aficionado a la informática con una mínima experiencia. En definitiva, son los ciudadanos —y más aquellos que se oponen al Sistema— el verdadero objetivo de Echelon o de Carnivore, otro programa nacido al amparo del espionaje electrónico y que tiene por objeto analizar el contenido de los *emails* que se intercambian en el mundo. En el proyecto de control de los ciudadanos mediante las modernas tecnologías, el gobierno de Estados Unidos ha contado con el apoyo de los grandes fabricantes de programas informáticos. Por ejemplo, el Lotus Notes de IBM presenta en su código secreto una puerta de acceso exterior, según detectó el investigador Duncan Campbell. De este modo, cada vez que un usuario de este programa envía un mensaje, facilita a un hipotético espía electrónico una serie de datos encriptados —pero remitidos de forma involuntaria— que permiten el acceso al contenido del mensaje en cuestión. La propia IBM admitió la existencia de dichas facilidades para que la Agencia Nacional de Seguridad pudiera evitar ataques contra Estados Unidos. No deja de ser particularmente llamativo que las versiones de Lotus Notes que se venden a los usuarios europeos sean más frágiles que las que se encuentran disponibles para los norteamericanos.

Pero no piense el lector que puede huir de esa vigilancia prescindiendo de dicho programa, puesto que el Outlook o el Explorer de Microsoft también presentan esas mismas puertas traseras. Es, pues, imposible evitar el espionaje electrónico. Los hay que creen que empleando archivos adjuntos junto a un mensaje de correo electrónico se puede conseguir burlar al Gran Hermano. Tampoco es cierto, por desgracia, pues todos los procesadores de textos incluyen métodos para espiar, incluso cuando queramos borrar su contenido. Coja el lector, por ejemplo, un documento escrito con el procesador más usado en el mundo, el Microsoft Word. Si lo abre utilizando el bloc de notas que incluye el sistema operativo Windows, descubrirá una serie de símbolos y gráficos y, entre ellos, podrá ver las horas a las que ha escrito ese documento, el nombre de autor e incluso aquellas partes del texto que fueron borradas antes de dar por cerrado el documento. Por desgracia, no hay forma de luchar contra este enemigo...

¿Estuvo implicada la monarquía británica en los asesinatos de Jack el Destripador?

La bruma cubría Londres el 31 de agosto de 1888. Por las calles de Whitechapel vagaba la solitaria Mary Ann Nichols en busca de clientes por cinco peniques. Era una de las múltiples prostitutas que residían en el barrio de East End. A las 3.45 de la madrugada de un viernes fue encontrado su cuerpo en Buck's Row, actualmente la calle Durward: tenía la garganta rajada de oreja a oreja y el vientre abierto desde el abdomen hasta el diafragma. Era la primera víctima de Jack.

Entre 1888 y 1889 varias mujeres fueron atrozmente asesinadas en los barrios más pobres de Londres por un maníaco sexual que, jactanciosamente, se autodenominó Jack el *Destripador* (Jack *the Ripper*). Después de más de un siglo, los asesinatos todavía están oficialmente sin resolver. Hubo mucha polémica sobre a cuántas mujeres había asesinado y hoy en día lo más aceptado es que fueran cinco y no nueve, como se estipuló en un principio, ya que esas cinco mostraban rasgos y características comunes que las otras cuatro no tenían. Todas fueron asesinadas en fin de semana y de noche, cuando había luna llena. Se estimó que el asesino no era residente de aquel paraje, si bien conocía a la perfección los callejones y plazoletas de Whitechapel.

Con el paso del tiempo, los investigadores formularon varias hipótesis sobre la identidad de Jack *el Destripador*. Entre los sospechosos se mencionó a sir William Gull, médico personal de la reina Victoria, a James K. Stephen, tutor del príncipe Albert en Cambridge y a Montague John Druit, un maestro de escuela loco, cuyo cuerpo fue hallado flotando en el río Támesis poco después del último asesinato. En 1993 fue publicado un supuesto diario de Jack *el Destripador*, escrito por James Maybrick, pero varios estudios han revelado que la tinta empleada es posterior a la época victoriana. Más recientemente, la autora norteamericana Patricia Cornwell publicó en 2003 *Retrato de un asesino*, donde asegura que el criminal más buscado de todos los tiempos no es otro que el pintor inglés Walter Richard Sickert.

Ninguna de estas hipótesis ha sido comprobada, por lo que hasta la fecha se desconoce quién fue el famoso Jack *el Destripador*, un misterio que provocó cambios en los métodos de investigación policial, desde la identificación por las huellas digitales hasta el trazado de perfiles psicológicos del asesino. Un misterio recurrente que suscitó varias conjeturas y sospechas que apuntaban a todas las clases sociales, y cuanto más altas, mejor.

Alguien comenzó a difundir el rumor de que el Destripador habría sido el duque de Clarence, el príncipe Alberto Victor Christian Eduardo, hijo mayor del futuro rey Eduardo VII y nieto, por tanto, de la reina Victoria. Tenía veintiocho años en el momento de los crímenes y murió poco después en una clínica privada. Según parece, el joven príncipe era un apasionado de la caza y asiduo de los prostíbulos, aunque nunca se le consideró como un hombre violento. La causa oficial de su muerte fue una neumonía producida por una epidemia de gripe, pero se sospecha que falleció a causa de la sífilis, que, probablemente, le habría transmitido una prostituta.

La primera mención como posible sospechoso fue hecha pública en 1962 en el libro de Phillippe Jullien, *Edouard VII*. Más tarde, el doctor Thomas Stowell publicó un artículo en 1970 acusando al príncipe Alberto de ser Jack *el Destripador*, basando su teoría en algunos documentos de su médico personal, William Gull, quien le estaría tratando la enfermedad. En ellos narraba que su paciente sufría una grave inestabilidad emocional por sus tendencias homosexuales y que se estaba volviendo loco. Por eso, con la intención de vengarse, habría cometido los asesinatos de Whitechapel. Ninguna de estas declaraciones han podido ser probadas, porque Stowell murió poco después de que su libro fuese publicado, y sus notas no han sido halladas.

Como era de esperar, muchos eruditos han arremetido contra esta teoría y la han desacreditado por completo, argumentando que el príncipe Alberto no estaba en Londres en las fechas de los asesinatos más importantes, sino en Escocia.

Esto no ha acallado la teoría popular de que toda una conspiración real estaba detrás de los asesinatos. No sólo es la premisa de la reciente película *From Hell (Desde el Infierno)*, protagonizada por Johnny Depp y Heather Graham, sino que ya antes había dado lugar a gran cantidad de documentales, artículos y libros. De hecho, la película está basada en la novela gráfica escrita por Alan Moore e ilustrada por Eddie Campbell. La trama sugiere que la investigación de los crímenes fue torpedeada por una conspiración de alto gobierno.

Esta idea fue esbozada en un libro escrito por Stephen Knight y publicado en 1976 bajo el título *Jack the Ripper, the final solution*, donde aseguraba haber recogido las notas de un hombre llamado Joseph Sickert, hijo del pintor Walter Sickert, que decía haber conocido a Jack *el Destripador*, y que le habría confesado quién era el asesino en su lecho de muerte. La teoría que plantea Knight es que Sickert padre daba clases de pintura al príncipe Alberto y que éste conoció a una modelo que posaba para el pintor llamada Annie Crook, con la que no sólo tuvo sus devaneos amorosos, sino que llegó a casarse con ella. Más tarde, Knight metería también a la masonería inglesa en el tinglado.

Básicamente, el libro plantea que Mary Jeanette Kelly y otras prostitutas del East End trataron de extorsionar a la familia real con la información de que el príncipe Alberto se había desposado en secreto con la católica Annie Crook, cuando ésta se quedó embarazada de una niña a la que llamarían Alice. El primer ministro se alarma y le encomienda a sir William Gull, médico de palacio, que termine de cuajo con este problema. A éste no se le ocurre mejor manera que destripar a las conspiradoras.

Si el pueblo londinense hubiera llegado a conocer la unión del príncipe heredero con una mujer de clase baja, hubiera supuesto un escándalo público. Por ese motivo, la reina Victoria se habría empeñado en resolver el problema antes de que comenzasen a correr los rumores de la boda, delegando la tarea al médico de la casa real, el doctor William Gull. Éste actuó entonces secuestrando a Annie y, tras declararla demente, internándola en un hospital psiquiátrico, en donde fue obligada a vivir por el resto de sus días. Mientras, el príncipe Alberto fue llevado al palacio de Buckingham y se le prohibió abandonar sus dependencias, haciendo correr el rumor de que estaba gravemente enfermo.

Cuando Annie fue secuestrada, Mary Kelly, la última víctima del Destripador, se ocupaba por aquel entonces del bebé. Tanto ella como el resto de las jóvenes prostitutas asesinadas conocían la relación secreta entre el príncipe y su compañera, y sabían que, tras la desaparición de Annie, también sus vidas corrían peligro, por lo que decidieron guardar el secreto. Aun así se llevaron a cabo los asesinatos para impedir que las jóvenes hablasen del matrimonio entre la plebeya católica y el heredero anglicano, y se creó la imagen de un sanguinario psicópata con conocimientos de cirugía.

El cochero de la casa real, John Nestley, se encargó de localizar una a una a las chicas y de convencerlas para que subiesen al carruaje diciéndoles que una persona importante había solicitado sus servicios. Entonces, el doctor Gull, oculto en los callejones, las asesinaba y mutilaba salvajemente para hacer creer que el asesino era un sádico obsesionado con las prostitutas.

Esta teoría es la que mejor se adaptaría, según algunos especialistas, al silencio de Scotland Yard sobre los crímenes. Qué mejor razón para acallar un asunto que proteger el honor de la familia real. Es cierto que en Whitechapel existió una mujer llamada Annie Crook que tenía una hija ilegítima llamada Alice, pero no hay nada que pruebe que mantuvo una relación con el duque de Clarence (hay quién asegura que esta teoría es falsa porque las tendencias del príncipe Alberto se inclinaban más hacia los hombres que hacia las mujeres).

Uno de los más prestigiosos ripperólogos del momento, Stewart Evans, descubrió recientemente que Stephen Knight cometió un error de transcripción en una de las cartas escritas por el Destripador. El error en cuestión hace referencia a Robert James Lees, famoso vidente victoriano en el que se basó gran parte de la teoría conspiratoria real-masónica que muy bien reflejaron las películas *From Hell* (2001) o *Asesinato por decreto* (1979). En la carta no aparece el nombre de Lees, sino la palabra *tecs*, que es un término que utilizaba la policía londinense de la época. Quizá las prisas por culpar a los masones de los crímenes que se estaban cometiendo en uno de los barrios más marginales de Londres le llevaron a cometer este error crucial. Recordemos que Knight también había sido el autor de *The Botherhood* (1983), donde alertaba de una supuesta conspiración masónica para controlar el país. Denunciaba, entre otras cuestiones, que el 60 por ciento de los oficiales y jefes de la policía de Scotland Yard eran masones, así como numerosos políticos, jueces y otros funcionarios.

Se ha puesto en duda la capacidad del doctor Gull para ser Jack *el Destripador*, puesto que se dice que en 1887 sufrió un ataque de parálisis severo que le impediría realizar prácticas médicas, por lo que se dedicó exclusivamente a la enseñanza hasta el final de sus días, ocurrido en su casa en 1890, después de otro ataque que le dejaría mudo.

Aun así, las variantes de la conspiración de la monarquía británica en los asesinatos seguirán prosperando, porque es la historia que más se presta a una buena película o un buen libro de suspense...

Capítulo X

Sociedades secretas

¿Existen los Illuminati?

Quienes defienden —con acierto, y pruebas las hay— la existencia de grupos más o menos ocultos, secretos y discretos, que manejan el poder y los latidos del mundo, parecen estar en la obligación de aceptar que los Illuminati son reales. Pero a fuerza de ser sinceros, no hay ninguna prueba que certifique la existencia de este grupo en la actualidad, tal y como algunos autores transmiten que es y opera.

A pesar de ello, los Illuminati están de moda. Algunos autores les consideran como la mano negra que mueve los grandes acontecimientos internacionales para generar consecuencias que sirvan al poder y al gran capital. A sus filas pertenecerían los presidentes de las grandes naciones, los dueños de las multinacionales más poderosas y los banqueros más acaudalados. Pero cualquier intento serio de definirlos se desmorona cuando esos mismos autores —léase por ejemplo al británico David Icke— sitúan a la reina de Inglaterra a la cabeza de la secta, ya que se trataría de un demoníaco ser de otro mundo... En cierto modo, estos autores casi califican al grupo como un instrumento del Mal, amén de hacerlo partícipe de la conspiración sionista para dominar el mundo.

Se tiene la impresión de que toda la información que existe sobre los Illuminati tiene por objeto destruir la credibilidad de otras habitualmente encuadradas dentro de la teoría de la conspiración y que sí tienen visos de caminar por la senda correcta. Pero la desinformación generada al hilo de los Illuminati contamina otras versiones creíbles del lado oscuro de la realidad, como por ejemplo pueden ser las referencias a grupos como Bilberberg o La Trilateral, que reúnen a algunos de los hombres más poderosos del mundo en reuniones discretas para trazar las líneas políticas del futuro.

Sin embargo, en tiempos pasados sí existió una sociedad secreta que empleó este nombre, que evoca de inmediato la figura del «iluminado», tan habitual en las corrientes herméticas de siglos pasados. El grupo en cuestión fue fundado en el año 1776 por un profesor de la Universidad de Ingolstadt, Baviera, llamado Adam Weishaupt. Y se creó con un objetivo: reunir a los jóvenes más inteligentes y brillantes para que entre ellos pudieran acceder a conocimientos sobre determinados asuntos que entonces eran prohibidos por la Iglesia, que imponía a los ciudadanos aquello que se debía o no conocer. De puertas afuera, el grupo actuaba como un club social al que pertenecían los estudiantes de la elite, algo muy parecido a las hermandades de las universidades norteamericanas. Sin embargo, de puertas adentro, el grupo era una auténtica sociedad secreta cuyos miembros alcanzaban puestos de poder —debido a que al entrar en ella ya gozaban de cierta situación social— y que bebía de los organigramas y ritos propios de la masonería.

Existen versiones modernas —por similitud, pero nada más— de aquel colectivo, como puede ser la hermandad Skull and Bones, de la Universidad de Yale. A este grupo han pertenecido a lo largo del tiempo varios miembros de la familia Bush, Bill Clinton y otros presidentes de Estados Unidos. Pero que pertenecieran a dicho grupo no era casual: aquellos jóvenes procedían de familias acomodadas con ambiciones políticas, lo cual es un denominador común en esa universidad y en esa «hermandad».

La leyenda sobre los verdaderos Illuminati se empezó a forjar ocho años después de su creación, cuando el gobierno de Baviera prohibió la existencia de sociedades secretas. Todas las miras fueron puestas en este grupo, al que políticamente se consideró «revoluciona-rio». Finalmente, después de varios años de persecución, los Illumi-nati fueron disueltos en 1886, y todos los intentos de revitalizar el colectivo quedaron en saco roto, pese a que algunos estudiosos opi-nen lo contrario. Y así hasta hoy. Efectivamente, los Illuminati exis-tieron, pero en la actualidad no pasan de ser un mito.

La Sociedad de la Niebla

Toda sociedad secreta que se precie tiene que ser eso, secreta y lo más discreta posible. La Sociedad de la Niebla casi consigue esos dos objetivos.

Hasta hace muy pocos años, su existencia había quedado muy bien camuflada. Se trataba de una sociedad artística-literaria-mística-masó-nica, muy influida por las doctrinas rosacruces y en la que estaban «todos los que tenían que estar». Haciendo un símil cinematográfi-co, era una especie de *Club de los poetas muertos* en la que se reunían nove-listas, poetas, pintores, políticos y artistas en general para estudiar un libro raro: *Hypnerotomachia Poliphili*, también conocido como *El sue-ño de Polifilo*, una obra impresa por Aldo Manucio en Venecia, en el año 1499.

Sobre su posible autor, Francesco Colonna, y su contenido, todo son especulaciones. Está escrito en latín vulgar, con mezcla de grie-go, lombardo, y voces hebreas y caldeas. Y para complicarlo más, el autor utilizó palabras inventadas y un lenguaje arcaizante que ha sacado de quicio a sus críticos y traductores. En el mismo se des-criben los amores eróticos y alegóricos entre Polifilo y una tal Polia. Se sabe tan poco de su profundo significado que desde el siglo XVI se ha visto rodeado de un aura esotérica. De hecho, estamos ante uno de los libros más curiosos y enigmáticos del Renacimiento, una obra tan fascinante que ha cautivado a grandes intelectuales de todas las épocas y, en concreto, a varios escritores franceses del siglo XIX.

Según las investigaciones de Michel Lamy —reflejadas en su obra *Jules Verne, initié et initiateur* (1984)—, Julio Verne pertenecía a esta sociedad secreta, llamada Sociedad Angélica (también recibía el nombre de la Niebla, término que designa para los francmasones el Principio Universal o caos originario del que surge el Principio de la Verdad), que tenía como breviario o texto básico el *Hypnerotomachia Poliphili*. Lamy comenta que esta sociedad fue fundada en el siglo XVI por el impresor lionés Sébastien Gryphe, inspirándose en otra sociedad griega llamada *Nephes* (que significa 'alma' en hebreo y 'niebla' en griego), que tenía como símbolo al grifo, animal mitológico, y a la que pertenecían lumbreras literarias como Rabelais o el pintor Poussin. Sobre Rabelais existen suficientes evidencias que indican su pertenencia a una extraña Sociedad Agla, que empleaba como emblema una «cifra de cuatro» como la que se cree que utilizaban los antiguos cátaros para reconocerse entre sí. En cualquier caso, Lamy cree que «Agla» no es sino otra forma más de definir a La Niebla.

Tras un largo letargo, la sociedad fue reactivada en el siglo XIX y a ella se incorporaron, además de Julio Verne, Alejandro Dumas, Gérard de Nerval, Gaston Lerroux, Maurice Leblanc, Maurice Barrès y George Sand, así como el pintor Delacroix, en cuyos cuadros algunos críticos han querido ver rastros de *El sueño de Polifilo*.

¿Qué hacían en estas reuniones? Poco se sabe de sus cónclaves, salvo que aprovechaban para hablar de política y literatura. Sus principales sesiones consistían en leer pasajes de *El sueño de Polifilo*, algo que parece absurdo a priori, salvo que existiera algún secreto que desconocemos. Desde Rabelais, pasando por Cervantes hasta Julio Verne, se ha creído que en esta obra se ocultan códigos secretos y mensajes cifrados. La Sociedad de la Niebla tenía como objetivo analizar los pasajes oscuros o fijarse en sus numerosos jeroglíficos para detectar enigmas. Toda una sociedad secreta que gira en torno a un libro secreto donde tan importante es el texto como los dibujos. De hecho, algunos de sus extraños grabados se han reproducido en pinturas o se han copiado en esculturas, ex libris o fachadas de edifi-

JULIO VERNE.

Julio Verne dijo de sí mismo: «Me siento el más desconocido de los hombres». Y es que todo en su vida fue un verdadero misterio...

cios. En España, por ejemplo, se pueden ver varios esculpidos en las paredes del claustro de la Universidad de Salamanca. Incluso los diseñadores de parques y jardines románticos se han inspirado en sus diseños y a tal efecto se citan los jardines de Versalles, en Francia, el de Bomarzo en Italia o el de Aranjuez en España.

Alejandro Dumas padre tuvo famosos amigos ocultistas como Papus, Eliphas Lévi o el quiromántico D'Arpentigny, que fue quien le presentó a Verne. Tan prometedor le pareció este joven que Dumas se convirtió en su padre espiritual y le inició en los ritos de la Sociedad de la Niebla. Allí conoció a su futuro editor Pierre Jules Hetzel. Dumas y Hetzel fueron tal vez dos de los miembros más activos de esa sociedad. El primero captaba jóvenes valores literarios y había escrito su novela, *El capitán Pánfilo* (1839), como un guiño al grupo al que pertenecía, donde su protagonista va manteniendo conversaciones con la elite de París. Recordemos que Pan, al igual que el término Poli, significa 'todo' y Filo, 'hijo'. Hetzel, por su parte, publicaba los libros de sus miembros divulgando soterradamente sus ideas, promocionándolas a través de su *Magazine d'Education et Récréation*, dirigido por un notable masón llamado Jean Macé.

Verne, amigo de criptogramas, escribe en 1871 *La vuelta al mundo en 80 días*, cuyo protagonista es Phileas Fogg, extraño nombre para un caballero inglés que adquiere su auténtico significado cuando sabemos su pertenencia a este grupo secreto: Fogg es 'niebla' en inglés y Phileas es el equivalente etimológico de Poliphilo (además Phileas puede descomponerse en «eas» que en griego es 'todo' y equivale a Poli). Otros dicen que Phileas viene del latín *filius* (hijo), lo que daría 'hijo de la niebla'. Los partidarios de esta teoría, como Michel Lamy, tienden a vincular la creación del nombre con las iniciales del Reform Club al cual pertenecía el inmutable y flemático inglés. Ve en RC (las iniciales del nombre del club) una alusión a la palabra Rosacruz, grupo ocultista cuya filosofía imitaba la Sociedad de la Niebla. En 1903, en una de las entrevistas que le hiciese Robert Sherard, el autor francés, al hablar de este particular, Verne expresó: «Le concedo cierta importancia a los nombres (...) Cuando encontré el apellido Fogg me sentí complacido y orgulloso. Y era muy popular. Fue considerado un hallazgo real. Pero fue especialmente el nombre, Phileas, el que le dio tal valor a la creación. Sí, los nombres tienen gran importancia. Siga como ejemplo los padrinazgos de Balzac».

Hubo otros miembros que destacaron por su labor literaria y por divulgar sutilmente la existencia de la Sociedad de la Niebla. Gérard de Nerval se inspiró en los mensajes cifrados de *El sueño* para componer algunos de sus relatos, como el titulado «Angelique», que forma parte de su obra *Las hijas del fuego* (1854). George Sand, seudónimo que encubrió a la controvertida Aurore Dupin, se dejará influenciar por la Sociedad Angélica utilizando, para algunos de sus personajes fundamentales, nombres como Ange en su novela *Spiridion* y Angèle en *Consuelo*.

Maurice Barrés, otro de los escritores de la Niebla, además de político y amigo del místico Stanislas de Guaita, es el autor de la novela *La colina inspirada* (1913). Hay quien ha creído ver una referencia a Rennes-le-Château, al ser una obra en la que se insinúa la existencia de un gran complot para transformar el cristianismo gracias al apoyo financiero de la casa real de los Habsburgo, con el secreto propósito de instaurar la figura de un gran monarca en Europa. La Niebla estaba relacionada con otra sociedad secreta de la época, la Golden Dawn, fundada en Inglaterra en 1887 y que contaba con una logia en París. Entre sus miembros estaban el premio Nobel William B. Yeats y Bram Stoker, cuyo *Drácula* muestra las ideas e influencias de esta sociedad.

En España existe una edición traducida y comentada de *Hypnerotomachia Poliphili*, por la historiadora Pilar Pedraza, donde se intenta esclarecer su importancia. En la introducción explica: «En realidad, es un poema alegórico... que contiene una ingente amalgama de conocimientos arqueológicos, epigráficos, arquitectónicos, litúrgicos, gemológicos y hasta culinarios». No es de extrañar que encandilara a expertos e investigadores de todos los tiempos, incluidos los intelectuales franceses decimonónicos. Y su influjo continúa. En nuestros días el *Hypnerotomachia Poliphili* se ha convertido en el argumento de un *best seller*. Me refiero a *El enigma del cuatro* (2004), de Ian Caldwell y Dustin Thomason, en el que sus protagonistas, Paul Harris y Tom Sullivan, a punto de graduarse en la Universidad de Princeton, intentan resolver un crimen sabiendo que en las ilustraciones de esa obra se encuentran mensajes y claves ocultas que hay que descifrar, algo que les llega a obsesionar. Los autores mezclan ficción con datos reales, como el hecho curioso de que si se unen las iniciales de los títulos de sus treinta y ocho capítulos, se puede leer: «*Poliam frater Franciscus Columna peramavit*», es decir, el nombre de su autor, Francesco Colonna, al parecer un fraile dominico veneciano.

Hoy sigue siendo un enigma tanto *El sueño de Polifilo* como La Niebla, cuyos miembros lo tenían como libro de cabecera. No se puede entender la una (la sociedad) sin la otra (la obra). Ya han pasado más de quinientos años y seguimos casi como al principio. Quizá una de las claves nos la dé una frase que aparece en uno de sus jeroglíficos: «Apresúrate siempre despacio».

Haremos caso a esta máxima para que la sociedad que inspiró no se pierda en la «neblina» del tiempo...

La Sociedad Teosófica

Toda gran organización necesita un gran líder y este binomio se dio el 17 de noviembre de 1875, cuando la rusa Madame Helena Petrovna Blavatsky (H. P. B. para sus seguidores) crea la Sociedad Teosófica en Nueva York.

Para tal empeño es ayudada por el coronel retirado Henry Steel Olcott, al que conoce un año antes en una pequeña población de Vermont (EE UU), durante una sesión de espiritismo. Creen que ha llegado el momento de transmitir a Occidente las enseñanzas esotéricas de Oriente.

Durante veinte años la vida de Blavatsky es muy oscura. Ella misma dice que viajó por diversos países del mundo en busca de experiencias sublimes. Viaja a Egipto, donde recibe su primera iniciación a manos de un mago musulmán, asiste en Nueva Orleans a una ceremonia vudú, en México forma parte de una cuadrilla de bandoleros para conocer a fondo —según ella— los mecanismos de la violencia del ser humano, y en Londres conoce al «personaje más misterioso del siglo», el maestro hindú Kut Humi Lal Sing, que tuvo una gran importancia para el posterior desarrollo de sus teorías teosóficas. A Kut Humi (*Koot Hoomi*) le llama siempre «el Maestro» o «el Iniciador». Luego regresa a México y de allí parte hacia la India, Ceilán y Singapur. En 1855 se halla en Calcuta, desde donde emprende un viaje a Cachemira e Himalaya, lugares en los que tiene la oportunidad de conocer a todo tipo de monjes, sabios y chamanes.

Incluso estuvo en el Tíbet, donde fue instruida en la sabiduría antigua de la Gran Fraternidad Blanca.

Una vez creada, la Sociedad Teosófica tenía tres objetivos principales:

1. Formar un núcleo de la Fraternidad Universal de la Humanidad, sin distinción de raza, credo, sexo, casta o color.
2. Promover el estudio comparativo de las religiones, filosofías y ciencias.
3. Investigar las leyes desconocidas de la Naturaleza y los poderes latentes en el hombre.

Etimológicamente, teosofía significa el conocimiento profundo (*sophia*) de la divinidad (*theos*). Este término ya fue utilizado en el siglo III de nuestra era por la secta de los Filaleteos o amantes de la verdad.

Blavatsky, Olcott y más tarde el resto de sus discípulos divulgan conceptos, ideas y enseñanzas que sonaban por vez primera en los oídos de la mayoría de los europeos de finales del siglo XIX, como eran los temas sobre la reencarnación, el karma, las creencias en el hinduismo o el budismo, la existencia de los «superiores desconocidos», los Registros Akhásicos y un sinfín de temas.

Blavatsky expone sus teorías en sus obras, entre las que destacan *Isis sin velo* (1877) y *La Doctrina Secreta* (1885), demostrando una erudición que no se corresponde con los estudios realizados. En estas obras afirmaba la existencia de una unidad que subyace en todas las religiones del mundo, cuya raíz está en la teosofía, que se ocupa del misterio de Dios, del universo y del sentido de la vida.

Para los teósofos, el ser humano se reencarna muchas veces en un universo que está compuesto por siete planos. Según Blavatsky, en el transcurso de la evolución del género humano, se desarrollan siete razas que, desde su génesis primigenia hace unos trescientos millones de años, han ido surgiendo a medida que se alcanzaban determinados estadios evolutivos. Dentro del ciclo evolutivo de cada raza-raíz, surgen siete subrazas, una de las cuales será la que se convierta en la siguiente raza. Por tanto, la aparición de una nueva raza supondría la conquista de un escalón evolutivo superior. Continuando el plan evolutivo de los dioses, la quinta Raza, denominada aria (en la que estaríamos ahora), surgió en las regiones de Asia central. Tras largas y penosas migraciones, se asentaron en la cordillera del Himalaya, en una mítica ciudad conocida como Aryavartha (el país de los arios).

Quedan por desarrollarse, según Blavatsky, la sexta y la séptima raza, cuya génesis preconiza una nueva humanidad que convertirá a los seres humanos en seres superiores: «La Humanidad aún deberá esperar millones de años hasta que llegue el día en que se transforme en una raza de dioses».

Tras la muerte de su fundadora en Londres, en 1891, hubo una segunda generación de teósofos como Charles Leadbeater y Anni Besant, la cual sucederá a Blavatsky en la presidencia de la Sociedad. Todos ellos se encargarán de difundir sus ideas con cursos, charlas y libros. Uno de los méritos indudables que tuvo la Teosofía fue servir de germen y de caldo de cultivo para la creación de numerosos grupos esotéricos e iniciáticos que compartían inicialmente sus postulados. Tal es el caso de Alice Bailey (1880-1949), quien difunde la expresión New Age y que, con los años, funda la Escuela Arcana, con muchas ideas prestadas de la Sociedad Teosófica, al cobijo de los dictados de una entidad llamada El Tibetano, que pertenecería, al igual que Kut Humi, a la Fraternidad de los Maestros Ascendidos. Otros grupos heréticos-teosóficos fueron la Orden Hermética del Alba Dorada (la Golden Dawn) y la Antroposofía.

Se veía venir. A principios del siglo XX se produce una crisis en sus fines y su estructura, sobre todo cuando Besant creyó haber encontrado en el joven hindú Jidd Krisnamurti al maestro mundial, al «nuevo Jesucristo», según una revelación que había recibido de los Maestros Ascendidos, destinado a ser el Instructor del Mundo. Esto generó que Rudolf Steiner, uno de los miembros más activos de la Sociedad Teosófica y secretario general de la sección en Alemania, tuviera sus discrepancias con Besant, pidiera su dimisión y creara la Sociedad General Antroposófica en 1913, con sede en Dornach (Suiza). Krisnamurti, mosqueado con ese trato tan exclusivo y posesivo, rechazó en 1929 ese papel mesiánico y siguió su trayectoria filosófica y espiritual de manera independiente. Con la actitud de Anni Besant esta Sociedad sufrió un duro golpe, aunque volvió a tener cierto papel destacado en algunos países, como sucedió en España gracias al impulso que le dio Mario Roso de Luna.

Actualmente, la Sociedad Teosófica tiene su centro y sede mundial en Adyar, Estado de Madrás, en el sureste de la India y está estructurada bajo el sagrado número siete.

En cada nación donde está establecida se constituye una sección nacional a cuyo frente se coloca un presidente o secretario general. Para que se constituya una sección nacional se requiere que existan, como mínimo, siete ramas, y cada una de ellas ha de estar compuesta, al menos, por siete miembros que decidan trabajar juntos.

En un texto teosófico divulgado por los boletines de la escuela se dice que «todo aquel que esté dispuesto a estudiar, a ser tolerante, a aspirar a mucho y a trabajar con perseverancia, es bienvenido como miembro y dependerá de él convertirse en verdadero teósofo».

Ni más, ni menos.

La Golden Dawn

El siglo XIX fue, sin lugar a dudas, una época sorprendente. Los avances científicos fueron tan asombrosos y los avances en todos los campos del conocimiento y del saber tan grandes que se despertó un optimismo y una exagerada confianza en la técnica como salvadora de todos los males que aquejan a la sociedad humana y a las naciones. Este progreso se manifestaba ante todo en la capacidad para dominar la naturaleza y sus elementos y en la creación de máquinas que nos permitían mejorar nuestro nivel de vida, nuestra capacidad de viajar y desplazarnos y de lograr un mundo mejor. Sin embargo, esta glorificación del industrialismo generó un rechazo en algunos sectores de la sociedad, que se manifestó en dos vías totalmente diferentes. La primera, en la aparición de movimientos políticos e ideologías que defendían la causa de los más desfavorecidos, como el marxismo y las ideas socialistas; y, la segunda, en un interés cada vez mayor por el estudio de todo lo relacionado con el espíritu humano. Tanto masones como espiritistas, rosacruces y demás logias reivindicaron la existencia de un legado ancestral, que provenía de las primeras civilizaciones humanas y que había permanecido oculto, custodiado por grupos iniciáticos, cuyos miembros habían sido especialmente formados en complejas ceremonias, para ser custodios de la ciencia secreta de los antiguos.

A pesar de lo dudoso de todas sus afirmaciones y de la escasa seriedad de la mayoría de estos grupos, tuvieron un éxito extraordinario en toda Europa, pues daban a sus seguidores aquello que deseaban con ansia, ser los depositarios de un conocimiento legendario cuyas raíces se perdían en la noche de los tiempos. Una de las más notables sociedades secretas de esa época había nacido en Gran Bretaña, entonces la nación más poderosa del planeta, en el año 1888. Su nombre original era Hermetic Order of the Golden Dawn (la Orden Hermética del Alba Dorada) y tuvo tanto éxito que influyó de forma decisiva en muchas de las sociedades que se crearon en las islas Británicas en las décadas siguientes, así como en muchas de las formas y manifestaciones de la magia y el ocultismo en el siglo XX.

El objetivo de la Golden Dawn era recoger y proteger el legado esotérico de Occidente y su tradición legendaria y mítica. Su fundador fue William Wynn Wescott (1848-1925), un médico de Londres especializado en práctica forense y al que le apasionaba el ocultismo y el esoterismo. Para crear su sociedad secreta se unió a otro médico al que conocía, ya jubilado, antiguo rosacruz y buen cabalista, llamado William Robert Goodman (1828-1891), y a un especialista en magia llamado Samuel Liddell McGregor Mathers (1854-1918), que sería realmente el verdadero inspirador de que la Golden Dawn dispusiese de complicados y sofisticados ritos iniciáticos, que debían conducir a los miembros de la orden por las sucesivas fases o escalas del conocimiento.

Para poder crear y mantener toda una estructura mágica, se basaron en el llamado *Cipher Manuscript*, del que se decía que era una obra antigua que contenía los ritos escritos en clave de una sociedad secreta perdida en las brumas del tiempo. En realidad, era el manuscrito cifrado elaborado por un masón inglés que tenía el proyecto de crear una sociedad que nunca llevó a cabo, pero su ingeniosa forma de plantear los ritos de iniciación y el ascenso de grado en la orden tuvieron tal éxito que luego inspirarían las normas de conducta interna de decenas de sociedades esotéricas y de logias.

Una vez asentada firmemente, contando ya con miembros de fuerte personalidad e incluso de notable influencia social, la Golden Dawn se propuso enseñar la magia como parte del conocimiento esotérico, algo que ya había comenzado a hacer de forma general en 1891, el año del fallecimiento de Goodman. La ascensión de McGregor Mathers al cargo de máxima responsabilidad en la orden y sus conocimientos de magia hicieron que la Golden Dawn se convirtiese en un centro de operaciones mágicas, con complejos rituales que hacían que los neófitos tuviesen que pasar cinco grados de iniciación antes de acceder a una orden dentro de la orden, a la que se denominaba coloquialmente la orden interior, pero cuya verdadera denominación era Ordo Rosae Rubeae et Aureae Crucis o RR et AC, la orden de la Rosa Rubí y la Cruz de Oro.

Aunque la verdadera tradición hermética y mágica europea fue absorbida a lo largo de los siglos XVII y XVIII por el éxito en Occidente de la ciencia experimental, tal y como la conocemos hoy en día, las sociedades secretas y ocultistas del XIX elaboraron misteriosos rituales mágicos y un lenguaje cargado de misterio que, apoyado por el uso masivo de símbolos alquímicos, impresionaba mucho a la gente no experta o poco informada. A pesar de esta palabrería, durante estas primeras décadas de existencia, el éxito de la Golden Dawn hizo que muchas personalidades de las más diversas procedencias se interesaran por sus trabajos y sus objetivos. Los más conocidos fueron el escritor irlandés William Butler Yeats (1865-1939) y el legendario mago negro Aleister Crowley (1875-1947). La entrada de estos dos hombres de fuerte personalidad, así como la de otros muchos cuyo interés real por los objetivos iniciales de la orden eran más que discutibles, provocaron problemas internos y querellas cada vez más graves. Comenzó a hablarse de la existencia de una tercera orden interna formada por los auténticos guardianes del secreto y los verdaderos expertos en la ciencia secreta, cuyo nombre nadie conocía y a los que ninguna persona podía acercarse. Por supuesto, no era cierto, pero esas y otras teorías parecidas impulsaron la creencia popular de que la Golden Dawn escondía en su seno una especie de sinarquía, formada por hombres poderosos que eran los que de verdad decidían el futuro, pues controlaban las tendencias filosóficas, políticas, económicas y artísticas de su tiempo.

La Golden Dawn sigue existiendo hoy en día, si bien sus prácticas y sistema de funcionamiento han cambiado mucho. Afortunadamente, en 1937, uno de los miembros, Israel Regardie (1907-1985), publicó todos los rituales secretos de la orden, lo que ha permitido a investigadores y estudiosos del ocultismo contar con los métodos de funcionamiento interno y trabajo de una de las más legendarias sociedades secretas de los siglos XIX y XX, evitando que se perdiesen y acabasen en el olvido.

¿Es una secta la masonería?

Aunque diferentes especialistas en la materia han considerado a la masonería como una secta más de las miles seudorreligiosas o seudopolíticas que existen, muchos masones defienden el postulado que les alza como miembros de una sociedad protectora del librepensamiento humano. Conviene aclarar que las denominaciones masón y francmasón significan lo mismo, siendo la segunda una combinación del francés y del inglés que da como resultado la traducción «albañil», como veremos más adelante. Durante siglos, esta corriente racionalista ha inspirado temor en los gobiernos o en la propia Iglesia católica, y no son pocos los países que han prohibido la práctica de sus creencias y costumbres. Lo cierto es que la francmasonería de nuestro tiempo ya no es tan determinante como lo fue en origen, y desde 1968 el propio Vaticano acepta a los masones de credo católico. En cuanto a sus orígenes históricos, son más bien confusos y, según las fuentes que se consulten, nos encontraremos con tal o cual hipótesis acerca de su génesis fundacional. Unos dirán que su raíz se hunde en la niebla del pasado, creyendo que fue Egipto el lugar donde se dieron a conocer por primera vez, mientras que los más numerosos, en cambio, aseguran que los primigenios masones surgen en la construcción del templo de Jerusalén, siendo su primer gran maestre Hiram Abif, el arquitecto de la impresionante edificación hebrea. Empero, el término *free-mason* viene a significar 'albañil que pule la piedra', lo que nos pone en contacto con un gremio medieval especializado que transmitía sus conocimientos a los aprendices de forma hermética, preservando de ese modo el oficio ante competencia desleal o advenedizos. Sus trabajos, por tanto, estaban muy solicitados por parte de los grandes constructores del pasado, los cuales levantaron los mejores templos religiosos, así como fortalezas, palacios y edificios públicos que aún hoy sobreviven al inexorable paso del tiempo. Si bien no sería hasta el siglo XVIII cuando la francmasonería abandonó lo que se conoce como *masonería operativa*, para adentrarse en la modernidad o *masonería especulativa*, recogiendo las esencias antiguas y medievales e incluyéndolas en una nueva era de progreso y fraternidad para la humanidad.

La masonería propiamente dicha surgió en 1717 por obra de los pastores protestantes ingleses, James Anderson y J. T. Desaguliers. Desde entonces, esa congregación de iniciados recogió las influencias de las corrientes intelectuales del enciclopedismo del siglo XVIII y del racionalismo y el liberalismo del siglo XIX. Su innovadora ideología se propagó muy rápidamente por Europa: en 1721, se constituyó la primera logia en Francia; en 1717, en Rusia, establecida por Pedro I; en 1723, en España; en 1734, en Países Bajos; en 1738, llegó con fuerza a las colonias inglesas de Norteamérica, siendo Boston la primera ciudad que albergó masones en el Nuevo Mundo. La creada en Francia estableció como rito el «escocés antiguo y aceptado», frente al de York de las logias inglesas. Y, en 1738, al fundarse la Gran Logia de Francia, la francesa quedó desvinculada de la inglesa, encontrándose desde entonces en abierta oposición. De esta división nacieron las tres ramas principales de la masonería actual: rito inglés, rito escocés y rito simbólico francés.

Sus protocolos constitucionales declaran que la masonería es una institución esencialmente caritativa, filantrópica, filosófica y progresista, que tiene como meta la indagación de la verdad, el estudio de la moral, el combate de la superstición y la práctica de la caridad. Asimismo, mantienen que uno de sus propósitos vitales es trabajar solamente para el mejoramiento material y social de la humanidad. Los masones afirman reconocer y defender la existencia de Dios y la prevalencia del espíritu sobre la materia, por lo que ningún ateo o materialista puede ser masón. En consecuencia, no se oponen a la religión y mucho menos a la Iglesia católica, es más, recomiendan que cada uno practique su confesión religiosa, ya que no existe ninguna incompatibilidad entre la masonería y las creencias sobrenaturales. La masonería proclama la tolerancia y el respeto a las convicciones políticas e ideológicas de los otros, la autonomía de la persona humana, el amor a la familia, la fidelidad a la patria y la obediencia a la ley. Además, consideran a todos los hombres hermanos, libres e iguales, cualquiera que sea su raza, nacionalidad o religión. Para mayor constatación de estas normas, en cualquier reunión de masones está prohibido hablar o discutir sobre política o religión. En cambio, se apuesta decididamente por que todos sus integrantes sean virtuosos, ejemplares, de buenas costumbres, libres de vicios, sin errores ni prejuicios, observantes de la ley, patriotas, cumplidores del deber, apóstoles del bien, generosos, devotos, pacíficos, abogados de los oprimidos, hermanos de todos y hasta, según sus textos, protectores de las viudas.

Hoy en día no existe ningún temor ante la masonería, sus más de seis millones de integrantes quedan repartidos principalmente entre Estados Unidos, con casi cinco millones, e Inglaterra, con casi medio millón. En el caso de España, reprimidos hasta la saciedad desde el siglo XIX —por su participación directa en los diversos pronunciamientos políticos y militares, la gestación de las dos Repúblicas y algunos asuntos conflictivos para los regímenes dictatoriales—, tan sólo se pueden censar unos tres mil miembros distribuidos en algunas logias. La francmasonería —y sus lemas de libertad, igualdad y fraternidad— sigue siendo fiel al espíritu que la engendró con el ánimo de mejorar nuestra civilización.

Los rosacruces

En 1623, colocaron sobre los muros de París unos carteles con un texto bastante intrigante:

> Nosotros, diputados del Colegio principal de la Rosacruz, visitamos visible e invisiblemente esta Villa por la gracia del Muy Alto, hacia Quien se vuelve el corazón de los Justos. Mostramos y enseñamos a hablar sin libros ni marcas, a hablar toda clase de lenguas de los países en los que deseamos permanecer para liberar a los hombres, nuestros semejantes, del error de la muerte.
>
> Si alguien quiere vernos solamente por curiosidad, jamás comunicará con nosotros, pero si la voluntad le lleva a inscribirse realmente en el registro de nuestra Confraternidad, nosotros,

que juzgamos los pensamientos, le haremos ver la verdad de nuestras promesas; no revelaremos el lugar donde nos alojamos en esta ciudad, porque los pensamientos, junto a la voluntad real del lector, serán capaces de hacernos conocer por él y de que él nos conozca a nosotros.

Su lectura provocó excitación por toda Europa y más cuando se dieron a conocer tres manifiestos anónimos en Alemania que hablan por vez primera de una sociedad secreta a la que llaman Rosacruz. Fueron los siguientes: *Fama Fraternitatis*, aparecido en 1614, un curioso opúsculo de quince páginas donde se exponían las ideas fundamentales, aludiendo a un misterioso libro, el *Liber Mundi*, para algunos escrito por Dios; *Confessio Fraternitatis*, también anónimo y publicado en Cassel en 1615; y, por último, *Las Bodas Químicas de Christian Rosenkreutz*, un libro aparecido en el año 1616, y escrito por el erudito luterano Johan Valentin Andrae.

Entre 1614 y 1620, se publicaron alrededor de cuatrocientos panfletos, manuscritos y libros que hablaban de los manifiestos, unos para elogiarlos y otros para denigrarlos. De cualquier manera, su aparición constituyó un importante acontecimiento histórico y esotérico. Un grupo que decía poseer el conocimiento universal no podía dejar indiferente a nadie. Formar parte de sus filas significaba, si era verdad lo que decían esos manifiestos, conocer la lengua en la que se expresaba Adán antes de salir del Paraíso Terrenal y poseer el dominio de la ciencia de los números cabalísticos con la que podrían descifrar los secretos de las Escrituras. De un modo general, los rosacruces defienden la fraternidad entre todos los hombres y que éstos puedan desarrollar sus potencialidades para hacerse mejores, más sabios y felices.

Vamos, que se hablaba de un grupo depositario de los secretos de la ciencia, las artes, la filosofía, la alta magia y la religión. A sus miembros se les atribuía facultades asombrosas y sobrehumanas. Gracias a una hábil propaganda, se les creyó dueños de la piedra filosofal y del elixir de la vida. Tenían capacidad para fabricar piedras preciosas, lámparas que no se apagaban y músicas artificiales. Estarían en posesión, entre otros, del secreto del movimiento continuo y de la interpretación total de los misterios de la naturaleza. Y, por si les parece poco, tenían otras dos facultades para sacar nota: hacerse invisibles y ser inmortales.

La filosofía o pensamiento rosacruz se convirtió en un estilo de vida que recorrió Europa en los siglos XVII y XVIII. Los escépticos decían que la Orden Rosacruz fue creada bajo inspiración protestante para ser un contrapunto a la Compañía de Jesús.

Como todo grupo secreto, sus orígenes son más que difusos y hasta se puede hablar de dos o tres orígenes diferentes. El más fabuloso se remonta a los tiempos de un tal Christian Rosenkreutz, supuesto depositario de los importantes arcanos de Oriente que no debían perderse, de ahí la necesidad de perpetuar esos conocimientos a través de un linaje. Se habla de Rosenkreutz, nacido en 1378 y muerto en 1484, cuya sepultura no fue descubierta hasta ciento veinte años después de su muerte, tal como él mismo había anunciado. Según los manifiestos citados, Rosenkreutz falleció a los ciento ocho años, y su tumba fue encontrada en 1604 en el fondo de una gruta donde había vivido hasta los últimos días de su vida. Sobre la lápida que guardaba sus restos mortales podía leerse la siguiente inscripción: «Abrirán mi tumba cuando transcurran ciento veinte años». Dentro del recinto había una cripta hexagonal con un altar en el centro y debajo de él, apartando una pesada losa de granito, la gruta donde se encontró el cuerpo de Rosenkreutz, «entero y sin consumir», es decir, incorrupto. También existía en dicha cripta un armario de espejos que poseían diversas virtudes y un pergamino titulado *Libro T*, descrito como el mayor tesoro después de la Biblia. Junto al ataúd fueron hallados, en forma de manuscritos, todos los conocimientos secretos que el fundador de la orden había acumulado a lo largo de su vida y que legaba a la Humanidad. Dejaba normas para la creación de una sociedad ocultista con la cual reformar el mundo y llevar a los hombres por el camino de la sabiduría.

Hay quien hace remontar el origen de esta orden a la época de Akhenaton, afirmando que cada ciento veinte años reaparecen sus miembros para dar impulso al mundo, si bien para otros autores estos periodos de actividad son de ciento ocho años, seguidos de un periodo de recogimiento de igual duración. Sería una de las más misteriosas y enigmáticas leyes cíclicas de la organización, cuyo origen se pierde en las tradiciones: los ciento ocho años de acción externa de la orden y sus ciento ocho años siguientes de oculta y silente actividad, una cifra que supone el retorno a la unidad, según el cálculo teosófico. Cada periodo de renacimiento es como una nueva orden que nace sin conexión alguna con los ciclos precedentes. Durante los ciento ocho años de inactividad, los miembros de las ramas y de la jerarquía no cesan en sus quehaceres individuales. Inician a personas de su familia y se preparan durante los años inmediatos al nuevo nacimiento de la orden, poniéndose en contacto con ramas activas de otros países y anunciando al mismo tiempo el comienzo de un nuevo ciclo en el suyo. Esto se debe a que en la mayoría de los países europeos no había coincidencia de fechas en cuanto a los periodos. Así, vemos que mientras en Alemania la Orden Rosacruz estaba dormitando, en Francia y Holanda estaba muy activa. Por el contrario, la orden se mostraba inerte en Francia cuando renacía en Alemania y culminaba su actividad en Inglaterra.

Es en el siglo XIX cuando se impulsó un renacimiento rosacruciano a cargo de Estanislao de Guaita (orden cabalística de la Rosacruz) y el Sar Peladan (Rosacruz Estética del Templo y el Grial). A lo largo del tiempo se han incluido entre sus filas a grandes personajes de la cultura como fueron Descartes, Víctor Hugo, Newton, el conde Sant Germain o Goethe. La masonería adoptó algunos términos en sus logias regulares como en el caso del rito escocés antiguo y aceptado, donde al grado dieciocho se le llama «soberano príncipe rosacruz, caballero del águila y del pelícano».

Actualmente existen una veintena de organizaciones que se denominan Rosacruz, casi todas ellas en competencia. Las órdenes rosacruces, denominadas fraternidades, normalmente se organizan en una estructura de tipo masónico formada por grados, los cuales son alcanzados por el aspirante a través de varias iniciaciones.

Hay tres grupos principales que son los que defienden con mayor rigor los postulados y los principios rosacrucianos. Los dos primeros tienen una génesis similar en torno al mismo año (1909, porque el ciclo de ciento ocho años renacía precisamente en esa fecha) y un mismo lugar en cuanto a la ubicación de su sede: California. Los dos dicen haber sido inspirados por los «superiores desconocidos».

El primero es la Fraternidad Rosacruz (Rosicrucian Fellowship), fundada por el danés Max Heindel, en Oceanside, California. En ese solar, al que denomina Mount Ecclesia, posteriormente sede del movimiento, funda su primera congregación de discípulos. Y allí le sorprenderá la muerte el mes de enero de 1919, a los cincuenta y tres años de edad, dejando el puesto a su esposa Augusta Foss, quien se encarga de la escuela hasta convertirla en una asociación internacional a través de un sistema de enseñanza por correspondencia. Actualmente, la Fraternidad Rosacruz la dirige un comité de siete personas elegidas mediante voto secreto entre todos los miembros de la escuela.

El otro es la AMORC (acróstico que corresponde a la Antigua y Mística Orden de la Rosacruz), fundada por Harvy Spencer Lewis, con sede en San José, California. Es una de las más proselitistas, conocidas y activas. En el momento actual es Christian Bernard, un francés, quien asume la más alta responsabilidad de la AMORC, al haber sido elegido por unanimidad por los miembros del Consejo Supremo para la función de Imperator.

El tercer grupo es el Lectorium Rosicrucianum, que surge en la ciudad de Haarlem (Holanda) el 24 de agosto de 1924. Sus fundadores son dos hermanos, Jan Leene y Z.W. Leene. Jan adoptaría más tarde el nombre de Jan van Rijckenborgh. Cuando en 1938 muere el hermano mayor, su puesto es ocupado por la señora H. Stock-Huizer, que adoptaría el nombre de Catharose de Petri. Ellos sostienen el criterio de que Rosenkrantz no fue el apellido de un hombre, sino que se refiere a una orientación espiritual determinada. En 1953, tras treinta años de trabajo, la Escuela Espiritual del Lectorium Rosicrucianum fue acogida, como joven fraternidad, en la cadena de la Fraternidad Universal. Posee una doctrina, una jerarquía espiritual y unos grados de iniciación, y sus miembros forman parte no tanto de una escuela, sino de una Iglesia. Tal es así que Lectorium se encuentra registrado con el número 376-SG dentro de las entidades religiosas inscritas en la Dirección General de Asuntos Religiosos del Ministerio de Justicia de los Países Bajos.

Como dice un principio rosacruz, común a todas las tendencias: «Las relaciones humanas están basadas en el amor, la amistad y la fraternidad, de manera que el mundo entero pueda vivir en paz y armonía».

Que así sea.

¿Quiénes son los neotemplarios?

Efectivamente, los templarios siguen existiendo. Otra cosa es que tengan realmente algo que ver con la tradicional orden del Temple y que puedan ser considerados como legítimos. Porque la realidad indica que cuando en el año 1308 Clemente V dictó su bula para la supresión de la orden que durante ciento noventa y seis años llenó de magia y misterio a toda Europa y parte del mundo, lo hizo añadiendo la coletilla *in eternum*, es decir, que su sentencia seguiría vigente por los tiempos de los tiempos.

Todavía existe una gran incógnita al respecto. Se cree que Clemente V debía su nombramiento como papa a la intermediación de Felipe IV, el codicioso rey de Francia que jugó un papel capital en la desaparición de la orden del Temple. Según esas informaciones, el sumo pontífice cedió a las presiones y, en señal de agradecimiento por su intercesión a la hora de ser nombrado papa, admitió firmar el documento mediante el cual se condenaba como herejes a los hombres de Jacques de Molay, el último gran maestre de la caballeresca orden. A partir de ese hecho, cobra cierta trascendencia un documento hallado en el año 2002 por la historiadora italiana Bárbara Frale en los Archivos Vaticanos. Se trata de un documento en el cual Clemente V exculpaba a los templarios y los perdonaba por sus acciones y presuntas herejías. Sin embargo, dicho escrito quedó sepultado a consecuencia de la sumisión del papa frente a Felipe IV, pero en cambio sí ha sido esgrimido por los actuales templarios como una demostración de que su existencia sigue siendo legítima y se ajusta a la fe de Roma.

«En la actualidad, existen tres clases de movimientos neotemplarios. Primero, aquellos que, aunque siguen ciertos patrones de comportamiento, son sólo estudiosos de la historia de la orden. Segundo, los que se consideran auténticos herederos y poseedores de su tradición y secretos. Y por último, están los sectarios», nos explica el investigador y periodista Josep Guijarro, autor del libro *Los herederos del temple* (Corona Borealis), que será publicado a mediados de 2005 y en donde por primera vez se analiza el resurgimiento de este tipo de grupos en los albores del siglo XXI.

Entre los sectarios destaca un grupo conocido como la orden del Templo Solar, liderado por un naturópata francés llamado Luc Jouret, que fue capaz de aglutinar bajo su control a un buen número de personajes de la clase alta suiza y francesa. Se creían auténticos herederos de los secretos templarios y estaban convencidos de que Jouret mantenía contacto con una suerte de entidades del más allá. Por desgracia, la historia de este grupo acabó en tragedia cuando, a mediados de los años noventa, entre 1995 y 1997, más de cien de sus miembros se inmolaron en diferentes sedes del grupo en Suiza, Francia y Canadá. Afortunadamente, no todos los grupos neotemplarios cuentan en su haber con desgracias de este calibre, pero cierto es que algunos también han sido acusados de irregularidades tales como conceder condecoraciones militares a sus miembros, así como títulos nobiliarios falsos.

Por otro lado, se encuentran grupos formados por historiadores y estudiosos como Temple España, que pese a mantener cierta reminiscencia ritual no son sino estudiosos de la orden del Temple e investigadores que tratan de arrojar luz sobre los acontecimientos protagonizados por Jacques de Molay y sus predecesores.

Más implicados se sienten en su papel grupos como la orden Soberana y Militar del Templo de Jerusalén. Es uno de esos grupos que se consideran auténticos descendientes de los templarios. Sostienen que los caballeros del siglo XIV se negaron a desaparecer y que durante un tiempo se mantuvieron en un segundo plano para poder seguir subsistiendo. Entre otras cosas, se basan en que De Molay dejó por escrito una serie de normas, antes de fallecer, a un tal Veaujalois, para preservar los tesoros y posesiones de los templarios. Dicho grupo considera que su papel actual es llevar a cabo aquel mandato, como bien se explica en la página *web* que poseen (www.osmtj.org) y en la que explican como su orden fue de nuevo fundada en el año 1705, una vez que se sintieron de nuevo en libertad para salir a la luz.

Pese a ello, nada tiene que ver este grupo con los templarios originales. Bien es cierto que, poco después del «asesinato» de la orden, el rey de Portugal logró que se creara otra: la orden de los Caballeros de Cristo, que gestionó y administró parte de los bienes templarios, convirtiéndose en algo así como sus herederos. Pero estos últimos y los actuales neotemplarios tienen pocas cosas en común...

¿Existió el Priorato de Sión?

En 1956, cuatro jóvenes franceses decidieron crear una asociación. El presidente fue André Bonhomme y el principal impulsor, Pierre Plantard, que poco antes había sido sentenciado a seis meses de prisión por fraude y malversación de fondos. El nombre del grupo se basaba en una montaña local de su región, el Col du Mont Sion, y no en el monte Sión de Jerusalén. No tenía conexión alguna con los cruzados, los templarios ni movimientos anteriores que incorporaron el término «Sión» en sus nombres.

Según Plantard, se habían encontrado unos documentos en la Biblioteca Nacional en París que parecían corresponder a una sociedad secreta que había existido desde las Cruzadas. Todos los documentos que fueron presentados entonces y los que más tarde se han ido difundiendo se basan en pruebas no demostrables y en genealogías más que discutibles, que afirmaban que tras la toma de Jerusalén por la Primera Cruzada, Godofredo de Bouillon fundó una orden en la abadía de Nuestra Señora del Monte Sión, de la que nacería más adelante la orden del Temple. Según estos documentos, al menos cinco de los fundadores del Temple eran miembros del Priorato de Sión, hasta el extremo de que la primera no era sino el brazo armado de la segunda, teniendo ambas coincidencias en cuanto a sus objetivos, situación que se mantuvo hasta el año 1188, cuando tras el desastre de Hattin y la caída de Jerusalén en manos musulmanas, ambas órdenes rompieron su relación, pues los de Sión consideraron al maestre del Temple, Girardo de Ridefort, como el culpable de la derrota. Tras este incidente la orden de Sión se trasladó a Francia, donde se convirtió en el Priorato de Sión.

Supuestamente, la misión secreta del Priorato consistía en proteger a un descendiente de la dinastía merovingia hasta que llegase el momento de situarlo en el trono de Francia. Al parecer, esta legítima descendencia quedaba demostrada en unos pergaminos encontrados en Rennes-le-Château, en el sur de Francia. Todo obedecía a un calendario programado con siglos de antelación, pues la descendencia de los merovingios ocultaba ni más ni menos que la descendencia de María Magdalena y Jesús de Nazaret, la *sang-grial*, el Santo Grial, como portador de la sangre de Cristo, pero no en el clásico sentido simbólico de una copa, sino como su herencia, como los portadores de su sangre.

En realidad, la organización creada en 1956 se desintegró después de poco tiempo, pero en años posteriores Pierre Plantard la revivió y afirmó que él era el gran maestre o líder de la organización y comenzó a hacer comentarios alucinantes acerca de su antigüedad, sus anteriores miembros y sus verdaderos propósitos ocultos. Fue él quien afirmó que la organización se derivaba de los cruzados y, en conjunción con socios posteriores, fue quien compuso y sembró *Les Dossiers Secretes* en la Biblioteca Nacional de París y quien fabricó la historia de que la organización preservaba una descendencia real de origen merovingio que algún día retornaría al poder político. Una vez que los alegatos de Plantard en relación con el Priorato llamaron la atención pública, sus antiguos asociados le contradijeron. En una declaración hecha a la BBC en 1996 por André Bonhomme, el presidente original del Priorato de Sión, éste manifestó «que el Priorato de Sión ya no existe. Nunca estuvimos involucrados en actividades de naturaleza política. Éramos cuatro amigos que nos juntamos para divertirnos. Nos llamábamos el Priorato de Sión porque cerca de ahí había una montaña con el mismo nombre. Yo no he visto a Pierre Plantard en más de veinte años y no sé qué es lo que se trae entre manos, pero él siempre tuvo una gran imaginación».

La investigación de la TV pública británica concluyó que no había ninguna evidencia sólida de la existencia de un Priorato de Sión hasta 1956 y no hay forma de rastrear su pista si no se viaja al pueblo francés de St. Julien, en el que vivían los cuatro amigos. Teniendo en cuenta que bajo la legislación francesa toda nueva asociación debe registrarse ante las autoridades, hay un expediente que demuestra que los promotores de una nueva organización, denominada Priorato de Sión, cumplimentaron los formularios legales para otorgar personalidad jurídica a una asociación de tal nombre.

Como ha demostrado el investigador Paul Smith, Plantard había sido condenado por fraude y malversación a seis meses de cárcel por la corte de St. Julien-en-Genevois y la polémica creada con su invención del Priorato de Sión le venía muy bien, pues con el apoyo de grupos legitimistas monárquicos franceses y de amantes de lo esotérico y lo oculto, logró un éxito sorprendente. Había descubierto cómo engatusar a la nación francesa ofreciendo a sus conciudadanos la sensación de que se custodiaba en el país un gran secreto, que ocultaba la estirpe de Jesucristo, y de que Francia, de algún modo, tendría un papel decisivo en el futuro del mundo. De hecho, su creación había superado al autor y estaba adquiriendo vida propia.

Olson y Miesel indican que, en 1975, Plantard comenzó a llamarse a sí mismo Plantard de Saint Clair con la pretensión de establecer un vínculo con la familia escocesa de los señores de las Orcadas, nobles de origen normando que habían levantado la formidable y enigmática capilla de Rosslyn, cerca de Edimburgo, enredando así la trama cada vez más. En 1980 Plantard afirmó que había pasado un cierto número de años retirado del Priorato de Sión, durante los cuales Roger-Patrice Pelat sirvió como gran maestre. Después de la muerte de Pelat, Plantard manifestó haber recobrado su posición como gran maestro del priorato. Pelat, sin embargo, había estado implicado en un escándalo de corrupción y Plantard se involucró eventualmente en la investigación del escándalo que llevaron a cabo los tribunales franceses. A este respecto, Paul Smith señala: «Cuando el juez Thierry Jean-Pierre se convirtió en el magistrado francés que presidió la investigación del escándalo de corrupción financiera de Patrice Pelat en los años ochenta, Plantard voluntariamente se presentó en los años noventa y ofreció evidencias para la investigación; él afirmó que Pelat había sido gran maestre del Priorato de Sión. El juez emitió una orden de registro de la casa de Plantard, en la que se descubrió un gran número de documentos sobre el Priorato de Sión, en los que se afirmaba que Plantard era el "legítimo rey de Francia". Posteriormente, el juez detuvo a Plantard para un interrogatorio que duró cuarenta y ocho horas y, después de solicitar a Plantard que declarara bajo juramento, éste admitió que lo había inventado todo; por tal motivo, Plantard recibió una severa amonestación y se le recomendó no "jugar" con el sistema judicial francés. Esto ocurrió en septiembre de 1993 y todo ello fue reflejado por la prensa francesa de la época».

Ésta fue la razón para la desaparición del Priorato de Sión, en 1993. Pierre Plantard murió en 2002, nunca conoció a Dan Brown, ni oyó jamás hablar de *El Código Da Vinci*, pero, de haber visto el éxito de la novela, difícilmente hubiese creído hasta qué extremos ha llegado su historia.

Boxers, los puños fanáticos de China

A finales del siglo XIX, la refinada sociedad china mostraba signos evidentes de intolerancia hacia lo que ellos consideraban una constante intrusión de las potencias extranjeras en los asuntos de un imperio milenario y orgulloso. Lo cierto es que durante todo ese siglo los enfrentamientos habían sido constantes. El afán comercial y expansionista de muchos países europeos, a los que se sumaban los emergentes Estados Unidos y Japón, provocaban fricciones en un inmenso país dominado por la decadencia y una grave crisis de identidad. Durante siglos, los chinos se habían empeñado en un aislamiento indolente que les había mantenido al margen de los progresos tecnológicos de los que disfrutaban las naciones más influyentes del mundo. Su debilidad quedó manifiesta tras las guerras del Opio libradas contra Inglaterra en el ecuador de la centuria citada. En 1842 se cedía forzosamente el enclave de Hong-Kong al Reino Unido con la obligación añadida de abrir diferentes puertos marítimos al tráfico comercial. La presión aumentó considerablemente tras la anexión territorial que los rusos efectuaron en el norte del país, donde fundaron Vladivostok. Francia también intervino asumiendo el protectorado sobre el antiguo reino de Annam, dominio que extendió sin oposición a toda Indochina. En 1885 la propia Inglaterra se adueñó de Birmania, hecho que menoscabó el ánimo de una ya humillada sociedad china. Por si fuera poco, Japón, su ancestral enemigo, asestaba un duro golpe al salir victorioso de la guerra librada entre los dos colosos orientales en 1894-1895, apropiándose de Formosa y Corea. La derrota ante Japón fue sin duda el inicio del capítulo final para un mortecino poder imperial. Estas circunstancias originaron múltiples sensaciones ultranacionalistas y patrióticas en unas elites acostumbradas a gobernar la situación, y no al contrario.

El 20 de junio de 1900 estallaba una rebelión dirigida contra los extranjeros asentados en China. El motín iba encabezado por los boxers, miembros de una sociedad secreta de inspiración religiosa llamada *los puños de la justicia y la concordia*. Sus integrantes se entregaban de forma fanática a un riguroso y exhaustivo entrenamiento físico hasta ser capaces de generar movimientos corporales inconcebibles para cualquier persona ajena a la secta. Estos luchadores creían ciegamente que sus dioses les protegían de cuchillos y balas enemigas, lo que les lanzaba a la batalla con desprecio absoluto del daño que pudieran sufrir.

El supuesto motivo que alentó aquel levantamiento fue el de expulsar del territorio chino a los invasores. Sin embargo, en el entramado de la conspiración, se encontraban elementos políticos que pretendían posicionarse en los puntos neurálgicos de un agónico imperio regentado por la emperatriz viuda Ts'en-hi. En las semanas previas al estallido, los implacables boxers masacraron a cientos de misioneros cristianos que en los últimos años habían pretendido evangelizar China. Las protestas de los diplomáticos extranjeros eran cada vez más enérgicas. Finalmente, el propio embajador alemán era asesinado cuando se dirigía al palacio imperial. Fue la chispa para que veinte mil sublevados nacionalistas tomaran con violencia las calles de Pekín, mientras que las once legaciones diplomáticas establecidas en la capital china preparaban las defensas tras los muros de la fortaleza que custodiaba el barrio de las embajadas. La situación inicial se mostraba tensa, pero no dramática, más de trescientos soldados de diferentes países protegían a unos tres mil civiles preocupados por los acontecimientos que se estaban desarrollando extramuros. Las noticias pronto llegaron al exterior, preparándose expediciones militares de ayuda a los sitiados. Una primera columna británica compuesta por unos dos mil efectivos fue detenida cerca de Tientsin. La euforia de aquel hecho empujó al ejército imperial chino a sumarse con determinación a la locura de unos boxers que destrozaban cualquier cosa que representara a los odiados extranjeros. Fue el caso de la catedral cristiana de Pekín, arrasada sin remilgos en una vorágine de odio y violencia cada vez más cercana a los parapetos de las embajadas europeas. En julio de 1900, los ataques contra los sitiados se incrementaron. La situación de éstos, muy faltos de víveres y municiones, se convirtió en desesperada. Las bajas eran constantes y los días se sucedían sin que llegara una respuesta clara de auxilio por parte de las potencias. Éstas, por fin organizadas, estaban a punto de aparecer en escena en forma de un gran ejército multinacional compuesto por tropas de Estados Unidos, Gran Bretaña, Francia, Japón, Rusia, Alemania e Italia. En total, unos ochenta mil soldados dirigidos por el mariscal alemán Waldersee, que avanzaron desde la frontera rusa limpiando en pocas jornadas el camino hacia Pekín, ciudad en la que entraron el 14 de agosto de 1900, castigando severamente a los boxers y liberando a las embajadas tras cincuenta y cinco días de angustioso asedio.

Las represalias de las tropas coloniales superaron cualquier expectativa. El joven escritor francés Pierre Loti, testigo de los acontecimientos, reflejó en una de sus crónicas: «Ha sido una masacre nauseabunda protagonizada por la soldadesca británica, francesa y alemana, quienes, ávidas de botín, no han reparado en asesinar a niños, mujeres y ancianos».

La cruenta toma de Pekín generó entre los chinos un profundo malestar que impediría definitivamente la propagación del cristianismo; un episodio que todavía en nuestros días se recuerda con dolor en un pueblo de sólida memoria.

Aquel levantamiento popular supuso el acto final de un imperio milenario. Un año más tarde apenas quedaban vestigios de los iracundos boxers y China era obligada a pagar ochocientos millones de dólares como indemnización, además de asumir una rebaja arancelaria y la entrada en su territorio de tropas extranjeras. Fue demasiado para una forma de vida anclada en los siglos. En 1912 caía la dinastía de los manchúes, dando paso a una nueva era.

Capítulo XI

Esoterismo nazi

¿Cuál es el origen de la esvástica?

Si tuviéramos que componer un mosaico con las imágenes más representativas del siglo XX, sin duda tendríamos que situar, en lugar preeminente, la esvástica o cruz gamada, símbolo indefectiblemente unido *in eternum* a las teorías nacionalsocialistas del Fürher alemán Adolf Hitler. Sin embargo, muy pocos conocen que el origen de esta figura ornamental no es exclusivo de los nazis y sí, en cambio, de culturas ancestrales, las cuales le otorgaban un significado bien distinto del que se puede presumir al ser bandera de los fanáticos arios.

La forma más habitual de la esvástica es la que tiene sus brazos orientados hacia la derecha. Esta modalidad suele representar el sol vernal, el amanecer y la creación. La versión cuyos brazos se orientan hacia la izquierda recibe el nombre de sauvástica, y es símbolo del sol otoñal, del ocaso y la destrucción. También se conoce como cruz gamada por poseer gran parecido con la letra griega gamma. En el conjunto se puede observar cuatro letras gamma surgiendo de un centro común.

Hace miles de años ya era utilizada en las culturas prehistóricas como talismán benefactor, atrayente de buena suerte y magnífica salud para todo aquel que lo poseyera, y además servía como escudo protector ante las terribles influencias de los malos espíritus. Más tarde nos encontramos con cruces gamadas en diferentes civilizaciones del mundo antiguo tales como las indoeuropeas u orientales. En China y Japón el pictograma iba asociado a la longevidad, la fortuna y el poder, llegándose a colocar en el pecho de las imágenes de Buda como signo de prosperidad. En la antigua India se asociaba al dios Ganesa, protector del género masculino, de la luz diurna y de la vida, mientras que la sauvástica estaba relacionada con la tenebrosa diosa Kali, instigadora del mal y benefactora de la oscuridad. En definitiva, nos encontramos ante un elemento iconográfico muy extendido en diferentes ámbitos. En los pueblos indoiranios aparece, por ejemplo, en numerosas ocasiones encerrada en un círculo, representando así una rueda del carro solar otorgador de vida. En la antigua tradición escandinava la esvástica va íntimamente relacionada con Thor, dios del trueno e hijo de Odín, deidad suprema para los nórdicos. Asimismo, los celtas, griegos, etruscos y romanos creían que era un excelente talismán representativo del poder, el sol y la existencia. Precisamente, el uso figurativo que de ella hicieron las poderosas legiones romanas fue una de las causas en las que se inspiró Hitler para usarla en beneficio de su ideología política.

Ya en tiempos cristianos los primeros mártires de esta religión usaron esvásticas en las catacumbas de Roma, creyendo que eran perfectas representaciones de la piedra básica en la que Cristo elevaría su iglesia. En el Medievo se siguió representando la cruz gamada junto a las imágenes del Mesías. Incluso los masones utilizaron esvásticas, dado que pensaban que sus formas representaban los cuatro puntos cardinales de la Osa mayor alrededor del cielo. En cuanto a España, no es nada extraño encontrar esvásticas en los elementos decorativos de las tradiciones íberas, formando parte indispensable de muchos ajuares vascones, asunto que ha incitado no pocos equívocos posteriores al desconocerse su verdadero propósito ritual. Como curiosidad, diremos que hasta el célebre pintor aragonés, Francisco de Goya y Lucientes, pintó una cruz gamada en su famoso retrato de la marquesa de Santa Cruz.

Pero, por desgracia, en el primer tercio del siglo XX, los nacionalsocialistas alemanes se fijaron en ella y la convirtieron en la imagen característica de su nefasto ideario y posterior régimen autoritario. Como hemos dicho, a Hitler le llamó la atención la estética de esta cruz utilizada por las tropas del Imperio Romano en sus estandartes y por las culturas nórdicas de las que tanto se dejó influenciar como gran símbolo de poder. En consecuencia, era un fetiche muy apropiado para incluirlo en el camino del Tercer Reich hacia la gloria de los seres perfectos. Hoy en día, aquellas connotaciones negativas han borrado en su casi totalidad las reminiscencias del pasado. Y, si vemos por la calle a un personaje portador de una cruz gamada, no se nos ocurre pensar que pueda ser a modo de amuleto o para atraer la bonanza hacia su casa y huimos atemorizados por si su comportamiento pudiera ser violento. Créanme que la segunda opción está más justificada que la primera.

La Sociedad de Thule

A mediados del siglo XIX, nacieron en Alemania, al igual que en otros países europeos, un gran número de sociedades secretas. La más influyente de todas las que se formaron en el II Reich fue la Sociedad Thule, cuyo nacimiento tardío —es de 1912— permitió que recogiera, ya muy maduras, una gran parte de las ideas que habían dominado e influido en la agresiva política alemana de la segunda mitad del siglo XIX, en especial después de la guerra franco-prusiana, cuando la Alemania unificada del canciller Von Bismark caminaba firmemente por la senda que le conducía al poder mundial.

La Thule-Gesellschaft o Sociedad Thule fue una sociedad ocultista alemana fundada en 1912 por el noble alemán Rudolf von Sebottendorff. A ella pertenecieron importantes personalidades del III Reich como el propio Adolf Hitler y su lugarteniente Rudolf Hess. Al parecer, el partido nacionalsocialista —y por tanto el III Reich— tuvo su origen en esta sociedad esotérica, siendo el DAP —Deutsche Arbeiter-Partei—, después transformado en NSDAP, su brazo político.

Como escudo de la Sociedad Thule se eligió una esvástica —símbolo solar que luego adoptarían los nazis—, colocada detrás de una reluciente espada dispuesta verticalmente. El nombre de Thule fue elegido en recuerdo del legendario —y para ellos existente— reino de Thule, que es simple y llanamente otro nombre para designar la mítica Atlántida. El nombre derivaba de la mítica Thule, la isla legendaria que los griegos, a partir de Piteas de Marsella, y los escritores latinos, como Séneca, consideraban la última isla del mundo y que hoy en día se identifica o bien con Islandia, o bien con las Orcadas o con las Shetland. Como todos los ocultistas de la época, muy influenciados por las leyendas o mitos de la Atlántida y de otros continentes perdidos como Lemuria o Mú, los creadores de la Sociedad de Thule forjaron toda una cosmogonía mágica y fantástica según la cual los pueblos germánicos escandinavos, de raza nórdica, eran los descendientes de una raza todopoderosa que había vivido en un remoto pasado. También se hallaban influenciados por la obra de Horbiger, un hábil ingeniero tirolés que había hecho una gran fortuna a finales del XIX con un nuevo sistema para llaves y compresores (1894), cuya patente había vendido y que luego dirigió sus investigaciones hacia el campo de la cosmografía y la astrofísica. Sus delirantes ideas sobre el fuego y el hielo, de un remoto pasado de hombres-dioses, introducía en el pensamiento de una nación de altísimo nivel científico-técnico, como era Alemania, todo un universo de profecías y leyendas que entraban en contradicción con la ciencia oficial, pero que impresionó a hombres como Hitler, obsesionado con el poder de los mitos y el destino de los pueblos y que consideraba que «hay una ciencia nórdica y nacionalsocialista que se opone a la ciencia judeo-liberal». Con ideas así, no es de extrañar que muchos científicos y proyectistas de armas del III Reich acabasen desesperados, pues se llegó al extremo de que el general Walter Dornberger, al mando del centro experimental de Peenemünde, tuvo que modificar algunas pruebas de lanzamiento para que los apóstoles de la cosmogonía horbigeriana pudiesen comprobar cómo reaccionaban las V2 en los espacios de hielo eterno.

Uno de los principales impulsores de Thule fue Karl Hausshoffer (1869-1946), militar, estudioso de las culturas orientales y uno de los padres de la geopolítica, convencido del origen centroasiático de la raza nórdica y de los pueblos germánicos, a la que aseguraba correspondía el deber de dirigir el mundo. Al especialista en historia y geografía y hábil militar, parecía unírsele otra persona, admirador de Schopenhauer, Ignacio de Loyola, el budismo y el misticismo. Fanático de las ideas de supremacía aria, consideraba que los elegidos de la logia Thule estaban predestinados al dominio del mundo. En 1919, fundó una segunda orden que se llamó Brüder des Lichtes —Hermanos de la Luz—, después denominada, aunque sólo internamente, Vril-Gesellschaft —Sociedad Vril—. A esta nueva sociedad se unieron Die Herren von Schwarzem Stein —Los Señores de la Piedra Negra—, que era una refundación de la orden del Temple. Todos creían firmemente en la existencia de unos seres, los «superiores desconocidos», y en los reinos misteriosos de Agharta y Samballah, con los que se podría contactar para que ayudasen a Alemania a dominar el mundo.

Entre los miembros de la Sociedad Thule se encontraban, además de los paganos Heinrich Himmler y Alfred Rosenberg, también sacerdotes —como el confesor de Hitler, Bernhard Stempfle—, monjes cistercienses —como Guido von List— y miembros de la orden del Temple refundada, además de nacionalistas, patriotas, antimarxistas y antijudíos.

El fin oficial de la Sociedad llegó tras la victoria aliada en la II Guerra Mundial. Hausshoffer, un auténtico mago negro de un nivel de iniciación muy superior al del propio Hitler, supo arreglárselas para salir bien parado. Durante los juicios de Nuremberg visitó en su celda a uno de sus principales discípulos, el criminal de guerra Wolfrang von Sievers, con el que celebró una ceremonia pagana. El 14 de marzo de 1946, asesinó a su mujer y se suicidó siguiendo un ritual japonés. Su hijo Albrecht, defensor hasta el final de las más puras tradiciones de Alemania, participó en el atentado contra Hitler del 20 de junio de 1944. Ejecutado en el campo de Moabit, con otros de los conspiradores, le encontraron un papel en la ropa con unos versos que decían:

> *El destino había hablado por mi padre,*
> *de él dependía una vez más*
> *rechazar al demonio en su mazmorra.*
> *Mi padre rompió el sello.*
> *No sintió el aliento del maligno*
> *y dejó al demonio suelto por el mundo...*

Por increíble que pueda parecer, todavía en 1953 Martin Gardner cifraba en más de un millón de personas el número de seguidores de las teorías horbigerianas y de la seudociencia de las ideas defendidas por la Sociedad Thule, en Alemania, Escandinavia y Estados Unidos. Es posible, por tanto, que aun a pesar de los horrores del siglo pasado, como bien dice el autor alemán Jan Udo Holey en su libro *Sociedades secretas y su poder en el siglo XX*, que «la Sociedad Thule o bien algún esqueje de ella continúe existiendo hoy».

La arquitectura del castillo de Wewelsburg

A las SS les faltaba un centro de poder, un lugar de culto para realizar sus rituales esotéricos, y ese lugar lo encontraron en Westfalia, en el noroeste de Alemania.

En un antiguo grabado de 1630, que representa el castillo de Wewelsburg, sede de la autoridad episcopal de Paderborn, se nos refiere que sus más antiguos restos fueron edificados en una montaña sobre el río Alme en el tiempo de las invasiones hunas. La citada leyenda dio pábulo a la creencia de Himmler, y también del «brujo» Karl Maria Wiligut, de que el castillo de Wewelsburg debería construirse siguiendo un plan magicoesotérico, pues marcaría el punto a través del cual las hordas mongolas y bolcheviques del Este serían detenidas, y comenzaría así la reconquista del milenio ario. Este castillo tenía que ser el «Vaticano de las SS», el ombligo del mundo, y nada debía dejarse al azar. Incluso todo giraría alrededor de un número mágico: el trece.

Heinrich Himmler compró o, mejor dicho, alquiló indefinidamente este castillo en ruinas el 27 de julio de 1934 y lo fue reconstruyendo durante los once años siguientes, con un coste total de trece millones de marcos, si bien en dos años de trabajos acelerados lo hizo habitable, gracias a la abundante mano de obra barata que no era otra que la de los enemigos capturados. Himmler, como jefe supremo de la orden Negra, consiguió un favorable arrendamiento por la cantidad simbólica de un marco al año al ayuntamiento de Büren, Westfalia. La fortaleza se encontraba en un penoso estado de conservación. Su reconstrucción fue financiada por el Ministerio de Hacienda del Reich, que aceptó la idea de Himmler de convertir el viejo castillo en algo parecido a lo que fue Marienburgo para los caballeros teutónicos. No repararon en gastos para hacer un lugar digno del Tercer Reich, un impresionante templo que giraba en torno a una reliquia sagrada: la Santa Lanza, algo que llegó a obsesionar tanto a Hitler como a Himmler. De hecho, la fortaleza tiene forma de lanza, con el edificio triangular simbolizando la punta del hierro, y la larga carretera rectilínea que conducía hacia él representaba el asta. Himmler esperaba pacientemente ser el dueño de la Lanza del Destino original, que desde 1938 guardaba celosamente su jefe, Hitler, en la cripta de Santa Catalina en Nuremberg, como un verdadero talismán. Mientras, se consolaba con una réplica exacta que hizo construir.

El jefe de las SS encontró en el castillo Wewelsburg su particular Camelot, su sede mística de la orden Negra. En el norte de la fortaleza se emplazó el gigantesco comedor de treinta y cinco metros de largo por quince metros de ancho, donde sus elegidos se sentaban a una gran mesa redonda de roble macizo, con trece sillones que parecían tronos, ricamente adornados con toda clase de símbolos arios. Himmler se rodeó de un círculo interno de sumos sacerdotes, un conclave de doce *SS-Obergruppenführers* (es decir, doce tenientes generales de las SS). Cada «elegido» se sentaba en un butacón tapizado en cuero y con una placa de plata con el nombre del caballero SS y con su escudo. En la mesa se sentaba Himmler y doce de sus «apóstoles» más queridos. Ni que decir tiene que intentaba emular el Salón y la Mesa Redonda del rey Arturo.

El vestíbulo central del castillo santuario era donde se celebraban los banquetes. Se trataba de la Sala de los Supremos Jefes de las SS, cuyo suelo estaba adornado por una gigantesca rueda en forma de sol radial con signos de runas. Era el símbolo del Sol Negro con rayos en forma de runas «sig». Éste era el centro de decisiones de la orden Negra. Cada uno de los elegidos poseía su propio aposento en el castillo, cada uno decorado en un determinado estilo y dedicado a una personalidad histórica. Cada sala del castillo estaba dedicada a un portador imperial de la Lanza del Destino, desde Carlomagno hasta los últimos emperadores antes de la disolución del Sacro Imperio Romano Germánico en 1806, pasando por Enrique el Pajarero y Federico Barbarroja.

Debajo de ese gran vestíbulo central, en la base de la torre, se construyó una cripta dedicada a los líderes de las SS fallecidos. Era el sanctasanctórum, su lugar más reservado y secreto. Allí se encontraba uno de los enclaves más mágicos del castillo: el vestíbulo de los Muertos, donde se levantaban trece peanas en torno a una mesa de piedra. En el centro había un pozo y en su mitad ardía una especie de fuego sagrado. El objetivo de esta cripta era netamente funerario: a medida que los integrantes de este círculo íntimo de las SS iban muriendo, se quemaba su escudo de armas, y las cenizas de éste junto con las del difunto eran colocadas en una urna, que a su vez se depositaba sobre una de las peanas u hornacinas del vestíbulo, donde era venerado. Existían además cuatro aperturas o aspilleras del tamaño de un puño en el techo del sótano, de manera que éste estaba siempre ventilado y durante la ceremonia de incineración del escudo, el humo del ritual fúnebre se mantenía en la habitación como una columna.

Todas estas dependencias creaban una atmósfera grotesca y teatral que se buscaba deliberadamente, al igual que las construcciones arquitectónicas que se realizaron durante el Tercer Reich, grandilocuentes y espectaculares para que impresionaran por su tamaño.

En el castillo de Wewelsburg se reunían muchos miembros de la Sociedad Thule y allí se inspiró Himmler para crear el instituto llamado Organización de la Herencia Ancestral o Ahnenerbe. Algunas de sus salas esperaban albergar algún día cercano dos reliquias buscadas y veneradas por la cristiandad: la Santa Lanza y el Santo Grial, que Himmler buscó denodadamente por todo el mundo, financiando varias expediciones para encontrarlo e incluso yendo él mismo a Montserrat en su afán de localizar el Grial. Himmler hablaba frecuentemente de geomancia y le gustaba fantasear sobre Wewelsburg como un «centro de poder» oculto, similar (o por lo menos se lo creía) a Stonehenge. El diario oficial de la Ahnenerbe solía publicar artículos dedicados a tales temas.

En el ala sur del triángulo fortificado, se dispusieron los aposentos privados del Reichsführer Himmler, de los que también formaba parte una sala para su amplia colección de armas y otra más para albergar una biblioteca que alcanzó los doce mil volúmenes. Al lado se dispusieron una sala de sesiones y una sala de visitas para el Tribunal Supremo de las SS. En el mismo ala había habitaciones de invitados para Hitler, quien, por cierto, jamás apareció por el castillo, motivo suficiente para que se difundiera en el pueblo de Wewelsburg el rumor de que Adolf Hitler, a su muerte, debía ser enterrado en la cripta del castillo.

Todavía le están esperando...

La obsesión de Hitler con la Lanza del Destino y otras reliquias

A principios del siglo XX existían por lo menos cuatro Santas Lanzas repartidas por Europa. De todas ellas se decía que era la del centurión romano Longinos, aquel que atravesó con su arma el pecho de un agonizante Jesús en la cruz.

Desde aquel momento, este objeto, como tantos otros, se convirtió en sagrado y digno de ser tenido como una reliquia. Pero la de Longinos era algo más que una lanza santa, era un verdadero talismán al que se atribuía poderes sobrenaturales y que confería unas virtudes especiales, entre ellas la de no hacer perder ninguna batalla a aquel que la empuñara.

De las cuatro lanzas censadas actualmente quizá la más conocida para el mundo cristiano sea la que se conserva en el Vaticano, aunque la Iglesia la tiene como una reliquia más, sin mayores consideraciones, guardada junto a la Verónica en el interior de uno de los cuatro gigantescos pilares de la cúpula de la basílica de San Pedro. La segunda lanza está en Cracovia (Polonia), la tercera en París, adonde fue llevada por san Luis en el siglo XIII, cuando regresó de la última Cruzada de Palestina. Y la cuarta es la que se custodia hoy en día en el museo del palacio Hofburg, de Viena (Austria), también llamado Casa del Tesoro, y es la que posee una genealogía mejor y más fascinante, porque fue la que encandiló a Constantino el Grande, a Carlomagno, a Federico Barbarroja y a Hitler.

La leyenda es la leyenda y en este caso no nos queda más remedio que fiarnos de ella para seguir su trayectoria a lo largo del tiempo. Nos dice que la Santa Lanza llegó a manos de san Mauricio, comandante de la legión tebana (el del famoso cuadro de El Greco), y tras ser martirizado, la reliquia pasó a ser propiedad de Constantino, quien la sostuvo como talismán en la decisiva batalla del Puente Milvio en la que derrotó a su rival Magencio y donde tuvo lugar el milagro de la aparición de la cruz con el lema «*In hoc signo vinces*».

Hitler estaba obsesionado con recuperar la «Lanza del Destino». Y es que así eran sus ansias de encontrar razones para justificar su locura.

· Los abundantes datos que nos suministran las tradiciones germánicas prefieren afirmar que la lanza de los Habsburgo, la *Heilige Lance*, fue enarbolada como talismán por el caudillo franco Carlos Martel en la batalla de Poitiers (732), en la que derrotó a los árabes, y luego fue llevada por Carlomagno en el siglo IX durante cuarenta y siete campañas victoriosas, una lanza que le había conferido poderes de clarividencia. Él fue víctima de la leyenda negra que tiene asociada: «Aquel que la pierda morirá». Carlomagno murió cuando la dejó caer accidentalmente en Aix-la-Chapelle, en el año 814. La lanza entonces pasó a manos de Heinrich el Cazador, también llamado Enrique el Pajarero, quien fundó la casa real de Sajonia, y tras pasar por las manos de cinco monarcas sajones llegó a las de los Hohenstauffen de Suabia, que les sucedieron. Un destacado miembro de esta dinastía fue Federico Barbarroja, que a los sesenta y siete años de edad conquistó Italia y obligó al papa a exiliarse. Su imperio alcanzó cotas impensables, pero Barbarroja cometió el mismo error que Carlomagno: en el año 1190 dejó caer la lanza mientras vadeaba el río Cidno, en Asia Menor. Murió ahogado.

Hitler conocía a la perfección estas viejas historias y sabía que el poseedor de la lanza tenía en sus manos el destino de la humanidad. Cuando era un joven pintor sin futuro que deambulaba por las calles de Viena, solía ir con frecuencia al museo para admirar esta reliquia que ansiaba poseer algún día. La primera vez que la vio, en 1909, la estudió con todo detalle. Comprobó que medía treinta centímetros de longitud y terminaba en una punta delgada, en forma de hoja. En el siglo XIII, el filo había sido ahuecado para incrustar un clavo, al parecer uno de los usados en la crucifixión, y este clavo estaba sujeto con hilos de oro, plata y cobre. En el trozo del mango se observan dos diminutas cruces de oro. La lanza se había partido y las dos partes estaban unidas por una funda de plata.

Muchos de estos detalles provienen del testimonio del doctor Walter Johannes Stein (1891-1957), matemático, economista y ocultista que afirmaba haber conocido al futuro Fürher justo antes de la Primera Guerra Mundial. En 1928, Stein publicó un alucinante panfleto titulado *Historia del mundo a la luz del Santo Grial*, que circuló ampliamente por Alemania y Gran Bretaña y que sirvió para que, cinco años después, Heinrich Himmler le obligara a trabajar en el «buró ocultista» de los nazis. Stein, no obstante, logró huir a Gran Bretaña y la Segunda Guerra Mundial le sorprendió trabajando como agente del espionaje británico. Después de colaborar en la obtención de los planes de la Operación Sealion (la invasión de Inglaterra que proyectaba Hitler), fue consejero de Churchill como asesor sobre mitos y creencias ocultistas del líder alemán. Stein nunca publicó sus memorias, pero antes de morir se hizo amigo de Trevor Ravenscroft, un ex oficial de comandos de Sandhurst que se recicló en periodista y quien publicó en 1972 el libro *La lanza del destino* (también titulado en España *Hitler: la conspiración de las tinieblas*), obra en la que por vez primera nos avisa del tremendo influjo que sentía el canciller alemán por la lanza de los Habsburgo.

Su deseo de poseer la *Heilige Lance* pronto se convirtió en realidad, pues a raíz de la entrada triunfal de Hitler en Viena, en marzo de 1938, incorporando Austria al III Reich, el líder alemán ordenó trasladar a Alemania el tesoro —o «insignias imperiales»— de los Habsburgo, en concreto a Nuremberg. Se sacó de la manga un decreto especial del emperador Segismundo, el cual afirmaba en el siglo XV que era «la voluntad de Dios» que la Santa Lanza de Longinos, la corona, el cetro y la esfera de la dinastía germánica nunca abandonaran el suelo de la patria. La preciada *Heilige Lance* quedó expuesta en el museo de la guerra que Hitler hizo instalar en la cripta de Santa Catalina, lugar emblemático donde habían tenido lugar las famosas «batallas de la canción» de los maestros cantores de Nuremberg de la Edad Media, argumento que con el tiempo fue convertido en ópera por Richard Wagner. Lo curioso es que esta ubicación se debió a una inspiración que tuvo Hitler cuando se hallaba en trance, afirmando que le había sido revelado que la Lanza del Destino debería yacer en la antigua nave de esta iglesia, construida originalmente como un convento en el siglo XIII. El objetivo principal de este museo es que sirviera para exhibir el fabuloso botín acumulado en sus batallas victoriosas por el mundo. En todo momento, la reliquia fue vigilada por un grupo selecto de hombres de las SS, bajo el mando directo del doctor Ernst Kaltenbrunner, el jefe del servicio de seguridad alemán.

Entre los primeros visitantes a los que se permitió la entrada a la nave de los maestros cantores estaban varios de los miembros de la Sociedad Thule que se habían incorporado a la Oficina de Ocultismo nazi de Heinrich Himmler. Eran unos pocos escogidos que sabían que el único objeto importante de todas las antigüedades germánicas expuestas era la Santa Lanza. El profesor Karl Haushofer, uno de los invitados de honor y «el amo oculto» (según Rudolf Hess), intuía que la llegada de la lanza a Alemania era la inequívoca señal del comienzo de un ambicioso y terrorífico plan: la conquista del mundo. Sabía bien lo que decía. En marzo de 1939, Hitler invadió parte de Checoslovaquia y después Polonia el 1 de septiembre. La Segunda Guerra Mundial había comenzado.

Y el final de Adolf Hitler, como suponían sus más allegados, estuvo asociado a la pérdida de la lanza. Aquí el destino hizo un guiño a la historia y, una vez más, se cumplió su fatídica leyenda negra. Después de los intensos bombardeos aliados del 13 de octubre de 1944, durante los cuales Nuremberg sufrió enormes daños, una de las bombas destruyó la casa donde estaba la entrada secreta del túnel, dejando las puertas blindadas al descubierto. Hitler ordenó que la lanza, junto con las piezas más importantes del tesoro de los Habsburgo, fuera trasladada a los sótanos de una escuela en Panier Platz. Este traslado se realizó el 30 de marzo de 1945, con tanta prisa que los soldados confundieron la Santa Lanza, llamada también Lanza de san Mauricio, con otra reliquia mucho menos importante denominada Espada de san Mauricio, de tal manera que pusieron a salvo la espada en el nuevo escondite bajo la plaza de Panier y dejaron la lanza en su primitiva ubicación, cuyo túnel había sido tapado con un montón de escombros. Hitler no se enteró nunca de este despiste.

Un mes después, el Séptimo Ejército norteamericano había rodeado la antigua ciudad de Nuremberg, defendida por veintidós mil miembros de las SS, cien *panzers* y veintidós regimientos de artillería. Durante cuatro días, la veterana división *Thunderbird* («Pájaro de Trueno») martilleó esas formidables defensas, hasta que el 20 de abril de 1945, el día en que Hitler cumplía cincuenta y seis años, la bandera americana fue izada sobre las ruinas.

La compañía C del tercer regimiento del gobierno militar, al mando del teniente William Horn, fue enviada a Nuremberg en busca del tesoro de los Habsburgo. Los nazis habían divulgado el rumor de que todas las piezas del tesoro habían sido arrojadas al fondo del lago Zell, cerca de Salzburgo. No se lo creyeron. Horn acudió al lugar donde pensaba que estaría. La bomba que había volado la casa donde estaba la entrada secreta del túnel, caída seis meses antes, posibilitó que dejara a la vista la bóveda que Hitler había diseñado con tanto celo. Después de algunas dificultades con las puertas de acero de la misma, el teniente Horn logró entrar en la cámara subterránea y allí pudo ver, sobre un altar de unos tres metros de altura —que había sido robado de la iglesia de Santa María de Cracovia—, un lecho de terciopelo rojo, y encima de él la legendaria Lanza de Longinos en su estuche de cuero. Alargó el brazo y la cogió entre sus manos. Lo que el teniente Horn estaba realizando en esos precisos momentos sin saberlo era algo más que incautarse de un objeto religioso; lo que estaba haciendo ese 30 de abril de 1945, curiosamente el día que precede a la Noche de Walpurgis en las tradiciones germánicas, era el cambio de dueño de la Lanza del Destino, un cambio que acarreaba la muerte de su anterior poseedor.

A unos cientos de kilómetros de distancia, en un búnker de Berlín, Adolf Hitler eligió esa tarde para coger una pistola y quitarse la vida —junto con su amante Eva Braun y su delfín Joseph Goebbels—, disparándose un tiro en la boca tras ingerir una cápsula de cianuro.

Y allí está la lanza hoy en día: expuesta en una vitrina del Museo Hofburg de Viena, en su lecho descolorido de terciopelo rojo, exactamente en el mismo lugar en el que Hitler la contempló por primera vez en 1909, a la espera de que algún otro ser humano, con ínfulas imperialistas, quiera cambiar el destino del mundo enarbolando una vez más la Santa Lanza en su mano.

La reencarnación de Himmler

Heinrich Himmler, el siniestro creador de las SS (en 1929), de la Gestapo (en 1933) y de todas las fuerzas de la policía del Reich (en 1936), se reservaba una sala especial en el castillo de Wewelsburg: la habitación de Enrique I el Pajarero, también llamado Enrique el Cazador, fundador de la casa real de Sajonia, muerto en 936.

¿Por qué lo hacía? Porque creía que era su reencarnación. Cada uno de los altos dignatarios que componían el grupo selecto de los trece elegidos tenía una habitación propia, decorada en el estilo de un periodo histórico definido, periodo que, según la mayoría de referencias, correspondería al de su encarnación anterior.

En la habitación que se había reservado Himmler estaba previsto que se custodiara algún día la Lanza de Longinos o Lanza del Destino, si los avatares de la Segunda Guerra Mundial hubieran tenido, precisamente, otro destino...

Lo que seducía a Himmler de Enrique I es que se había empeñado en la unificación de los territorios germánicos, logrando reducir a los eslavos y húngaros hasta la línea del río Oder y a los daneses hasta el Eider y, lo más importante de todo, fue uno de los poseedores de la Santa Lanza. Enrique I otorgó además cartas municipales a diversas ciudades alemanas y procuró hacer más sólidas las fronteras del imperio.

En la cripta de Quedlinburg, en el año 1938, durante un ritual de inspiración pagana y esotérico oficiado por Himmler y otros dignatarios nacionalsocialistas, el Reichsführer prometería sobre la tumba del rey medieval Enrique el Pajarero continuar su labor, luchando frente a la amenaza del Este y llevando las fronteras del Reich hacia Oriente. Quedlinburg es la cuna de la dinastía de los emperadores alemanes, que se convirtió en el centro de la política y la cultura europeas. En la iglesia románica de San Servatius se celebraron muchas ceremonias de este tipo.

Himmler había sido bautizado en Múnich en el año 1900 como católico, pero con el tiempo, ya en la adolescencia, sus tendencias religiosas fueron cambiando hasta el punto de que se decantó por el espiritismo, la astrología y el mesmerismo. Creía en la reencarnación de las almas, al igual que su enemigo, el general norteamericano Patton, que presumía de haber tenido varias reencarnaciones, a cual más variopinta y ampulosa (según él, había sido soldado con Alejandro Magno, había combatido con Julio César en las legiones romanas, había sido un general cartaginés y otros personajes similares). Himmler sentía adoración por Enrique el Pajarero, del que se consideraba su reencarnación a raíz de una revelación que tuvo en una sesión espiritista.

En una charla dirigida en 1936 a los jefes de las SS les explicó que todos ellos habían estado juntos anteriormente en alguna parte y que todos se encontrarían de nuevo después de esta vida.

Todos estos elementos y creencias fueron luego incorporados a esa religión neopagana tan particular que desarrolló y practicó cuando ocupó el puesto de jefe de las SS. Durante los solsticios y los equinoccios hacía rituales en honor, entre otros, del dios Wotan. Himmler, imbuido no sólo por el fanatismo, sino por extrañas revelaciones, creó nuevas festividades de origen ario para sustituir a algunas fiestas cristianas, como la Navidad y la Pascua. Como si se creyera en posesión de la verdad más absoluta, se metió en todos los campos del conocimiento para darles su toque personal: hizo redactar ceremonias de matrimonio y un ritual para el bautismo de los niños nacidos en el seno de los matrimonios de las SS, la elaboración del anillo rúnico para sus miembros, el llamado anillo de la calavera (Totenkopfring), que se entregaba acompañado de un certificado que describía el simbolismo de la esvástica y sus tres signos rúnicos. Incluso dio instrucciones acerca de la forma correcta de suicidarse. Aunque su mayor obra esotérica fue, como ya hemos dicho, la elección del castillo de Wewelsburg.

Ya puestos, elaboró teorías de lo más extravagantes, que podrían movernos a la carcajada si no fuera porque por culpa de ellas murieron miles de personas. Por ejemplo, creía en el poder del «calor animal», por lo que hizo que se realizaran experimentos en donde las víctimas eran sumergidas en agua helada y después revividas para ser colocadas entre los cuerpos desnudos de prostitutas. En otra ocasión se le ocurrió que había que realizar una estadística sobre la medida del cráneo de los judíos pero con una condición, que sólo valían los cráneos de los muertos recientes, así que cientos de personas fueron decapitadas para realizar esta macabra estadística. Otras ideas demenciales de Himmler, obsesionado por sus creencias ocultistas, fue averiguar el significado simbólico de las torres góticas, encontrar el Santo Grial (financió una expedición dirigida por Otto Rahn), descubrir el sombrero de copa de Eton o analizar el poder mágico de las campanas de Oxford, que, según decidió Himmler, son las que habían hechizado a la Luftwaffe, impidiendo a sus aviones infligir daños a la ciudad.

El tristemente famoso lugarteniente de Adolf Hitler, en su delirio y en su creencia en las artes de la magia negra, decide en el año 1938 enviar a un equipo de científicos alemanes (pertenecientes a sus adictas tropas) ni más ni menos que al Tíbet, con la finalidad de que sean ellos, como tales científicos, los que investiguen en tan lejanos lugares el origen de la raza aria. Ocho meses duró esta expedición y durante su estancia en esa región asiática elaboraron estudios antropológicos de sus habitantes, construyeron tablas estadísticas de sus características faciales así como parámetros y medidas craneales de los mismos, siendo Ernest Schäfer el responsable de llevarla a cabo.

Con ello quería completar la base científica de su creencia sobre el origen y carácter divino de la raza aria y de cómo fue transmitiéndose la misma hasta Europa occidental, para lo cual llegó a defender la llamada teoría del resurgimiento de la raza aria, la cual gozaba de una vida eterna. Esto fue predicado por Himmler a todos los miembros de las SS, sirviéndose de sus discursos y arengas así como de las revistas y periódicos editados por el Instituto Ahnenerbe.

Un principio fundamental debe servir de regla absoluta a todo hombre SS. Debemos ser honrados, comprensivos, leales, buenos camaradas con los que son de nuestra sangre y con nadie más. Lo que le pase a un ruso, a un checo, no me interesa absolutamente nada...

Con estas palabras, Himmler dejaba claro cuál era el sitio que debía conservar la futura orden en cuanto a lo racial y que todos los candidatos debían guardar una estricta observancia de los preceptos de la orden. Sus manías y sus creencias seudorreligiosas eran de tal calibre que el escritor J. H. Brennan llegó a sugerir que Himmler era un zombi sin mente ni alma propias, que absorbía la energía de Hitler como si se tratara de un vampiro psíquico.

Por desgracia, no sabemos mucho más de todas las investigaciones en las que estaba metido, porque muchos de sus manuscritos originales, escritos en sánscrito, yidish, griego y latín, desaparecieron misteriosamente y su biblioteca fue quemada.

¿No tienen curiosidad por saber qué extraños secretos guardaban esos textos?

Las armas milagrosas

La leyenda de las armas milagrosas alemanas, que según Hitler iban a cambiar el curso de la II Guerra Mundial, ha generado tanta literatura que es muy difícil separar en la actualidad la realidad de la fantasía. La reciente publicación de la obra *La bomba de Hitler*, del historiador alemán Rainer Karlsch, ha reabierto la polémica de si los alemanes lograron llegar a tener una bomba nuclear, ya que el autor afirma, sin aportar pruebas definitivas, que entre el otoño de 1944 y la primavera de 1945 los físicos alemanes llegaron a construir al menos tres pequeños artefactos nucleares experimentales que en una prueba mataron a centenares de trabajadores esclavos. Aunque las trazas de este hecho están cogidas con alfileres y es mucho lo que nos falta aún por descubrir, es cierto que los rusos se apoderaron de un notable botín radioactivo al entrar en Berlín. En cualquier caso, vale la pena hacer un breve repaso por sus logros.

En los últimos meses de la II Guerra Mundial, acciones ocasionales realmente espectaculares llevadas a cabo por militares alemanes, como la destrucción del puente de Remagen sobre el Rhin, en un audaz ataque realizado por bombarderos y cazas a reacción Arado Ar-234 y Messerschmitt Me-262, o la destrucción en Normandía de veinticinco carros de combate británicos en un solo día por un solitario carro Tigre, alimentaron la convicción de que si la guerra no acababa pronto, los aliados podían encontrarse con un gran problema. Afortunadamente para el mundo, los aliados contaron a su favor con una serie de factores de orden político y estratégico que entorpecieron el desarrollo de muchos de los programas de investigación del Reich en el campo militar. Algunos fueron de tipo político y tenían por objetivo evitar desviaciones demasiado «extrañas», lo que motivó que no se siguiera adelante con algunos estudios revolucionarios. En otros casos, se trató de acontecimientos externos al desarrollo de los proyectos, como la tendencia a buscar utilidad inmediata a la investigación o la presión a favor de las armas que podían ser usadas rápidamente en el campo de batalla. No obstante, realizaron cosas asombrosas, aunque en ocasiones extrañas, de las que les ofrecemos un breve catálogo.

Los experimentos alemanes con aeronaves a reacción comenzaron en secreto en los años treinta y a comienzos de los cuarenta los prototipos de aviones a reacción eran ya una realidad. Algunos llegaron a volar durante la guerra, como el Heinkel He-162 *Salamander* o los conocidos Messerschmitt Me-262 y Me-163, y de otros apenas hay pruebas sólidas de su existencia, como los platillos volantes *Kügelblitz*, pero hubo creaciones asombrosas, como el Bachem 8-349AI *Natter*, un caza cohete de «usar y tirar», que llegó a realizar un vuelo de prueba tripulado y que era una idea sobre cómo lograr un avión barato concebido para destruir las formaciones de bombarderos enemigos. Pesaba sólo I.960 kilogramos, tenía una longitud de catorce metros y se ideó para ser construido con mil horas de trabajo-hombre. Otro artefacto destacable era el Focke-Wulf *Triebflügel*, un extraño coleóptero que fue uno de los primeros ejemplos de aeronaves VTOL —despegue y aterrizaje vertical—. Como éstos hubo diseños de bombarderos, cazas y cohetes, siendo estos últimos el primer

La mayor parte de las «armas secretas» nazis sirvieron para hacer más irracional la Segunda Guerra Mundial. Pero, afortunadamente, muchos de sus prototipos acabaron así...

paso de la astronáutica, entre los que destacó el Horten Ho-IX-A, un ala voladora a reacción. Pero era de los cohetes de donde los técnicos esperaban obtener un arma decisiva, y casi lo logran. Todavía hoy los Misiles Balísticos Intercontinentales —ICBM— siguen siendo el principal elemento de disuasión de las grandes potencias y todos, sin excepción, tienen su origen en los logros alemanes de la II Guerra Mundial, y más concretamente en los estudios de Tsiolkovsky, Goddard y Oberth, quien aprovechando los estudios del primero y las pruebas del segundo creó los primeros cohetes eficaces. Tras instalar un gran complejo en la isla báltica de Peenemünde, cientos de científicos, muchos sin saber qué finalidad tenían sus trabajos, crearon las bases de los primeros misiles teledirigidos del mundo; las bombas volantes V1 y V2. También construyeron y probaron el BV-143 y BV-246, misiles crucero contra la navegación que debían volar a ras de agua hasta alcanzar sus objetivos, o la terrible SD-1400, una bomba antiblindaje con alas que lanzada desde un avión podía ser un arma muy eficaz, como se demostró cuando una, lanzada desde un Dornier Do-217, hundió el acorazado *Roma*. Sin duda, de todas las armas antibuque las más conocidas fueron la HS-293 y sus sucesoras, que lanzadas desde aviones y guiadas por radio hundieron decenas de barcos aliados. Además, los resultados experimentales facilitaron la creación de cohetes susceptibles de ser usados en el campo de batalla, como apoyo a las tropas de tierra. El catálogo era realmente impresionante, desde el *Rheinbote* ——«Mensajero del Rhin»——, un misil táctico tierra-tierra, lanzado por vez primera durante la ofensiva de las Ardenas en diciembre de 1944, hasta el desarrollo de los primeros misiles antiaéreos como el *Rheintochter*. La experiencia adquirida fue muy interesante, y si el fin de la guerra no lo hubiera impedido, las V9 y V10 que se preparaban en abril de 1945 en los complejos industriales subterráneos del macizo montañoso del Hartz hubieran permitido a los nazis bombardear Estados Unidos.

Una parte considerable de los esfuerzos en investigación se dirigió hacia extraños y sorprendentes diseños que partían de una consideración romántica del inventor, el hombre de genio capaz, por sí solo, de alterar el rumbo del destino, como el «cañón sónico» del doctor Richard Wallauschek, formado por dos reflectores parabólicos conectados por varios tubos que formaban una cámara de disparo; o el «rayo torbellino», que se construyó en el Instituto Experimental de Lofer, en el Tirol austríaco. Diseñado por el doctor Zippermeyer, tenía como base un mortero de gran calibre que se hundía en el suelo y disparaba proyectiles cargados de carbón pulverizado y un explosivo de acción lenta. Al accionarse el explosivo, la mezcla que contenía debía crear un tifón artificial que derribaría cualquier avión que se encontrase en las proximidades. El prototipo, que tenía un radio de acción de 914 metros, nunca llegó a probarse, si bien un arma parecida se empleó en Varsovia en el 44 contra la resistencia polaca, usando cargas similares, pero con metano. Aún más original era el «cañón de viento». Feo y grotesco, era toda una maravilla de precisión química, pues actuaba con una mezcla crítica de oxígeno e hidrógeno en proporciones moleculares seleccionadas muy cuidadosamente. Lanzaba tras una violenta detonación un proyectil de «viento», una especie de taco de aire comprimido y vapor de agua con potencia suficiente para simular el efecto de una granada. En cualquier caso, el arma se construyó y un prototipo experimental se instaló en un puente sobre el Elba, poco antes de acabar la guerra, aunque nunca llegó a ser usado en combate.

Por último, se pueden mencionar otras extrañas ideas de los científicos alemanes que luego han tenido algún eco en la prensa más sensacionalista y conspiranoica, entre las que destaca, sin duda alguna, la «bomba endotérmica», sobre la cual hay muy pocas pistas más allá del hecho probado de que se investigó sobre ella. Se trataba de bombas que serían lanzadas por aviones de gran radio de acción y con capacidad para, al detonar, generar frío en lugar de calor, creando una zona de intenso frío que congelaría todo en un radio de un kilómetro, matando toda forma de vida, pero permitiendo la ocupación del lugar, con tan sólo esperar a que el tiempo acabase con sus efectos. Esta ingeniosa arma «ecológica», que no destruía el lugar ni las propiedades, era muy apreciada, pues a diferencia de las actuales bombas de neutrones, no generaba radiación.

Las armas secretas no fueron, por tanto, meros caprichos ni el eco de rumores, fueron creaciones sólidas, en ocasiones muy eficaces y con un poder aterrador, que hoy, en el siglo XXI, siguen despertando admiración, aun siendo la prueba viva de lo que el ingenio humano puede hacer cuando es conducido de manera fanática y cruel.

¿Nazis en la Antártida?

La detención en marzo de 2005 del nazi Paul Schäffer en Chile ha puesto de manifiesto algo que parecía olvidado, pero que se trata de una realidad incuestionable: muchos nazis emigraron al Cono Sur tras la Segunda Guerra Mundial, con objeto de esquivar las persecuciones que contra ellos iban a llevarse a cabo. Y es que, ciertamente, los nazis estaban muy interesados en las tierras situadas más al sur de América. De hecho, una investigación del estudioso argentino Carlos di Napoli, que ha sido dada a conocer en el año 2005, pone de manifiesto, sobre la base de infinidad de documentos oficiales de origen norteamericano, que los hombres de Hitler se mostraron muy interesados en esta región del globo. Una de las razones fue que, al parecer, consideraban que la zona podría convertirse para ellos en una importante fuente de petróleo.

Pero al margen de estos datos históricos, existe toda una tradición esotérica que tiene su origen en esta zona, en la cual los nazis pusieron toda su atención. Quienes la defienden están seguros de que Hitler logró que sus científicos desarrollaran una tecnología muy avanzada. Como consecuencia de ello, habrían fabricado aviones con aspecto de «platillo volante», capaces de maniobras asombrosas. Y, efectivamente, hoy sabemos que la empresa aeronáutica Luftwaffe desarrolló ese tipo de cazas. Ahora bien, se ha demostrado que aquellos prototipos no alcanzaron un mínimo de operatividad y fueron un auténtico fracaso. Pero hay personajes que no opinan así...

El más conocido de ellos es Miguel Serrano, un hombre de carrera diplomática que fue embajador de Chile en Pekín, pero que en la actualidad ha logrado reunir a una serie de fieles a su alrededor. Serrano, que trabajó para el dictador Augusto Pinochet, dice tener las pruebas de que aquellos «platillos volantes» sí lograron volar en condiciones óptimas. Para él —y para quienes defienden sus tesis— el hecho de que los ovnis comenzaran a aparecer en los cielos a partir de 1947 no es una cuestión difícil de solucionar: aquellos artefactos serían los desarrollados en la Alemania nazi pero que habrían encontrado la forma de seguir siendo operativos tras el final de la guerra.

Lógicamente, esos ovnis operan desde la clandestinidad y esperan a que llegue el momento de manifestarse abiertamente. Sería, en este caso, la parte visible del actual IV Reich. Para Miguel Serrano, esos hombres y esas máquinas se esconderían en el mejor escondrijo natural que existe en la Tierra: la Antártida.

Afortunadamente, no hay pruebas para defender esta tesis, aunque sí motivo de preocupación. Y es que la propia existencia de tipos como Miguel Serrano significa, en cierto modo, que sigue vivo cierto tipo de nazismo que, además, ha encontrado en lo esotérico un manto bajo el cual pasar desapercibido.

A este respecto, una cuestión importante a señalar sería que, de haber desarrollado esa tecnología, los nazis deberían haber ganado la guerra, ya que a buen seguro la habrían usado contra sus enemigos. Como respuesta a esta duda, los fieles a la teoría que aquí citamos sugieren que esos artefactos demostraron grandes capacidades aeronáuticas pero pocas aptitudes para el combate. Los hay que incluso creen que la derrota en la guerra fue premeditada y que Hitler provocó un repliegue para poder retornar en cuanto fuera factible una victoria rotunda gracias a sus «platillos volantes» escondidos en la Antártida. Ahora bien, afortunadamente, no hay una sola prueba de esas afirmaciones. Lo único cierto es que una suerte de nuevo nazismo ha encontrado en algunas cuestiones esotéricas una forma de seguir haciendo proselitismo. Y es que bicho malo nunca muere.

Capítulo XII

Enigmas históricos resueltos por el ADN

¿Tuvo un hijo secreto Thomas Jefferson?

Empieza este capítulo con una pregunta y seguimos con otra. ¿Saben que Jefferson obtuvo un éxito total vacunando contra la viruela a doscientos esclavos, ochenta de los cuales eran de su propiedad, después de lo cual la población blanca aceptó la vacunación que protegería contra la enfermedad a muchos soldados durante la guerra de la Independencia? No pongan cara de extrañeza, que aún hay más. ¿Saben que Jefferson fue un inventor muy activo que patentó, entre otras excelencias, el sillón giratorio y la cama empotrable?

Son aficiones que apenas se conocen del tercer presidente de Estados Unidos, al igual que tener hijos secretos... Hace pocos años el ADN desveló que Thomas Jefferson (1743-1826), ardiente defensor de la separación de las razas, mantuvo una relación sentimental con una esclava negra, veintiocho años más joven que él, llamada Sally Hemings, con la cual tuvo al menos un hijo. Tal cual.

Esto, que ya se sospechaba abiertamente en su época, no afectó mucho a su popularidad y nuevamente salió elegido presidente. Su defensa principal consistió en repetir que su vida privada no guardaba relación con su actividad profesional, por lo que no debería repercutir sobre su reputación pública. Al final, no se llegó a alcanzar ninguna resolución al respecto, y durante mucho tiempo se siguió discutiendo sobre los detalles del caso.

En cualquier caso, tiene el dudoso honor de ser, aun a su pesar, el primer presidente americano acusado de escándalo sexual. Las sospechas se publicaron, por primera vez, en 1802, en un periódico de Richmond, al año de su presidencia (1801-1809). Se le atribuían relaciones sexuales ilícitas con su esclava negra. Los hechos habían comenzado en 1786, en París, donde Jefferson desempeñaba el cargo de embajador en Francia, tras el fallecimiento de su mujer, Martha Wales Skelton, que moriría tempranamente en 1782 durante el parto de su segunda hija.

Viudo, desconsolado y con dos niñas pequeñas que cuidar, Jefferson parece que encontró en Sally Hemings, joven esclava de catorce años de edad, un «oscuro objeto de deseo». Sally había sido enviada a la capital de Francia para que acompañase a la hija menor de Jefferson y fue allí donde surgió la chispa. No se sabe lo que pudo ocurrir, pero lo cierto es que Hemings acompañó a Jefferson en su vuelta a Estados Unidos, en 1789, y permaneció a su servicio el resto de su vida. Con los años, Sally llegó a tener hasta cinco hijos, comenzando con Tom, nacido en 1790 y finalizando con Eston, en 1808.

¿Quién era el padre de esas criaturas? Algunos señalaron con su dedo acusador a Jefferson, aportando «pruebas». En primer lugar, su parecido físico con alguno de los niños. En segundo término, porque Jefferson residía en su mansión de Monticelello en Virginia, donde también se encontraba la esclava Sally, en las épocas en que cada niño debió de ser concebido. Y, en tercer lugar, el testimonio del cuarto hijo, Madison, quien, en su edad adulta, afirmó que su madre había reconocido que Jefferson era el padre de todos sus hijos.

Muchos historiadores han mantenido dudas respecto a esta interpretación y han indicado que la paternidad podría haber correspondido a Samuel o a Peter Carr, hijos de una hermana del presidente.

Jefferson fue quizá el más culto de todos los presidentes del siglo XIX, y por eso es menos entendible que fuera un esclavista convencido, aun después de la independencia. Siempre ha sido una paradoja que el redactor del más importante documento sobre las

Por si hacía falta, el ADN ha dejado al descubierto la última trama oculta de Jefferson. Fue padre, pero jamás lo reconoció. Y es que hubo muchas cosas que se negó a admitir... de cara al público.

libertades individuales y los derechos humanos se empecinara en mantener sometidos a sus esclavos. Junto con Abraham Lincoln y George Washington, Jefferson constituye, desde hace casi dos siglos, una referencia para todos los ciudadanos de su país. Su rostro está impreso en las monedas americanas, en los billetes de dos dólares y en las conocidas efigies rocosas del monte Rushmore. Su recuerdo siempre ha estado ligado a que, como secretario de Estado, fue uno de los primeros autores de la Declaración de Independencia.

Sabiendo lo que sabemos, ¿fue Jefferson un gran hipócrita en el manejo de sus argumentos respecto a la esclavitud? Hay una anécdota significativa sobre él que ahora adquiere otra dimensión. Dicen que un día paseaba con su nieto por la calle cuando un esclavo negro le saludó muy cortés, quitándose el sombrero a su paso. El presidente respondió al saludo con la misma cortesía y su nieto, que conocía las rancias ideas de su abuelo, le dijo: «¿Cómo te has humillado de esa manera si tan sólo era un negro?». A lo que el estadista contestó: «Muchacho, ¿permitirías que ese negro ganara en educación al presidente Jefferson?».

El ADN nos ha dado una respuesta contundente a esos comportamientos tan contradictorios entre lo que pensaba y lo que hacía. La investigación la ha realizado un equipo científico formado por genetistas de Virginia, Holanda y Reino Unido, así como por bioquímicos y bioestadísticos de Oxford. Este equipo multidisciplinar ha analizado el cromosoma Y (la información de este cromosoma se va heredando a lo largo de la línea masculina de la descendencia, lo que puede servir para seguir el rastro paterno) en algunos descendientes varones relacionados con Jefferson o con la esclava Sally. Una complicación adicional consistió en que Jefferson no dejó descendencia viva por vía masculina. Por ello, los investigadores tuvieron que analizar a los descendientes varones vivos de un abuelo paterno de Jefferson, comprobando que en ellos existe un raro haplotipo (grupo de marcadores genéticos en un cromosoma) característico de diecinueve marcadores polimórficos, que estaba ausente en otras mil doscientas personas de control analizadas. Este haplotipo, bautizado como el *haplotipo Jefferson*, tampoco se correspondió con los descendientes varones de los sobrinos del presidente (los hijos de su hermana), pero sí fue compatible con el de los descendientes varones de Eston Hemings, el hijo menor de Sally.

Los resultados definitivos de la investigación se publicaron en la revista *Science* en 1998. Conclusión: la probabilidad de que esa compatibilidad se diese por azar se evaluó en menos del 1%, por lo que, con casi total seguridad, se puede afirmar que, efectivamente, la paternidad de Eston le correspondió al presidente Jefferson, un hijo bastardo al que nunca reconoció ni le concedió la libertad.

Y él tan calladito...

El enigma de Luis XVII de Francia

Luis Carlos de Borbón, hijo de Luis XVI y María Antonieta —que luego serían guillotinados—, tenía sólo siete años cuando llegó en compañía de sus padres a la impresionante fortaleza del Temple de París. Allí, el pequeño príncipe, de constitución débil y enfermiza, siguió preso tras la muerte de sus padres y fue confiado al cuidado del zapatero Simón y de su mujer, los cuales hicieron todo lo posible por mantenerle sano, tal es así que a finales de diciembre de 1793 incluso se le llegó a ver jugando en los jardines. Sin embargo, en enero de 1794, el ciudadano Chaumette, nombrado gobernador del Temple, ordenó al matrimonio Simón abandonar la prisión, comenzando a partir de entonces un calvario para el pequeño Luis. El cruel y despótico alcaide dio instrucciones precisas para cerrar todas las ventanas y construir un muro en la puerta hasta media altura y bloqueó el resto con barrotes de hierro. En ese terrible mundo de penumbra el niño quedó aislado del mundo en un pequeño recinto que pronto se convirtió en una pestilente cloaca llena de gusanos e insectos. Durante todo el gobierno de Robespierre, dos guardias vigilaban dos veces al día que el pequeño seguía en la celda.

Tras la caída de Robespierre, su sucesor, Barras, se presentó en la prisión del Temple el 18 de julio de 1794, donde encontró a un niño pálido, casi en los huesos, con las articulaciones inflamadas e incapaz de andar. Tras asignarle un médico, impartió instrucciones para que pudiese llevar una vida decente, pero la debilidad del muchacho era tan grande que no fue capaz de recuperarse y falleció de tuberculosis el 8 de junio de 1795.

Hasta ahora hemos narrado la historia oficial, pero ya a los pocos meses de la muerte del delfín, empezó a correr el rumor de que la mujer del zapatero Simón, convencida de que nada bueno le esperaba al niño, había tramado una sustitución con la ayuda del cocinero de la prisión. Nadie señaló el lugar de su enterramiento y pronto se difundió el rumor de que su certificado de muerte era falso. Una nota conservada de Robespierre haciendo referencia al cocinero del Temple ha sido alegada como indicio de que tal vez incluso el duro líder revolucionario hubiese participado en la trama que permitió escapar al rey niño. Durante años, todo tipo de teorías que planteaban la posibilidad de la supervivencia oculta de Luis XVII fueron alimentando a la opinión pública francesa, lo que motivó la aparición de todo tipo de aventureros que decían ser el rey.

El primero de importancia fue en 1798 Jean Marie Hervagault, hijo de un sastre del barrio de San Antonio de París, rubicundo y con un cierto parecido con varios miembros de la familia Borbón, a quien el obispo Lafont de Savines reconoció como el hijo de Luis XVI, pero su historia pronto fue descubierta. En 1815, el rey Luis XVIII recibió una carta de un tal Carlos de Navarra, que afirmaba ser Luis XVII. Se le envió un cuestionario en el que no fue capaz de responder a ninguna pregunta clave, por lo que acabó condenado a siete años de prisión por ultraje a la magistratura. En realidad, se llamaba Mathurin Bruneau y era hijo de un zapatero. Como éste hubo más de cuarenta casos de impostores que intentaron que sus historias fuesen aceptadas y creídas. De ellos algunos ni siquiera hablaban francés, de tal forma que en el siglo XIX llegó a presentarse en Francia un indio mestizo reclamando sus derechos reales. Hasta Mark Twain se burló de la situación, describiendo a un bribón del Misisipi que se hacía pasar por el heredero al trono de Francia, en *Las aventuras de Huckleberry Finn.* Unos fueron encarcelados por farsantes. Otros, como el barón de Richemont, capaz de describir con desbordante imaginación las tribulaciones de su infancia, vivieron la ficción hasta el fin de sus días, para ser enterrados con epitafios como «Aquí yace Luis Carlos de Francia». Pero ninguno fue reconocido por María Teresa, hija de Luis XVI y María Antonieta y por lo tanto hermana de Luis XVII. Ni siquiera Karl Wilhelm Naundorff, el delfín con más crédito. Naundorff, que antes de llegar a París había trabajado como relojero en la localidad alemana de Crossen y que había sido condenado por falsificación de moneda, hablaba con precisión de las estancias de Versalles y de su fuga.

Varios cortesanos, incluida Madame de Rambaud, institutriz del peque-ño Luis Carlos, aseguraron que Naundorff era el delfín, pero las autoridades nunca le creyeron. En este caso, María Teresa se negó también a recibirle, si bien reconoció en una carta dirigida al barón de Charlet que era el pretendiente que más la había atormentado. Enco-lerizado, el rey Luis Felipe le expulsó de Francia en 1836.

Finalmente, en 1846, se decidió exhumar el cadáver y examinar los restos. Las lesiones que tenía correspondían a las realizadas en la autopsia llevada a cabo tras su muerte. Los huesos encontrados corres-pondían a un varón de 1,55 metros de altura y unos catorce años. El príncipe tenía por entonces diez años y no era muy alto, pero un curio-so análisis capilar aportó unos datos sorprendentes. Una persona de fuertes convicciones monárquicas había conservado un mechón del pelo del delfín, que había recibido en una de las últimas cartas envia-das por la reina María Antonieta. Curiosamente, durante la autopsia practicada al pequeño monarca, un funcionario municipal apellidado Damont cortó un rizo del cabello del niño y lo conservó como un recuerdo. Tras más de ciento cincuenta años, ambos restos de cabello se han conservado y se ha determinado que no podían pertenecer a la misma persona, pues los tomados del delfín presentan una excen-tración del canal medular, particularidad que no tienen los del niño muerto en el Temple, lo que alimentó el mito del cambio.

Sin embargo, la ciencia moderna iba a poner fin a la leyenda. Exis-te un tipo de ADN, el mitocondrial, que se transmite inalterado de la madre al hijo. Bastaba comparar una prueba genética de María Antonieta con otra del crío fallecido en el Temple para descubrir si era el delfín. Y eso es lo que se dispuso a hacer el profesor Cassi-man, de la Universidad de Lovaina, Bélgica, tras localizar tres mues-tras de cabello fiables en Austria, en un museo de Holanda y en una colección privada. Sin embargo, faltaba encontrar al huérfano del Temple. Durante dos siglos había circulado una leyenda extraor-dinaria sobre el corazón de aquel niño. Seguro de que asistía a un momento histórico, el médico encargado de realizarle la autopsia, el convencido republicano Philipe-Jean Pelletan, le extirpó el corazón y se lo llevó a escondidas a su casa. De allí fue robado, reapareció y volvió a perderse hasta que décadas después llegó a la cripta real de Saint Dennis de París. En Saint Dennis de París había, sí, un corazón en una urna. En 1999 se le practicaron unas incisiones y se enviaron muestras a Bélgica y al laboratorio de otro prestigioso investigador, el profesor de la Universidad de Munster Bernard Brinkmann. Las conclusiones del doctor Brinkmann llegaron en abril del año siguiente: el ADN de María Antonieta y el del niño del Temple coincidían. Aunque los herederos de Naundorff sigan reclamando hoy día que los análisis no fueron válidos, la genética había sellado doscientos años de leyenda del delfín fugitivo.

El 19 de abril del año 2000, se demostró que el niño de diez años que el 8 de junio de 1795 murió de tuberculosis en la prisión parisina del Temple era, efectivamente, el delfín, Luis Carlos de Francia, Luis XVII, que falleció, obviamente, sin descendencia. En la obra *El rey perdido de Francia*, la escritora y productora de documentales Deborah Cadbury reconstruyó la investigación por la que el belga Jean-Jacques Cassiman y el alemán Bernard Brinkmann desvelaron las dudas sobre el final de Luis XVII. En última instancia, para los monárquicos franceses esto significa que don Luis Alfonso de Borbón —sobrino del rey de España—, en cuanto jefe de la casa de Borbón de Francia, y Enrique de Orleans, descendiente del rey Luis Felipe, el último rey de los franceses, son ya prácticamente los únicos que pueden soñar con ceñirse la imposible corona de un país feliz de ser una república desde hace más de ciento treinta años.

¿Sobrevivió la duquesa Anastasia a la matanza de la familia Romanov?

El asesinato del zar Nicolás II y de toda su familia a cargo de los bolcheviques es, sin duda, uno de los hechos trascendentales del

Da igual el paso del tiempo, porque los enigmas que rodean a la familia Romanov siguen siendo de larga y prolongada sombra.

siglo XX. Este espantoso regicidio puso fin a la época imperial rusa, dando paso a las tinieblas de la nueva ideología comunista apadrinada por personajes como Lenin, Trotsky o Stalin. El 20 de mayo de 1918, los Romanov, tras el desastre ruso en la Primera Guerra Mundial y el estallido de la Revolución de Octubre, se encontraban exiliados en Ekaterimburgo, una pequeña ciudad situada en Rusia central. En esa fecha una columna bolchevique comandada por el oficial Yakov Yukorovsky llegó al lugar donde se refugiaba la familia real con la triste misión de conducirles a una zona próxima al pueblo de Alapayevsk. Meses más tarde, concretamente en la noche del 16 al 17 de julio de ese año, fueron levantados de la cama en plena madrugada bajo pretexto de realizarles un retrato fotográfico en una lúgubre bodega de la casa en la que estaban recluidos el zar Nicolás II, la zarina Alexandra, el zarevich Alexei, sus cuatro hijas, Olga, Tatiana, María y Anastasia, así como Eugenio Botkin, médico personal de la familia y tres asistentes. Una vez dentro de la habitación y, tras haberles proporcionado dos sillas en las que se sentaron la zarina y el príncipe Alexei, los bolcheviques irrumpieron en la sala

341

con la misión de ejecutar a los asustados rehenes. La matanza se perpetró mediante disparos y bayonetazos, siendo en el caso de las mujeres mucho más lamentable, al haberse cosido éstas una gran cantidad de joyas en sus ropajes interiores, lo que sirvió de escudo protector ante los primeros impactos. Una vez consumada la masacre, se planteó la necesidad de hacer desaparecer los once cadáveres y para ello se optó por la fórmula del enterramiento, previo baño de los cuerpos en ácido sulfúrico, a fin de evitar su posterior identificación. La idea original de trasladar a los Romanov al pozo de una mina cercana se desechó por estar averiado el camión que debía transportarles. En consecuencia, Yukorovsky decidió ocultar los cuerpos en un paraje cercano al lugar de la ejecución. Tras sepultarlos, el joven revolucionario ordenó camuflar el sitio, y desde entonces, y aunque existieron muchas sospechas sobre la ubicación exacta de la fosa, nadie, debido a las circunstancias políticas, se atrevió a investigar mucho más salvo contadas excepciones, lo cual empezó a crear una arriesgada leyenda sobre la hipotética supervivencia de alguno de los miembros de la familia real rusa.

En abril de 1989, el director cinematográfico Geli Ryabov y el geólogo Alexander Avdonin afirmaron conocer el sitio exacto donde reposaban los restos de los Romanov y sus servidores. Dos años más tarde, el mandatario ruso Boris Yeltsin daba autorización para exhumar los cadáveres con el propósito de ofrecerles reconocimiento oficial y un entierro digno. En 1992, el eminente científico Pavel Ivanov, especializado en el estudio del ADN humano, solicitó la ayuda de su colega, el doctor Peter Gill, perteneciente al servicio forense británico. Juntos iniciaron las investigaciones sobre más de mil fragmentos óseos encontrados cerca de Ekaterimburgo. Se cotejaron todas las posibilidades y al fin se averiguó que los huesos hallados pertenecían a cinco varones y cuatro mujeres. La polémica no tardó en dispararse, dado que según los estudios faltaban dos cuerpos. Esto podía, sin embargo, explicarse, ya que si nos atenemos al testimonio de Yuri Yukorovsky, los cadáveres del príncipe Alexei y de una de las hijas, supuestamente María o Anastasia, habrían sido quemados hasta las cenizas. ¿Por qué los bolcheviques actuaron así? Eso nunca lo sabremos, pero lo cierto es que no faltaron personajes que se arrogaron el derecho a ser la perdida Anastasia, una cruel pantomima encarnada principalmente en Anna Anderson, una inmigrante americana, quien mantuvo hasta su muerte ser la auténtica gran duquesa Anastasia, salvada *in extremis* por un soldado ruso con el que sostuvo un encendido romance hasta el fallecimiento del muchacho. Lo cierto es que muy pocos creyeron la versión de Anderson y durante todo el siglo XX aparecieron decenas de Anastasias para mayor confusión del relato. Finalmente, en 1997, se pudo saber, gracias a las modernas técnicas de investigación del ADN, que las candidatas a gran duquesa no eran quienes decían ser y sí, en cambio, unas impostoras de tomo y lomo o bien simples perturbadas con ínfulas imperiales. En los exhaustivos análisis clínicos llevados a cabo por los prestigiosos investigadores rusos y británicos se utilizaron muestras genéticas procedentes de diferentes parientes de los Romanov. Durante meses se analizaron pruebas sanguíneas y tejidos de familiares vivos o muertos, incluidos zares anteriores, miembros del clan que vivían en el exilio y el propio Felipe de Edimburgo, primo de la zarina Alexandra. Las conclusiones fueron claras y diáfanas, determinando que los nueve cadáveres encontrados pertenecían al zar, su esposa y tres de sus hijas; el resto eran el médico y los tres ayudantes. En cuanto al misterio sobre los dos cuerpos que faltaban, este asunto quedó resuelto al localizarse una pequeña fosa contigua a la principal en la que aparecieron cenizas humanas, lo que dio rasgos de verosimilitud a la declaración mantenida por el hombre que dirigió la cruenta matanza. Cabe suponer que dichas cenizas pertenecieran a los infortunados Alexei y María, dado que en la búsqueda de Anastasia se impuso una teoría rusa en la que se identificaron algunos huesos con el cadáver de la que fue hija menor del malogrado último zar.

¿Se encontraron los restos de Josef Mengele?

Médico en Auschwitz, conocido por sus experimentos, especialmente con gemelos, nació en 1911 en el seno de una respetada familia católica de Baviera y murió en Brasil en 1979. En 1930, ingresó en la Universidad de Múnich, ciudad en la que fue testigo de un discurso de Hitler sobre la superioridad de la raza germana. En 1934 se unió al partido nazi, pero siguió con sus estudios y recibió el doctorado en Filosofía, para luego aprobar los exámenes de ingreso a Medicina. Se trasladó a la Universidad de Frankfurt y comenzó a investigar en el Instituto de Herencia Biológica e Higiene Racial. Durante esta época, Mengele publicó un buen artículo sobre la genética y los niños y, al igual que su mentor, se concentró en el estudio de los gemelos. Se hizo miembro del cuerpo de elite Waffen SS y se casó con Irenna Schumbaimm. Herido en el frente del Este, recibió además de las condecoraciones normales por servicio en el frente ruso la Cruz de Hierro en Primer Grado, y luego la Cruz de Hierro en Segundo Grado: un honor al que muy pocos accedían.

Como responsable médico del campo de exterminio de Auschwitz sus investigaciones tenían un fin claro, lograr la absoluta perfección de la raza aria y asegurar su reproducción. Durante esos años, se transformó en la viva imagen del demonio y en el ejemplo más depurado del terror nazi. En sus experimentos, llegó a cobrarse hasta sesenta muertos al día. Poco antes de la llegada de los rusos reunió sus registros y anotaciones y el 18 de enero de 1945, el *ángel de la muerte* desapareció para siempre. Dejó su uniforme de oficial de las SS y, vistiendo un uniforme de oficial de la Wehrmatch —ejército alemán—, se dirigió al sur. Cuando finalmente Alemania capituló en mayo de 1945, Mengele terminó en dos campos de prisioneros de los aliados, ignorado por sus captores, pues no hay documento que explique por qué carecía del tatuaje obligatorio de oficial de las SS. Usando un nombre falso, y con la ayuda de su familia, trabajó en una granja de la zona de Rosenheimm, cercana a su ciudad natal de Gÿinzburg. Entre 1945 y 1949, fue visitado varias veces por Irenna.

Las listas de criminales de guerra circulaban por la República Federal de Alemania y los doctores y oficiales de las SS estaban siendo juzgados. Mengele estaba atemorizado y pidió a Irenna que huyera del país con él, a lo que ella se negó. Decepcionado pero decidido a escapar, huyó a Italia en 1949 y allí embarcó hacia Buenos Aires. En Argentina, gracias a Odessa, organización encargada de otorgar salvoconductos a antiguos oficiales de las SS, se ocultó entre la colonia alemana y llegó a sentirse como en casa, en su residencia en la zona de Florida, viviendo bajo el nombre de Helmut Gregor. Más tarde, en la década de los cincuenta, consideró que la caza de criminales de guerra había terminado, y comenzó a decir su nombre. Obtuvo la nacionalidad argentina y creó una compañía de material agrícola con su verdadero nombre. Con él llegó incluso a figurar en la guía telefónica —así que de anonimato y vida oculta, nada—. Tras divorciarse de su mujer, supo por su abogado que el gobierno alemán había mandado cartas al argentino, solicitando la extradición de nazis. Con la ayuda de Odessa, huyó al Paraguay, donde tramitó su ciudadanía. Bajo las leyes paraguayas no podía ser extraditado. En aquellos tiempos, ese país estaba gobernado por el dictador Alfredo Stroessner, descendiente de alemanes y admirador de los nazis. Seguro, aunque intranquilo, Mengele se dejó ver sin problemas en las calles de Asunción.

En 1960, en Argentina, tuvo lugar el secuestro de Eichmann, y Mengele emprendió de nuevo la huida, escondiéndose esta vez en el sur de Brasil, donde había centenares de miles de descendientes de alemanes entre los que se pudo ocultar; sin embargo, ya nunca más se sentiría seguro. A partir de entonces, a mediados de los sesenta, su vida es difícil de seguir y los testimonios del Mosad y del Departamento de Estado de EE UU se contradicen. La publicación de las novelas *Los Niños del Brasil* y *Maraton-man* —ambas llevadas brillantemente al cine— complicaron aún más las cosas, pues

le concedieron una dimensión mítica de la que el miserable y aco-
rralado asesino carecía.

Las enormes sumas de dinero ofrecidas por su pista por el Centro Weisenthal e Israel dieron su fruto. En junio de 1985, la noticia
del descubrimiento de la tumba de Wölfgang Gërhard, uno de los
nombres que usó en Brasil, recorrió al mundo. Los restos que habían permanecido bajo tierra desde 1979 fueron exhumados. El
equipo forense concluyó que eran los restos de Josef Mengele, el
nazi más buscado desde la Segunda Guerra. Si esto era cierto, ¿cómo
fue su vida desde su huida de Paraguay, en 1960, hasta su presunta
muerte, en 1979? En Brasil fue puesto en contacto con refugiados
bávaros, todos ex pertenecientes al movimiento nazi y refugiados en
ese país tras la guerra. Ellos se alegraron al encontrar a Mengele en
la frontera, donde lo instruyeron sobre su nueva «identidad». Se
disfrazó como un suizo de apellido Stammer, comerciante de imple-
mentos agrícolas. Una familia adoptiva que verdaderamente llevaba
el apellido Stammer lo estaría esperando. Además, fue entrenado
para mantenerse anónimo, ocultarse y para saber a quiénes recurrir
si alguien intentaba detenerlo. Mengele pasó dieciséis años viviendo
con los Stammer en una granja cercana a Sao Paulo, adquirida por
la firma alemana Mengele —la de su familia—. En 1976 la convi-
vencia con sus familiares adoptivos se tornó imposible, por lo que
solicitó una nueva familia. Peter y Geza Bossert se ofrecieron para
acoger a Mengele en su hogar, donde permaneció hasta su muerte.

Según la evidencia descubierta en 1985, 1979 sería un año marcado en la vida de Mengele. En 1979 fue invitado a pasar un día de
playa, a cincuenta millas de Sao Paulo. Mengele se introdujo en el
mar, hasta que el agua alcanzó sus rodillas. En ese momento desapareció. Sufrió un ataque cardiaco, cayó al agua y se ahogó. Geza Bossert hizo los arreglos para que Mengele fuera enterrado en el cementerio de Ambu, bajo una lápida que lleva el nombre de Wölfgang
Gërhard, y allí permaneció hasta su exhumación en 1985. Expertos
forenses de Estados Unidos, Alemania e Israel se encargaron de las

investigaciones. Se enviaron muestras óseas a Inglaterra, donde existen bancos de datos para su comparación. Esa comparación se retrasó muchos años debido a que la ex esposa de Mengele, Irenna, y su hijo Rolf se negaban a dar muestras de sangre. Finalmente, las autoridades alemanas presionaron a Rolf y a su madre, y se obtuvieron las muestras requeridas. El examen de ADN dio un resultado: el hombre sepultado en Ambu, Brasil, fue el padre biológico de Rolf Mengele.

¿Napoleón fue envenenado en la isla de Santa Elena?

Napoleón Bonaparte murió el 5 de mayo de 1821 a las 17.49 horas en la isla de Santa Elena, en el Atlántico sur. Su médico de cabecera constató que la última palabra que pronunció fue «Josefina...», el nombre de su esposa. El galeno comentó sus momentos finales: «El emperador muere solo y abandonado, y su agonía es espantosa».

Oficialmente fallece de cáncer de estómago, más conocido entonces como cirro de píloro (otros creen que sus últimas palabras fueron: «... Retrocede... Armada... Cabeza...»). Vestido con su uniforme de cazadores, sería velado hasta el día 9 y después de una misa celebrada por el abate Vignali, el féretro sería llevado por doce granaderos. Dos mil soldados británicos le rindieron honores.

La madre de Napoleón reclamó los restos de su hijo a Inglaterra, pero no tuvo contestación. En 1840 llegó a la isla de Santa Elena una comisión en la que figuraban los antiguos compañeros del emperador, entre ellos, el hijo de Les Cases, para exhumar sus restos y trasladarlos a los Inválidos de París, donde permanecen hoy día. ¿Es eso seguro? Últimamente se cuestiona cómo murió y si los restos mortuorios que se encuentran en su tumba son realmente los de Napoleón.

El historiador francés Bruno Roy-Henry cree que las autoridades británicas pudieron haber retirado los restos de Napoleón antes de devolver su ataúd a Francia en 1840, y que el cadáver es el de otro hombre. El Ministerio de Defensa de Francia se ha negado, por lo menos por ahora, a permitir una prueba de ADN que, según Roy-Henry, acabaría con todas las dudas sobre la identidad del cadáver. Este organismo aduce que Roy-Henry debe solicitar antes el consentimiento de los descendientes de Napoleón, algunos de los cuales viven en Italia y en la isla natal del emperador, Córcega, para que se le proporcione una muestra con objeto de que se analice su ADN, antes de que se pueda avanzar más en el caso.

Roy-Henry resalta una serie de anomalías que rodean la muerte de Napoléon en 1821 y el traslado de sus restos a París, diecinueve años después. Según los partidarios de esa tesis, el cadáver de Napoléon fue sustituido por el de otra persona cuando fue trasladado a París desde Santa Elena. El objetivo del «cambiazo», aseguran, fue impedir que una eventual autopsia del cadáver pusiese de relieve que Napoleón fue envenenado con arsénico. No es algo nuevo. Desde hace años existe la leyenda de que, en la tumba de Napoleón, no se encuentran los restos mortales del Gran Corso, sino los de un espía a su servicio, un tal Cipriano, envenenado en 1817.

Entre esos «hechos poco claros» destacan que Napoleón tenía la dentadura en mal estado, mientras que el cadáver exhumado el 15 de octubre de 1840 mostraba unos dientes muy blancos, o que las vasijas que contenían el corazón y el estómago del emperador fueron colocadas en un rincón del féretro, para ser luego encontradas entre las piernas del difunto. Los escépticos consideran que los hechos consignados por los notarios de la época no tienen el rigor de los actuales y, por tanto, las distorsiones son inevitables.

Mientras esta prueba de ADN se hace esperar para determinar su identidad, otra ya se ha efectuado y han aclarado otro enigma histórico, el de la causa de su muerte. ¿O no?

Un equipo internacional de científicos aseguró, en el mes de febrero de 2001, que Napoleón Bonaparte murió envenenado con arsénico. El estudio presentado en París refuta la idea de los historiadores que siempre hablaron de un cáncer de estómago y confirma los temores ya expresados en el siglo XIX por el mayordomo del ex emperador, Louis Marchand, quien fue el primero en sospechar que el hombre al que servía fue envenenado y en dejar constancia de ello en sus memorias (publicadas en 1955): describió veintiocho de los treinta y un síntomas que definen el envenenamiento por arsénico. A su testimonio le siguieron más tarde otras opiniones científicas similares. Los resultados revelan que la salud de Napoleón se agravó por la ingestión combinada de arsénico y laxantes. Llegaron a esa conclusión tras analizar un mechón de su cabellera, que fue conservado tras su muerte por los sucesores de Marchand.

El doctor canadiense Ben Weider, que preside la Sociedad Napoleónica Internacional, defiende también la tesis del asesinato del emperador, y por eso confió la investigación al laboratorio de la policía criminal del FBI y al laboratorio nuclear de Harwell, en Londres. Después de que las pruebas de ADN autentificasen que el cabello era realmente de Napoleón, el FBI señaló que «las muestras del pelo analizadas contienen cantidades de arsénico lo suficientemente importantes como para haber provocado un envenenamiento».

El laboratorio británico, por su parte, dictaminó que el veneno no fue utilizado tras la muerte para conservar el pelo de Napoleón ni fue inhalado por el emperador en sus dependencias, decoradas con cuadros pintados con un derivado del arsénico, sino que la sustancia había sido ingerida. Estos datos científicos fueron después verificados por el laboratorio de toxicología de la Prefectura de Policía de París, que confirmó los anteriores análisis (los del FBI y Londres).

Por otra parte, Pascal Kintz, del Instituto Médico-Legal de Estrasburgo, indicó en el año 2001 que «la concentración de arsénico en los cabellos de Napoleón era de 7 ppm (partes por millón), treinta y ocho veces superior a lo normal», lo que interpretó como un claro signo de «intoxicación».

Vistas así las cosas, parece que el asunto del envenenamiento está muy claro. Sin embargo, dicha afirmación queda en tela de juicio según un posterior estudio publicado por la revista francesa *Sciencie et Vie* en octubre de 2002.

El informe dice que Napoleón no murió por ingerir arsénico, como hasta la fecha se creía. Los tres científicos franceses que llevaron a cabo la investigación fueron el director del laboratorio toxicológico de la Prefectura de Policía de París (Ivan Ricordel), el investigador del Laboratorio para la Utilización del Rayo Electromagnético de Orsay (Pierre Chevallier) y el especialista del Departamento de Investigación sobre el Estado Condensado, los Átomos y las Moléculas de París (Georges Meyer). Trabajaron con pelos tomados de la cabellera del propio Napoleón en 1805, 1814 y 1821, sometiendo los diecinueve mechones a la prueba más sofisticada que existe, el rayo sincrotrón. El informe concluye que las altas concentraciones de arsénico detectadas en los mechones de pelo analizados, pertenecientes a Napoleón, no se deben a la ingestión de esta sustancia, sino que dichas concentraciones elevadas aparecen en todas las muestras del pelo del emperador, recogidas en un periodo de más de quince años.

De ser así, ¿cómo explicar entonces la presencia del veneno? La respuesta es sencilla. Aclaran que en el siglo XIX el arsénico era un remedio utilizado para el cuidado capilar, lo que puede explicar su elevada concentración en el pelo de Napoleón.

¿Se aclara definitivamente el enigma? Según la autopsia practicada al cadáver de Napoleón, su historial médico y las pruebas realizadas con el ADN, el ex emperador murió a los cincuenta y un años a causa de una complicación aguda del cáncer gástrico que padecía. Es decir, de la misma enfermedad que sufrió su padre.

Un largo camino para, al final, llegar al mismo punto inicial, es decir, al veredicto que dictaminaron los médicos en 1821.

¿Dónde están los restos de Colón?

En la catedral de Santo Domingo, en la República Dominicana, dos soldados ataviados con los ropajes de gala custodian una tumba que, según aseguran, guarda allí los restos del descubridor de América. Sorprendentemente, un catafalco habilitado en la catedral de Sevilla, España, también alberga la tumba de Cristóbal Colón. O unos u otros no tienen razón...

Ciertamente, la historia no nos resuelve las dudas. Sabemos, eso sí, que los restos mortales del genovés —o mallorquín, según otras fuentes, o gallego, o catalán, o ibicenco...— fueron enterrados en Santo Domingo, pero en el año 1795 España entregó a Francia parte de la isla de La Española y acordó también el traslado de los restos del navegante a La Habana (Cuba). Aparentemente, estuvieron allí hasta que España perdió el control de la isla en el año 1898, fecha en la que el cadáver fue enviado a España para ser «conservado» en Sevilla. El problema, sin embargo, llegó veintiún años antes de este último viaje, cuando en la catedral de Santo Domingo aparecen unos restos que se atribuyen a Colón en una inscripción. Al parecer, según se pensó, el traslado de los huesos no había sido tal...

Cuando en 2001 la empresa Celera anuncia el desciframiento del genoma humano se abrió de forma definitiva las puertas a un nuevo modo de investigación histórica basada en el análisis de restos de ADN. En este caso, además, las cosas eran mucho más sencillas, pues se conocía a la perfección quiénes eran los descendientes directos de Colón. Bastaba con comparar las trazas genéticas de los actuales Colón con las del hombre enterrado en Sevilla. Además, junto a él se encontraban los restos del hijo del almirante y los de su hermano. Si el ADN de todos ellos coincidía es que, sin lugar a dudas, el cuerpo sin vida del hombre que descubrió América se encontraba en Sevilla.

Así las cosas, en el año 2003 un equipo multidisciplinar de científicos capitaneados por el forense José Antonio Lorente se puso manos a la obra. Varias universidades españolas y extranjeras participaron en el examen de los restos. Se trataba de analizar el código genético de los tres miembros de la familia Colón fallecidos en el siglo XVI con muestras pertenecientes a los del siglo XXI. Pese al estado de los fósiles, fue posible llevar adelante el detectivesco experimento.

Los resultados fueron casi concluyentes: las líneas genéticas de los enterrados denotaban familiaridad entre sí y con los supervivientes del linaje. Con un elevado índice de probabilidad, se determinó que Colón está enterrado en Sevilla.

El único problema para hacer definitiva la tesis es que faltan dos elementos. El primero de ellos es que los restos del hermano de Colón no pertenecen a un ser humano, sino que los investigadores de la Universidad de Santiago encontraron ADN de rata. Aun así, aquello otorgaba a la teoría española un 80 por ciento de posibilidades. Para alcanzar un grado pleno de exactitud, sería necesario examinar los restos que se encuentran en Santo Domingo. Sin embargo, las autoridades dominicanas todavía no han dado su permiso y se niegan a colaborar con la ciencia en tan apasionante búsqueda. Uno puede imaginar cuáles son las razones de tal actitud...

Ya nadie lo duda: si de verdad es importante este detalle, Colón está enterrado en Sevilla. Se ha resuelto uno de los grandes misterios del almirante. Otro —su origen— no ha podido determinarse porque para ello sería necesario contar con los restos del hermano. Por otra parte, el último sería averiguar cuál fue la fuente de conocimiento que empleó para viajar con tanta seguridad a América. La verdad es que el descubridor parece que fue el último en llegar, pero ésa es otra historia que ya hemos abordado anteriormente...

¿A qué se debió la locura de Iván IV el Terrible?

El primero de los zares rusos ha pasado a la historia como un ser cruel y despiadado y sus muchos exegetas siempre se preguntaron por las causas que indujeron al gobernante a cometer tanta tropelía sobre su atemorizado pueblo. Si bien sus primeros años de mandato fueron estables y acertados en el plano económico, el tramo final de su vida se convirtió en un espanto de maldad y terror por el que pasó a la historia como uno de los seres infernales que poblaron la Tierra. No

El zar Iván IV mantuvo siempre su locura, especialmente cuando llegó su último día, pero cayó fulminado cuando comenzaba a jugar su última partida de ajedrez.

cabe duda de que Rusia alcanzó, en el tiempo de Iván IV, una dimensión territorial desconocida hasta entonces por la anexión de algunos kanatos y, sobre todo, por la conquista de la inmensa Siberia. Pero ello no es óbice para que se siga destacando, hoy en día, la atormentada personalidad de este descendiente de vikingos suecos. Finalmente, en pleno siglo XX, se pudo averiguar el origen directo por el que El Terrible provocó tanto desasosiego entre los suyos. Por supuesto, nada que ver con el infierno y sí mucho con la química.

Nacido en Moscú en agosto de 1530, fue proclamado zar de todas las Rusias en 1547. Hasta entonces, los únicos signos de agresividad mostrados por él habían sido el lanzamiento de perros desde las murallas del Kremlin y algunos asesinatos encargados sobre supuestos enemigos personales. En todo caso, nada que invitara a pensar en esa época que el llamado a ser máximo dirigente de la santa madre Rusia fuera un ser vil y ejecutor caprichoso de sus semejantes. Durante lustros se encargó a conciencia de que la opinión que sus súbditos tenían de él cambiara drásticamente. Su famosa guardia negra, que asesinaba impunemente por todo el país, y los famosos genocidios ordenados por su mano le convirtieron en uno de los personajes más odiados y temidos de su tiempo.

Los años finales de Iván IV no fueron menos dramáticos que los anteriores. En 1581 cometió filicidio, cuando dejándose llevar por la ira asestó un golpe con su bastón terminado en punta de hierro a su hijo Iván Ivanovich. El impacto fue tan certero como mortal y el zarevich cayó fulminado, sin que nada se pudiera hacer por él. Seguramente, Iván no pretendía matar a su heredero, pero una vez más fue incapaz de dominar la ira incontenible que había marcado toda su vida. Este hecho, no obstante, le sumió en una profunda depresión que le hizo abandonar su fe para entregarse a rituales paganos oficiados por brujas y magos llegados a Moscú desde los poco cristianizados territorios del norte. Cuentan que los alaridos de Iván IV eran tan tremendos que se podían escuchar en muchas calles de la ciudad moscovita. Parece ser que el último día de su vida se encontraba especialmente lúcido, y mostrando buena disposición se levantó de la cama para enfrentarse a un opíparo desayuno, mientras conversaba animadamente con la servidumbre. Más tarde, entonó algunos cánticos y pidió que le trajeran su tablero de ajedrez, pero, antes de iniciar el primer movimiento de peón, inesperadamente, el zar convulsionó y cayó de espaldas para no volver a levantarse jamás. Había muerto Iván IV el Terrible. Era el 18 de marzo de 1584 y tenía cincuenta y tres años.

La sucesión del zar supuso un grave problema, el primogénito había sido asesinado por su propio padre, y tras él sólo quedaban dos posibles aspirantes, los hijos menores de Iván IV: Fiodor y Dimitri. Este último apenas contaba por haber nacido fuera de los tres primeros matrimonios, ya que la ley rusa no contemplaba sucesores más allá de ese límite. Por tanto, sólo quedaba Fiodor y él fue el elegido a pesar de su incapacidad mental manifiesta.

Fiodor I fue el último representante de la dinastía varega. Su debilidad propició nuevas conspiraciones de los boyardos, sembrando de confusión todo el país hasta la llegada de los Romanov en el siglo XVII.

Siglos más tarde, los científicos intentaron reconstruir el rostro de Iván IV el Terrible. Tras analizar los restos óseos descubrieron la posible causa de su perturbada personalidad. Iván IV había contraído a lo largo de su vida numerosas enfermedades venéreas, en especial la sífilis. El tratamiento que los médicos del siglo XVI daban a estos males era el de suministrar grandes dosis de mercurio. Hoy sabemos que la ingesta abusiva de ese metal líquido crea alteraciones neurológicas que desembocan en accesos alternantes de ira y depresión. Por los análisis químicos efectuados en los restos del soberano, podemos deducir que aquella cantidad de mercurio era capaz de destrozar varias personalidades. Ése, entre otros, pudo ser el motivo que explique la desorbitada conducta de uno de los seres más abyectos y violentos que han poblado la Tierra.

Durante el tiempo de su existencia, Europa caminaba con paso firme hacia nuevos conceptos geográficos y políticos. España, tras el descubrimiento de América y otros avatares, se consolidaba como potencia hegemónica; los ejércitos de Carlos V y Felipe II no encontraban rival en los campos de batalla. Mientras para España el siglo XVI fue de oro y para Inglaterra supuso el comienzo de la gestación del futuro imperio, para Rusia el deterioro fue más que evidente, a pesar de la conquista siberiana.

Es curioso imaginar que otras potencias de la época luchaban por metales sólidos como el oro y la plata, al mismo tiempo que un insignificante metal líquido como el mercurio hacía estragos en la cada vez más aislada Rusia. En fin, son los misterios inescrutables de la química y de su influencia en las mentes humanas.

El enigma por desvelar

En esta obra, usted, querido lector, ha tenido la oportunidad de contactar con cien de los enigmas más habituales para *La Rosa de los Vientos* en su sección *Zona Cero*. A buen seguro que siente una tremenda inquietud por saber mucho más acerca de lo que aquí le hemos ofrecido y créanos que estas cuestiones son tan sólo una pequeña muestra de la inmensa cantidad de misterios que aún debemos desentrañar. El deseo de las 4C —artífices de éste libro— es que lo haya pasado francamente bien con su lectura y que muy pronto nos podamos encontrar en futuros trabajos literarios, bien sea en conjunto o por separado. Pero, en todo caso, le animamos a desencriptar el gran enigma que encierra esta obra, dado que los cuatro autores hemos trabajado en las materias más cercanas a nuestros gustos o intereses de investigación. Por tanto, cada uno de nosotros ha desarrollado veinticinco enigmas hasta completar el centenar que integra el volumen que tiene usted en las manos. Le sugerimos que intente escrutar en el texto hasta diferenciar por estilo, personalidad o narración quién es quién en cada tema. Seguro que le resulta un ejercicio entretenido y más de una sonrisa cómplice aflorará con los descubrimientos efectuados. Para finalizar, es nuestro deseo agradecer a los oyentes tantos años de fidelidad a la Tertulia de las 4C, así como dar la bienvenida a los lectores de nuevo cuño quienes van a conocer parte de nuestro trabajo gracias a este libro. Sólo nos resta decir que lo que hacemos en la Tierra encuentra su eco en la eternidad y que mientras tengamos la ilusión de los exploradores seguiremos avanzando como humanidad anhelante de los mejores sentimientos.

www.booket.com

www.planetadelibros.com